Романс

Linda Lael Miller

FLETCHER'S WOMAN

Линда Лаел Миллер

ЖЕНЩИНЫ ФЛЕТЧЕРА

Москва
«ОЛМА-ПРЕСС»
1998

ББК 84.7 США
М 60

Миллер Л.

М 60 Женщины Флетчера: Роман / Пер. с англ. М. Багдасаровой.— М.: ОЛМА-ПРЕСС, 1998.— 431 с.— (Романс).

ISBN 5-224-00016-5

Рэйчел, молоденькая девушка, приезжает в горный городок, где будет работать ее отец. Его наниматель, Джонас Уилкс, там — царь и бог. Он меняет женщин как перчатки, и на этот раз ему приглянулась Рэйчел. Но у Джонаса есть соперник: молодой врач Гриффин, пообещав умирающей матери Рэйчел позаботиться о девушке, всерьез увлекся ею. А Джонас готов пойти на все, чтобы получить Рэйчел — даже на убийство.

ББК 84.7 США

ISBN 5-224-00016-5

ПРОЛОГ

Провиденс, округ Вашингтон, 21 мая 1889 года

Ребекка Маккиннон откинулась на атласные подушки, почувствовав, как усиливается боль. Пальцами, которые, похоже, не желали слушаться приказов ее сознания, она взяла с ночного столика письмо и перечитала его уже, наверное, в сотый раз с момента получения накануне.

Страдание, терзавшее ее, смешалось с головокружительным, полным надежды изумлением. *Эзра. Эзра наконец нашел ее. А это значит, что, возможно, найдет и Рэйчел.*

Слезы отчаяния и боли закипали в ее глазах. *Расскажет ли он Рэйчел то, что знает? Воздвигнет ли между матерью и дочерью стену вражды?*

Ребекка вздрогнула — ее голову пронзила мучительная боль; женщина отбросила бархатное покрывало и с трудом выбралась из постели. Неуверенно ступая тонкими, трясущимися ногами, она пересекла комнату; ночная рубашка из прозрачного бежевого шелка свободно болталась на когда-то пышном, а теперь худом и изможденном теле.

На туалетном столике ее ждало утешение — хрустальный графин с янтарной жидкостью.

Ощутив холодок в сердце, Ребекка открыла графин, налила порядочную порцию его содержимого в стакан, закрыла и поставила бренди на место.

Полумрак, царивший в комнате, сгустился; идущая с моря гроза почти накрыла город Провиденс. Предвещающий ее резкий ветер уже завывал вокруг обшитого досками дома, в котором помещалось заведение Ребекки, по голым деревянным полам тянуло холодом, обжигавшим ее босые ноги.

Женщина высоко подняла рюмку в насмешливом тосте — за Эзру. И за болтливого моряка, выдавшего Эзре в каком-нибудь салуне Сиэтла ее местонахождение и еще за ее собственную давно увядшую юность.

Ребекка взглянула на свое мутное отражение в пыльном, потускневшем зеркале и не смогла удержаться от вздоха.

В ее длинных черных волосах появились седые нити, а огромные фиалковые глаза, в которых давно погас прежний огонь, поблекли, стали пустыми и безжизненными. Впалые щеки утратили румянец, губы, когда-то полные и подвижные, были истончены годами тоски и сожалений.

Где же теперь та, прежняя Ребекка? Где та полная жизни и сил женщина, которая столько раз улыбалась ей из других, более милостивых зеркал?

— Она умерла, — ответила сама себе вслух Ребекка. Преодолевая боль, она резким движением опрокинула в рот бренди. — Умерла, умерла, умерла...

Мышцы плеч и затылка расслабилась с почти судорожной внезапностью, бренди обожгло внутренности. В горле рос ком готовых прорваться рыданий, причинявший ей больше боли, чем ужасная болезнь, разъедающая ее тело, пронизывающая все кости и мышцы.

Дверь спальни, осторожно скрипнув, отворилась — *ну когда же эта несносная Мэми проследит за тем, чтобы смазали петли*?

— Бекки, — мягко произнес мужской голос. — Что вы, черт возьми, делаете?

Ребекка повернулась к вошедшему в комнату мужчине. Она почувствовала слабое облегчение, подобное шуршанию легкого летнего ветерка в листве.

— Гриффин.

Молодой человек крепко, почти властно взял ее за руку и уложил обратно в постель, укрыв одеялом быстрыми нетерпеливыми движениями недовольного отца.

Его темные волосы блестели даже в том слабом свете, который бросал в комнату хмурый день, а твердые благородные черты выражали нежную обеспокоенность. Глаза молодого человека, как и волосы, были почти черными, и он на мгновение отвел их от ее лица, не желая, как подозревала Ребекка, чтобы она прочла в них жалость.

Ребекка залюбовалась гибкой звериной грацией его тела, ощутив пламенное желание опять быть молодой и здоровой. Она протянула тонкую, в набухших венах руку и дотронулась до гладкого шелка его жилета:

— Где ваш пиджак, доктор Флетчер?

Уголок его резко очерченных нервных губ дернулся в улыбке:

— Внизу. Надеюсь, ваши достойные служащие будут держать свои руки подальше от моего бумажника?

Ребекка устроилась на постели поудобнее, временно успокоенная бренди и присутствием своего неразговорчивого, строгого друга.

— Пусть только попробуют что-нибудь у вас украсть — я прикажу высечь их кнутом. И вообще, у меня приличное заведение, Гриффин Флетчер.

Гриффин тихонько рассмеялся, и от его смеха потеплело в холодной, благоухающей лавандой комнате.

— Добрые граждане Провиденса могут посчитать это спорным, Бекки.— Он присел на краешек кровати, обхватив колено ловкими сильными руками.— Ну так почему вы послали за мной? Боль усилилась?

Ребекка остановила утомленный взгляд на позолоченной деревянной панели, окаймлявшей потолок комнаты, и начала осторожно:

— Вы говорили, что в долгу у меня после того, как я помогла вам прошлой зимой в палаточном городке. Вы действительно так считаете?

— Да.

Ребекка глубоко и мучительно вздохнула и осмелилась встретиться взглядом с доктором.

— Это касается моей дочери, Грифф. Рэйчел.

На лице Гриффина ничего не отразилось.

— А что с ней?

На ресницах Ребекки уже дрожали слезы, и она больше не пыталась их скрыть. Было слишком поздно.

— Эзра собирается привезти ее сюда, в Провиденс,— выговорила женщина, шаря по столу в поисках измятого письма.

Доктор Флетчер взял письмо, развернул и пробежал глазами. Однако и теперь выражение его лица не изменилось; ничто не указывало, готов ли он стать ее союзником, или нет.

— Судя по тому, что здесь написано, они приедут сегодня вечером,— сказал доктор.

Ребекка кивнула. Когда она опять заговорила, в ее голосе звучало страшное волнение; ей никак не удавалось связно изложить свою мысль.

— Грифф, она будет жить в палаточном городке... а там Джонас... Боже мой, там Джонас...

Гриффин вздохнул, но никакого определенного чувства не промелькнуло в его темных глазах. Ребекка знала, что он понимает, какую угрозу представляет Джонас Уилкс, знала, как яростно доктор ненавидит этого человека. Уж у кого-кого, а у Гриффина была на то причина.

— Успокойтесь,— резко приказал он.

Ребекка заставила себя не двигаться, хотя ее переполняло желание, даже потребность выбраться из этой постели и сделать что-нибудь — *все, что угодно,* — лишь бы не дать Эзре привезти Рэйчел в Провиденс.

— Рэйчел — хорошенькая девушка,— сказала она наконец, тщательно подбирая слова и стараясь не выдать своего стыда и страха.— Я точно знаю. Она была красивым ребенком. И если она попадется на глаза Джонасу...

У Гриффина на челюсти на миг взбухли желваки.

— Вы боитесь, что он добавит ее к своей коллекции?

Ребекка смогла только кивнуть, и в комнате воцарилась напряженная тишина. Помолчав, женщина продолжила:

— Это ведь уже случилось не с одной девушкой, Грифф!

Грифф вскочил на ноги и встал спиной к Ребекке, уперев ладони в бедра. Казалось, он был во власти чего-то жестоко-первобытного, и Ребекка почувствовала его внутреннюю борьбу, хотя та происходила в самых глубоких тайниках его сердца.

Женщина поправила бархатное покрывало:

— Простите меня, Грифф.

Плечи Гриффина напряглись под белой льняной рубашкой. Он опустил голову, и Ребекка услышала, как он глубоко и резко вдохнул, потом выдохнул. Наконец он повернулся к ней.

— Чего же вы хотите от меня? — спросил он голосом, больше похожим на вымученный шепот.

Горло у Ребекки пересохло, и прошла целая вечность, прежде чем ей удалось выдавить из себя:

— Женитесь на ней. Гриффин, вы женитесь на Рэйчел?

Видно было, что эта просьба буквально оглушила его.

— *Что?*

Порыв отчаяния придал Ребекке силы:

— Я заплачу вам! Я скопила тысячу долларов, и, кроме того, есть еще мой бизнес...

У доктора вырвался невеселый смешок, и он вскинул руки в язвительном возмущении.

— Вы просите меня жениться на женщине, которую я никогда не видел? И за это я получу тысячу долларов и публичный дом?

Ребекка спрыгнула с постели и очутилась с ним лицом к лицу. Боль и слабость были забыты, вытесненные бушевавшим в душе женщины страхом.

— Послушайте меня, Гриффин Флетчер, вы, высокомерный негодяй! Может, я и шлюха — да, Бог свидетель, я шлюха, — но моя дочь — *моя дочь* — она леди! Слышите? Леди!

В темных глазах сверкнуло холодное уважение, и лицо Гриффина слегка смягчилось.

— Я уверен, что в Рэйчел есть все, чего мог бы желать любой мужчина, — спокойно сказал он. — Но я не имею намерения жениться на ком-либо, будь это ваша дочь или кто-нибудь еще.

В его словах звучала мрачная решимость, и Ребекка, вздохнув, опустила голову.

— Хорошо,— проговорила она.— Хорошо.

Гриффин обхватил худые плечи Ребекки и вновь отвел ее к постели.

Она не сопротивлялась, когда он достал из своего потрепанного саквояжа шприц, наполнил его морфием и проверил, нет ли в нем смертоносных воздушных пузырьков.

— Я не хочу, чтобы моя девочка знала, что я держу публичный дом,— срывающимся шепотом пробормотала женщина.

— Я знаю,— ответил Гриффин, сделав укол и осторожно извлекая иглу из руки Ребекки.

Нарастающая боль билась и свирепствовала в ее теле. Так бывало всегда после укола — боль начинала нарастать внезапно и невыносимо, будто предчувствуя, что вскоре ей придется отступить на некоторое время.

— Господи,— прошептала она.— О, Боже мой. Гриффин, что же мне делать?

— Пока что расслабьтесь,— посоветовал Гриффин. Он снял с керосиновой лампы на ночном столике Ребекки расписной фарфоровый абажур и зажег фитиль. Яркий трепетный свет, не затеняемый декоративным абажуром, несколько рассеял надвигающуюся тьму.

Труднее — гораздо труднее — стало не заснуть. Ужасная боль отступала, подобная отливу, начавшемуся в двух сотнях ярдов от дома Ребекки, на берегах залива Пугет.

— Мы помогли вам,— настаивала женщина.— Когда прошлой зимой в палаточном городке была эпидемия гриппа, я и мои девочки помогли вам. Вы у меня в долгу Гриффин. Вы мой должник.

Гриффин вынул из кармана рубашки длинную тонкую сигару, зажал ее в белых ровных зубах и наклонился к фитилю лампы, чтобы прикурить.

— Я знаю,— отозвался он.

— Вы поговорите с Эзрой? Объясните ему, что может случиться с Рэйчел, если она приглянется Джонасу!

Гриффин угрюмо кивнул. У него был усталый, отсутствующий взгляд.

Ребекка, собрав все силы, продолжила, зная, что скоро блаженный успокаивающий сон сморит ее окончательно.

— И если Эзра не послушает вас, Гриффин, отдайте Рэйчел эту тысячу долларов — Мэми вам покажет, где они,— отдайте ей эти деньги и посадите на первый пароход, который зайдет в Провиденс...

— Ну а если она не захочет уехать, Бекки? Что мне тогда делать? Связать ей руки и швырнуть на борт?

— Если понадобится, то да. Вы ведь мне друг, правда?

Гриффин издал хриплый смешок:

— Это не дружба, Бекки. Это похищение людей.

Веки Ребекки наливались тяжестью, зрение становилось нечетким. Она ощущала себя маленьким гладким камешком, бесшумно скользящим на дно темного пруда, в самую глубину. И постепенно погружающимся в ил.

— Вы в долгу предо мной, Гриффин Флетчер! — воззвала она сквозь пелену, окутывающую сознание.— Вы мой должник.

ГЛАВА 1

Рэйчел Маккиннон лежала неподвижно, закрыв глаза, в маленьком островке тепла, образованном ее собственным телом. На несколько безумных мгновений она действительно внушила себе, будто живет пе в этом отвратительном, размокшем от бесконечных дождей месте, а в красивом доме в Сиэтле, в доме с видом на залив Эллиотт.

Да. Да, она могла подойти к светлому окну с тонкими кружевными занавесками в ее собственной просторной комнате с натертыми до блеска дубовыми полами и, выглянув, увидеть большие пароходы и быстрые парусные лодки, входящие и выходящие из гавани. Увидеть, как солнечные блики, будто язычки серебряного пламени, пляшут на синей-синей воде...

Реальность стремительно вторглась в сознание Рэйчел вместе с вонью — мерзкой, пронзительной вонью. Она сразу вспомнила все.

Стон вырвался у нее из груди, и она еще крепче сжала веки. Но это не прогнало мрачных видений. Ряды палаток, стоящие, словно одетая в серые лохмотья армия ночных призраков. Крысы с горящими красными глазами, шныряющие между ручейками дождевой воды. Дети, хнычущие за полотняными стенками.

Палаточный городок.

Рэйчел вздрогнула, пытаясь побороть паническое отчаяние, пришедшее с пробуждением и осознанием действительности. Девушка попыталась воссоздать в памяти сказочный дом, но он не возвращался. Она открыла глаза, потом снова закрыла. Но и с закрытыми глазами она видела все ту же печальную картину, отпечатавшуюся в ее сознании. Ей придется жить в этом отвратительном месте, пока у ее отца будет работа на лесозаготовках мистера Уилкса.

На ее плечо опустилась рука и осторожно, нерешительно встряхнула его:

— Дочка?

Злость на мгновение сжала ее горло и отдалась жаром в крови. Но Рэйчел любила своего отца и знала, что страдания и бедность ранили его гораздо сильнее, чем ее. Слишком радужны были его мечты и надежды, связанные с единственным ребенком.

— Я не сплю, — мягко ответила она и улыбнулась, смутно различая силуэт отца на фоне мокрого свода палатки.

Дождик тихо выстукивал печальный ритм по вытертой парусине, и Рэйчел слышала, как люди переговариваются приглушенными сонными голосами. Почему-то эти звуки вызвали у нее ощущение невыносимого одиночества.

Эзра Маккиннон отвернулся, чтобы его дочь могла встать со своей койки в относительном уединении. Невысокий и коренастый, с копной непослушных седых волос, густой бородой и озорными голубыми глазами, он нагнулся за скаткой с постельными принадлежностями и сказал:

— Здесь есть столовая, Рэйчел. Сходи туда и позавтракай.

Стараясь не обращать внимания на жуткий холод, Рэйчел оправила измятое ситцевое платьице и стала рыться в плетеной сумке, где лежала большая часть ее пожиток. Отыскав щетку, она с яростной энергией принялась расчесывать свои великолепные темные волосы.

— У меня нет денег, папа. А вдруг в этой столовой нужно платить?

Эзра прокашлялся, откинул полог и сплюнул, высунувшись наружу в туманный рассвет. Влажный, промозглый воздух ворвался в палатку.

— Я спросил мистера Уилкса о питании, когда он брал меня на работу,— слегка раздраженно ответил Эзра.— Он сказал, что мое питание бесплатно, а за твое вычтут у меня из зарплаты.

Рэйчел ловко заплела свои блестящие волосы в косу, скрутила ее в пучок и закрепила маленькими черепаховыми гребешками.

— Ты останешься в лесу до следующего воскресенья? — спросила она, уже зная, что так и будет. Ей было семнадцать лет — почти взрослая женщина,— но в этот момент она почувствовала себя испуганной маленькой девочкой, которую вот-вот бросят одну, без друзей и денег, в городке, где никогда не перестает идти дождь.

— Да, дочка. До воскресенья.

Пока Рэйчел думала, как, не роняя своего достоинства, упросить его не ехать, послышался шум запряженной лошадьми повозки, пробирающейся сквозь грязь и дождь, смех рабочих и скрип кожаной упряжки.

Эзра нежно поцеловал ее в лоб, а затем сказал нечто, удивившее девушку:

— Здесь у нас жизнь изменится, Рэйчел. К лучшему.

Она не успела спросить, что это значит, как ее отец уже присоединился к остальным рабочим. Под крики, взрывы смеха и сквернословия обитатели убогого палаточного поселения забирались в повозку и занимали места.

Скоро все они — мужья, отцы и сыновья — поднимутся высоко на гору и будут рубить и валить деревья для мистера Джонаса Уилкса. Рэйчел, приехавшей в повозке ночью, эта гора показалась мрачной и огромной, отличной от всех, когда-либо ею виденных.

Она вытащила из сумки голубую шерстяную шаль и закутала в нее голову и плечи. Когда она вышла из палатки в бесконечный моросящий дождь и мглу зарождающего рассвета, вонь усилилась. Отходы человеческой жизнедеятельности, наверное, сваливали в открытые ямы слишком близко от лагеря.

Отвращение сжало горло и ноздри девушки, ей захотелось броситься обратно в палатку — какой бы убогой она ни была, это было единственное убежище Рэйчел, — и спрятаться. Но нельзя было спрятаться от голода, мучительного до тошноты, с которой она с трудом боролась. Рэйчел вскинула голову, бросая безмолвный вызов слезам, подступившим к глазам и сжимавшим горло.

Из палаток выходили женщины, ведя апатичных, молчаливых детей к центру странной деревни. Поплотнее завернувшись Рэйчел пошла за ними.

Столовая оказалась просто шатром, однако довольно большим и освещенным керосиновыми лампами, которые мерцали и чадили на длинных столах из грубо отесанных досок. Пол был покрыт влажными, резко пахнущими опилками, которые налипали на потертые черные ботинки Рэйчел.

Мягкое тепло, источаемое большой черной плитой в другом конце шатра, казалось, проникло внутрь продрогшей до костей Рэйчел, отогревая ее, а запах шипящего бекона встретил ее, словно добрый друг. Девушка забыла о чудовищном запахе снаружи и позволила себе глубоко вздохнуть.

Голод погнал Рэйчел к столу, где раздавали еду. Она взяла синюю эмалированную тарелку и оловянную вилку и назвала свое имя страдающей одышкой женщине с пронзительным голосом, которая аккуратно записала ее в учетную тетрадь.

Маленький болтливый китаец выхватил у Рэйчел тарелку, положил на нее три ломтика бекона, одно яйцо и кусок поджаренного хлеба и протянул ей. Девушка взяла кружку и налила себе кофе из большого кофейника, стоящего в конце раздачи.

Вдоль других столов стояли длинные скамьи; Рэйчел нашла себе место поближе к теплу, идущему от плиты, и села. Глядя на стоящую перед ней еду, она дрожала от смешанного чувства вины и нетерпения. Ее отец не ел накануне, как и она, но он уже на пути к вершине горы, и ему предстоит работать целый день. Позаботится ли мистер Уилкс о том, чтобы его людей накормили перед началом работы?

Шершавые деревянные скамейки начали заполняться суровыми, настороженными женщинами и шумной ребятней. Рэйчел убедила себя, что ее отца ждет еще лучший завтрак, и после этого принялась за еду. Она жевала медленно, смакуя пищу.

Время от времени из-за одного из соседних столов раздавался дерзкий и заразительный смех, немного разряжавший мрачную атмосферу. Рэйчел мельком взглянула на бледные лица женщин, пытаясь найти ту, которая могла жить в палаточном городке и при этом так смеяться. Девушке очень хотелось найти ее и попытаться с ней подружиться.

Рэйчел невольно вздохнула. Как давно ей не приходилось жить на одном месте достаточно долго, чтобы успеть завести друзей!

Покончив с едой, Рэйчел отнесла тарелку китайцу. Тот выхватил ее из рук девушки и швырнул в большой оловянный таз, стоявший у его ног, явно возмущаясь незнанием ею правил, и начал бранить ее на своем странном быстром языке.

Рэйчел покраснела от смущения, чувствуя, как за ее спиной люди перестали есть и разговаривать. Наверно, каждый смотрел и думал, какая же глупая эта новенькая. Девушка пыталась извиниться, объяснить, что она не знала, что надо делать, но китаец не дал ей такой возможности. Наоборот, он продолжал верещать, словно маленькая злобная птица.

Досада Рэйчел сменилась праведным гневом. Такая мелочь, как незнание того, куда девать пустую тарелку, уж конечно не стоила подобного жуткого разноса!

Однако, прежде чем она успела дать скандалисту отпор, в шатер ворвался поток холодного воздуха, пробрав Рэйчел до костей сквозь тонкое платье и шаль. Тишина, воцарившаяся среди женщин и детей за столами, стала еще глубже, и повар судорожно проглотил готовое вырваться ругательство.

— Что-то случилось, Чанг? — послышался недовольный, но вежливый голос.

Обернувшись, Рэйчел увидела прямо у себя за спиной изящного красивого мужчину. У него были ангельски чистые карие глаза и моложавое гладко выбритое лицо. Его отличный костюм, довольно-таки неуместный здесь, среди одежды из ситца и поплина, был сшит из дорогой темной шерстяной материи и весь усеян сверкающими дождевыми капельками.

— Ну? — настойчиво повторил мужчина ровным угрожающим тоном.

Китаец опять нервно сглотнул и потупил раскосые глаза.

Рэйчел ощутила жалость и раскаяние. Многим нравилось издеваться над китайцами, и она подумала, не принадлежит ли к их числу и этот изысканно одетый человек.

— Все в порядке, — отважилась произнести она.

В бархатных глазах джентльмена мелькнуло одобрение и скрытая насмешка.

— Неужели? Поскольку, даже сидя в экипаже, я слышал крики Чанга, в это верится с трудом.

Несчастный перепуганный китаец попытался перейти со своего языка на ломаный английский.

— Мисси не класть тарелка! — завопил он, трясясь всем телом в своих бесформенных черных штанах и рубашке. — Мистер Уилкс, мисси не класть тарелка!

Мистер Уилкс. *Джонас Уилкс?* Рэйчел прикусила нижнюю губу от удивления. По рассказам отца о мистере Уилксе — о его неограниченной власти и огромном богатстве, — она представляла себе его гораздо старше.

А ему оказалось немногим более тридцати. У него были блестящие волосы цвета спелой пшеницы, а широко открытые глаза и маленький прямой нос придавали его лицу простодушное выражение.

Рэйчел, однако, уже поняла, что он отнюдь не ангел.

— Мистер Чанг абсолютно прав, — заявила она, расправив плечи и прямо глядя в смеющиеся глаза мистера Уилкса. — Я не положила мою тарелку туда, куда надо.

Мистер Уилкс глубоко вздохнул, и на его лице заиграло выражение притворного изумления.

— Это, моя дорогая, один из самых ужасных грехов, о которых я когда-либо слышал. Как вас зовут?

— Мисс Рэйчел Маккиннон,— поколебавшись, ответила она.

Он окинул ее лукавым взглядом, почти незаметно задержавшись на груди и тонкой талии. Но когда он вновь посмотрел ей в лицо, девушку смутило появившееся в его глазах выражение узнавания.

— Рэйчел Маккиннон,— задумчиво повторил он.

Рэйчел почувствовала, как краска бросилась ей в лицо, хотя она и не поняла почему.

— Мне очень жаль, что из-за меня столько беспокойства,— проговорила она.

К величайшему изумлению Рэйчел, мистер Уилкс взял ее правой рукой за подбородок и заставил взглянуть на него. Его кожа была гладкой и приятно пахла одеколоном, но его прикосновение отнюдь не было нежным.

— Я уверен, что, где бы ни появлялась, ты вызываешь волнение, ежик. Эти фиалковые глаза не дадут в этом усомниться.

Рэйчел задело слово «ежик», хотя мистер Уилкс произнес его со странной нежностью в голосе. Она была гордой, и этот прозрачный намек на ее потрепанное платье и взъерошенный вид уязвил ее. Она повернула голову, освобождаясь от его руки.

— Сожалею, что вы находите меня столь непрезентабельной, мистер Уилкс.

Мистер Уилкс тихонько рассмеялся:

— Ну почему же! Ты очень даже презентабельная. Горячая ванна, какая-нибудь приличная одежда...

Она отреагировала мгновенно, не задумываясь о возможных последствиях, не осознавая ничего, кроме того, что ее жестоко оскорбили. Подняла руку и влепила мистеру Уилксу такую пощечину, что следы ее пальцев отпечатались на его щеке багровыми пятнами.

Напряженная тишина в помещении, казалось, начала вибрировать. Джонас угрожающе уставился на дрожащую от ярости девушку. Губы его побелели, он сжимал и разжимал кулаки.

— Мисс Маккиннон, если такое повторится, вы об этом горько пожалеете.

Рэйчел испугалась, но она была слишком упряма и горда, чтобы дать кому-либо, в особенности этому человеку, почувствовать это. Она не сдавалась:

— Мистер Уилкс, если вы еще раз презрительно отзоветесь о моей одежде или намекнете, будто я грязная, вы об этом горько пожалеете.

В этот момент какая-то бесстрашная женщина громко расхохоталась, но если мистер Уилкс и услышал смех, то пропустил его мимо ушей. Его взгляд скользнул по телу Рэйчел, и опять поднялся к ее лицу.

— Ваш отец, должно быть, Эзра Маккиннон, лесоруб, которого я нанял на прошлой неделе в Сиэтле. Я прав?

Рэйчел почувствовала болезненный ком в горле, вспомнив, что от этого человека зависели средства к существованию — и ее, и ее отца.

— Да, — призналась она.

Он вытащил из нагрудного кармана пиджака маленькую книжку в кожаном переплете и что-то размашисто написал на первой странице. Рэйчел с трудом сдержала желание вытянуть шею, чтобы прочесть написанное, и огорченно вздохнула.

— Вы уволите моего отца? — спросила она после неловкой болезненной паузы.

Мистер Уилкс великодушно улыбнулся:

— Конечно нет, мисс Маккиннон. Поступить так было бы низко, не правда ли?

Рэйчел попыталась придумать какой-нибудь дипломатичный и достойный ответ, но смогла выдавить только «спасибо».

И опять она ощутила на себе его дерзкий взгляд.

— Забудь об этом, ежик, — сказал он. И, стремительно прошагав по усыпанному опилками полу, мистер Джонас Уилкс вышел из шатра.

В тот же момент сидевшие в оцепенении жители палаточного городка осмелились вздохнуть свободно.

Первой к Рэйчел подошла худая женщина с широко открытыми испуганными глазами. На ее узком, измученном заботами лице читалось удивление, смешанное с уважением и немалой долей восхищения.

— Вы ударили Джонаса Уилкса! — выдохнула она.

Рэйчел вся сжалась, хотя втайне ей нравилось быть в центре внимания.

— Он сам на это напросился, — ответила она с оттенком бравады.

Веселый бесстрашный смех, уже слышанный Рэйчел, заглушил взбудораженные голоса, и она увидела, что смеялась стоящая неподалеку стройная молодая индианка. У нее была чудесная смуглая кожа, на голове — украшенная бисером повязка, и она была одета в длинную рубашку из оленьей кожи, отделанную бахромой.

— Я надеюсь, что боги любят тебя, Фиалковые Глаза, — сказала индианка, откинув за плечо свои длинные и блестящие черные волосы. — Тебе потребуется их помощь.

Женщина, говорившая первой, метнула на девушку раздраженный взгляд и нахмурилась.

— Не обращай на Фон внимания, Рэйчел. Последние несколько месяцев она провела в бродячем «Шоу Дикого Запада» Бака Джимсона и привыкла вести себя как индианка.

— Я и есть *индианка*! — с жаром воскликнула Фон. — И тебе лучше помнить об этом, Мэри Луиза Клиффорд, или однажды дождливой темной ночью я прокрадусь в твою палатку и сниму с тебя скальп!

Мэри Луиза покачала головой и улыбнулась Рэйчел.

— Когда дело касается мистера Уилкса, следует быть осторожней. Он может быть мстительным.

Рэйчел поежилась.

— Мой отец потеряет работу?

Мэри Луиза успокаивающе похлопала ее по руке:

— Если он хороший, старательный работник, его не уволят.

Фон придвинулась поближе, ее сверкающие черные глаза расширились от недоброго предчувствия.

— Ни одной женщине, ударившей Джонаса Уилкса, это не сойдет с рук. Попомни мои слова, Рэйчел Маккиннон. Уже сейчас он задумывает какую-то месть.

Рэйчел почувствовала, как ужас острыми иголками

впивается в ее позвоночник. Может, надо бежать за мистером Уилксом, умоляя его простить ее? Скорее всего, эта девушка-индианка права: человек, обладающей такой огромной властью, не станет безответно сносить оскорбления.

За себя Рэйчел не боялась. А вдруг кара, может быть, достаточно суровая, падет на плечи ее отца, ни в чем не повинного? Ни в чем, кроме того, что породил несдержанную и плохо воспитанную дочь, с горечью подумала девушка.

Джонас Уилкс нахмурился и поднял воротник, тщетно пытаясь защититься от дождя. Неподходящий день для прогулок; в такой день надо оставаться дома и спать допоздна. Читать хорошую книгу. Потягивать бренди.

Или лежать в постели с женщиной.

Джонас улыбнулся, потому что мысли о Рэйчел Маккиннон нахлынули, будто волны во время прибоя. Он испытывал странную смесь ярости и желания, вновь переживая унижение от пощечины, и его лицо все еще горело там, где его коснулась рука девушки.

Он продолжал идти, обходя самые глубокие лужи, петляя между потрепанными палатками, служившими домами для жен и детей рабочих. Ветер менялся, обдавая Джонаса вонью — резким напоминанием о всех его грехах.

Проклятое место, думал он, прижимая к носу и рту чистый белый носовой платок. Будь проклят Гриффин Флетчер, практически приказавший ему прийти для разговора; и будь проклята эта замарашка с фиалковыми глазами в смешном ситцевом платье и высоких ботинках на пуговицах!

Внезапно он остановился как вкопанный. Зародившееся у него подозрение перешло в уверенность. Рэйчел Маккиннон. Она, несомненно, дочь Бекки! Фамилия может быть совпадением, но не эти фиалковые глаза, роскошные соболиные волосы, эта гордая, почти высокомерная осанка.

Громко расхохотавшись, Джонас двинулся дальше. Он перебрался через грязную, изрытую глубокими колеями дорогу, а затем через заросли пырея на другую дорогу. Он уже приближался к коттеджам и даже вид коляски Гриффина Флетчера не испортил ему хорошего настроения.

Подумать только, дочь Ребекки Маккиннон, живущая в палаточном городке с этими тупыми ленивыми неудачниками и их щенками!

Джонас снова рассмеялся.

Но когда он открыл калитку в беленой ограде дома Фанни Харпер и двинулся по дорожке к двери, направление его мыслей переменилось. В конце концов, Рэйчел дала ему пощечину, к тому же на глазах у жен его рабочих. Такого проступка он простить не мог. Он должен дать понять, что никто не смеет так обращаться с Джонасом Уилксом, не поплатившись за это. Никто.

Однако, что за странное чувство эта девушка вызывала в нем... Беспомощность. О Боже, она заставила его ощутить себя беспомощным, будто он скользил вниз по крутому склону, не в силах уцепиться за что-нибудь и прервать падение.

Внезапно у Джонаса засосало под ложечкой; он снова увидел широко открытые фиалковые глаза, потемневшие от ярости, вспомнил блестящие косы, небрежно заколотые маленькими скромными гребнями.

Он определенно желал эту девушку.

При мысли о ее полной нежной груди у него задрожали пальцы. Джонас вздохнул, еще раз поднял воротник и постучал в дверь дома Фанни. Всему свое время, пообещал он себе. Всему свое время.

Сначала он разберется с требованиями Гриффина, а потом отошлет на гору распоряжение о переводе Эзры Маккиннона на более ответственную работу.

ГЛАВА 2

Дождь прекратился, сменившись холодным туманом, когда Рэйчел вышла из столовой, остановилась и в мрачном, неверном свете наступившего дня посмотрела сначала в одну, а потом в другую сторону. Меж брезентовых домиков возились и играли одетые в лохмотья дети; их нерешительный смех смешивался с криками дерущихся птиц и пронзительными свистками парохода, плывущего по заливу.

Мистера Уилкса нигде не было видно.

Рэйчел подняла голову и увидела, что золотистые солнечные лучи, прорвавшись сквозь свинцовую пелену небес, уже весело играют на стволах огромных сосен, которыми порос склон горы. В другом направлении, за водами Пугета, за Сиэтлом, возносилась в небо гора Райньер — ее заснеженная вершина была окутана сияющим абрикосово-золотым покрывалом.

Это зрелище придало Рэйчел силы.

Внезапно налетел порыв крепкого ветра, и вокруг громко захлопали полотняные стенки палаток. Из столовой через боковой выход рысцой выбежал Чанг и выплеснул содержимое из таза, доверху наполненного объедками. Китаец глянул в сторону Рэйчел, но ничего не сказал. Над его головой кружились и ныряли в воздухе чайки, криками выражая неодобрение китайцу за задержку. Он обругал их на своем резком непонятном языке и снова скрылся в шатре.

Рэйчел выпрямилась. Не стоит медлить, не то ее может покинуть решимость найти мистера Уилкса и попросить у него прощения. Она вновь осмотрелась, надеясь увидеть его где-нибудь поблизости.

Лошадиное ржание привлекло внимание девушки к экипажу. Упряжка вороных меринов, кожа, лак и бронза, блестевшие даже при скудном сером освещении — все указывало на то, что карета принадлежит мистеру Уилксу.

Рэйчел осторожно приблизилась, боясь дотронуться до великолепного экипажа.

— Простите,— обратилась она к мрачному кучеру, съежившемуся на козлах.— Скажите, пожалуйста, это экипаж мистера Уилкса?

Кучер оглядел Рэйчел со смесью насмешки и вожделения и неприветливо буркнул:

— Да уж конечно не какого-нибудь вшивого лесоруба, красотка.

Рэйчел надменно выпрямилась и отступила на шаг, возмущенная и самим этим человеком, и упоминанием о мерзких насекомых, которые были проклятьем на всех лесозаготовках на сотни миль вокруг.

— Вы не скажете, где можно найти мистера Уилкса?

Кучер, осклабившись, широким жестом снял с головы мокрый котелок. Наглец был небрит, у него отсутствовало несколько зубов, а оставшиеся были кривые и почерневшие от гнили.

— Последний раз, когда я видел босса, он шел из этой вонючей дыры к своим коттеджам.

Коттеджам?

Рэйчел обернулась и впервые заметила красивые кирпичные домики. У каждого из этих маленьких строений имелись побеленный деревянный заборчик, узкая зеленая лужайка и уютное крылечко. Дым серыми клубами поднимался из труб, а крепкие, покрытые кедровой дранкой крыши надежно укрывали от дождя. Девушка увидела, как в самый дальний справа дом зашла индианка Фон.

Какой-то момент Рэйчел стояла словно зачарованная. Потом зависть змеей зашевелилась у нее в груди. Жить в настоящем доме, с деревянными полами и огнем в камине, спать на постели с бельем и одеялами...

Девушка опомнилась и прогнала глупые мысли, хлынувшие в ее душу, словно сверкающий горный ручей. Она — дочь бедняка, напомнила себе Рэйчел, и в конце концов выйдет замуж за бедняка. Вряд ли ей доведется жить в столь чудесном месте, как эти кирпичные дома.

— Красиво? — буркнул кучер.

— Да, — сдавленно отозвалась она, не оглядываясь.

Затем, понимая, что спрячется в палатке и просидит там весь день, если сейчас же не двинется к своей цели, Рэйчел подобрала обтрепанные юбки и решительно зашагала к коттеджам.

Она найдет мистера Уилкса и извинится за сцену в столовой. После этого она исследует окрестности палаточного городка. Она внимательно осмотрит Провиденс и прогуляется вдоль берега. Возможно, как и на пляжах Сиэтла, она найдет устриц и маленьких рачков.

Рэйчел скучала по Сиэтлу, его деревянным домам и пастбищам, садам и великолепной панораме моря и гор. За те шесть недель, которые они с отцом прожили в пансионе мисс Флоры Каннингем, образ этого шумного провинциального города врезался ей в память и в сердце. Покидать его было больно по многим причинам, но пришлось ехать туда, где имелся шанс найти работу, да и ее отца уже тянуло на новое место. Он встретил мистера Уилкса однажды вечером в придорожном салуне на Скид Роуд и нанялся к нему лесорубом.

Они приехали в Провиденс темной ночью, перед этим тряслись в продовольственном фургоне Джонаса Уилкса вдоль берега Пугета, и почти не видели ни самого городка, ни соленых волн, плескавшихся на подступах к нему.

Рэйчел мысленно вздохнула и заставила себя ускорить шаг. Осмотр Провиденса неожиданно потерял для нее всякую привлекательность. В конце концов, сказала она себе, лагеря на лесозаготовках почти не отличаются друг от друга; она знала это из своего долгого и горького опыта, так как сама побывала практически в каждом из расположенных на пространстве от Калифорнии до канадской границы.

Эзра Маккиннон был работящим, честным человеком, но беспокойство одолевало его каждый раз, когда приходилось жить где-нибудь больше месяца. Дело кончалось пьянством, которое вскоре приводило к азартным играм и дракам.

Рэйчел добралась до нижней дороги и пересекла ее, утопая в грязи. Она осторожно поднималась по скользкому склону, и ее мысли, как это часто бывало, обратились к матери. В памяти мелькнули черные волосы и глаза цвета лаванды на изможденном неистовом лице.

Ребекка Маккиннон оставила дочь и мужа более десяти лет назад, и Рэйчел редко позволяла себе вспоминать об этом. Такие воспоминания вызывали у нее чувство боли и стыда, но и понимания тоже. Тяжело было скитаться по углам, жить в кибитках и второразрядных гостиницах и не иметь красивой одежды.

Наконец, Рэйчел достигла верхней дороги. Там стояла забрызганная грязью коляска, запряженная терпеливого вида гнедой кобылой.

Девушка остановилась потрепать животное по мокрой морде и одновременно набраться смелости. Она не знала, в который из четырех домов вошел мистер Уилкс, так что, может, ей придется стучать во все двери, чтобы его найти. Задыхаясь от ударов собственного сердца, она открыла калитку первого дома и двинулась по дорожке.

Мысленно Рэйчел репетировала одно горячее извинение за другим. Едва она подошла к ступеням крыльца, как дверь с треском распахнулась и оттуда, с лицом чернее тучи, выскочил взбешенный мистер Уилкс.

Рэйчел инстинктивно отступила в сторону, но в этот момент ее левая нога подвернулась, и девушка, потеряв равновесие, полетела прямо в мокрый от дождя куст шиповника.

Джонас Уилкс остановился, и выражение жуткой ярости исчезло с его лица. Он улыбнулся и протянул руку.

Перепуганная до смерти Рэйчел приняла предложенную помощь, и хозяин отца поднял ее на ноги. Щеки девушки горели, глаза наполнились слезами, готовыми скатиться по перепачканному, исцарапанному лицу. Теперь ее платье было пропитано грязью, ткань изорвана острыми шипами набиравшего бутоны куста. Шаль тоже оказалась в плачевном состоянии.

Проницательные топазовые глаза мистера Уилкса весело блеснули:

— Рискуя получить вторую пощечину, должен сказать, мисс МакКоннин, что сейчас вам просто необходима горячая ванна.

Рэйчел проглотила слезы, но чувство унижения осталось; щеки ее горели, глаза из светлых превратились в темно-лавандовые. Она забыла о намерении извиниться и в смущении повернулась, собравшись убежать. Но мистер Уилкс быстро и крепко схватил ее за руку и повернул к себе лицом.

— Можно, я буду звать вас Рэйчел? — спросил он.

Вопрос так удивил Рэйчел, что, потрясенная, она застыла с открытым ртом не в силах вымолвил ни слова. Он рассмеялся, и его смех почему-то напомнил девушке о напитке, который она попробовала в один из редких рождественских праздников, когда у них с отцом были деньги — о бренди, смешанном с густыми сливками и сахаром.

Она сделала шаг назад и тихо охнула, когда Джонас Уилкс положил руки в перчатках ей на плечи и твердо сжал их.

— Я виноват в том, что вы упали и испачкались, — сказал он голосом, который звучал отстраненно и в то же время как-то интимно. — Не хотите ли пойти ко мне домой и принять ванну?

Лицо Рэйчел стало пунцовым, она лишилась дара речи. Будь она способна двигаться, она бы подняла руку и, невзирая на последствия, опять дала ему пощечину.

Джонас улыбнулся, глаза его сверкнули. Его явно забавляли ярость и оцепенение девушки.

— Я не собираюсь соблазнять тебя, ежик, — спокойно заметил он. — Там будет моя экономка, и она защитит твою невинность.

Рэйчел осмелилась помечтать о горячей ванне, может быть, с ароматным мылом и мягкими пушистыми полотенцами...

Неожиданно едва моросивший дождь опять превратился в ливень.

Рэйчел продрогла до костей, она вывалялась в грязи и, естественно, промокла. Несмотря на серьезные опасения, которые ей внушала перспектива отправиться куда-либо с этим человеком, особенно к нему домой, мысль о том, чтобы возвратиться в убогую, кишащую вшами палатку и сидеть там, закутавшись в одеяло, в ожидании, пока высохнет платье, была просто невыносима. Единственной сменной одеждой Рэйчел было унылое, нескладное платье из колючей коричневой шерсти, и надевать его в данный момент хотелось даже меньше, чем заворачиваться в одеяло.

— Я обещаю вам полную безопасность, — мягко сказал мистер Уилкс. Глаза его излучали теплоту и приветливость. Вокруг лил дождь, покрывая пузырями бурые глубокие лужи и стуча по крышам домов со звуком, похожим на треск огня.

Уверенная, что сошла с ума — причем еще во время завтрака, — Рэйчел позволила мистеру Уилксу взять себя под руку, и они оба заспешили по мокрой траве к главной дороге. Там их ждал прекрасный экипаж — словно нечто, позаимствованное из чьих-то сладких грез.

Мистер Уилкс открыл блестящую дверь и помог девушке забраться внутрь. Когда он сел напротив нее на мягкое кожаное сиденье, Рэйчел показалось, что в его глазах мелькнуло выражение скрытой злобы.

Слегка вздрогнув, она отложила в сторону промокшую голубую шаль.

— Это неприлично, — проговорила она.

Мистер Уилкс откинулся назад, скрестил на груди руки и вытянул обутые в сапоги ноги.

— Я согласен, ежик. Но почему дочь Ребекки Маккиннон должна связывать себя такими глупыми условностями, как приличия?

Рот Рэйчел открылся от изумления, биение крови в ушах заглушило все прочие звуки. После долгой паузы она сумела выдавить:

— Вы знаете мою мать?

Джонас Уилкс хмыкнул, но в его ответе прозвучала презрительная нотка:

— Мы партнеры, Бекки и я. Возможно, точнее будет сказать, мы *были* партнерами; за последние годы у нас произошло несколько серьезных разногласий.

Рэйчел забыла, что ее юбка облепила бедра и лодыжки. Она забыла, что в ее ботинках полно воды и они наверняка испорчены. Она даже забыла, что сидит в экипаже с человеком, которого едва знает.

— Моя мать живет здесь — в палаточном городке?

Снисходительная улыбка тронула его ангельски прекрасные губы:

— Ежик, Ребекка Маккиннон никогда бы не опустилась до того, чтобы жить в таком месте. Она содержит некое крайне... э-э... респектабельное заведение на окраине Провиденса.

Сердце неистово билось в груди Рэйчел, во рту пересохло.

— Пожалуйста, отвезите меня туда!

Джонас Уилкс спокойно покачал головой и язвительно оглядел мокрые волосы и грязное платье Рэйчел.

— Неужели ты хочешь воссоединиться со своей матерью в таком виде, ежик?

— Нет, — ответила Рэйчел в полном отчаянии.

— Вы увидитесь скоро, — заметил мистер Уилкс, обращаясь наполовину к самому себе, наполовину к Рэйчел. — Очень скоро.

Экипаж с шумом и плеском катил сквозь дождь и грязь. Вопросы переполняли Рэйчел, но в этот момент она не могла ничего выговорить. Девушка испытала благодарность, когда мистер Уилкс снял пиджак и накинул ей на плечи, и она сжалась в комочек под его мягкими влажными складками. Ткань приятно пахла трубочным табаком и дождем и тем терпким одеколоном, который она почуяла еще во время стычки в столовой.

— Это, — сказал он, жестом указывая на левое открытое окно экипажа, — главная улица Провиденса.

Рэйчел выглянула, и хотя ее ум и сердце были полны мыслями о матери, находившейся где-то близко, девушка обратила внимание на аккуратные, покрытые краской дома, выходящие окнами на бурные зеленоватые воды залива.

Перед каждым домом была лужайка и ограда, в окнах горел свет, и по какой-то непонятной причине их вид усилил в девушке чувство ужасного одиночества. Она остановила взгляд на густой листве высоких деревьев, растущих на другой стороне бухты.

— Моя мать живет в одном из этих домов? — спросила она.

Экипаж катил дальше, а Джонас Уилкс даже не взглянул на очаровательные маленькие домики. Он вытащил из кармана рубашки сигару и, чиркнув спичкой, закурил.

— Нет, — сказал он после встревожившего Рэйчел молчания. — Нет, ежик, твоя мать живет с бо́льшим размахом, чем эта степенная, добропорядочная публика с Мэйн-стрит. Надеюсь, ты не возражаешь, что я курю?

Онемевшая Рэйчел покачала головой. Она не могла представить кого-то, живущего лучше, чем эти люди. Ведь у них была настоящая крыша над головой и настоящий пол под ногами. В их садах скоро зацветут розы, а вдоль улицы проложен деревянный тротуар. У многих были маленькие огородики, где из земли уже пробивались нежные ростки.

Девушка проглотила комок в горле:

— Что за женщина моя мать?

Мистер Уилкс вздохнул и задумчиво затянулся сигарой. Дым кольцами плыл в холодном туманном воздухе внутри экипажа.

— Ребекка — деловая женщина, — наконец проговорил он.

Рэйчел откинулась на сиденье, смущенная и немало пораженная тем, что ее мать процветала — даже «жила с размахом», — все то время, пока она и отец боролись, порой отчаянно, только за то, чтобы выжить.

— Вы хотите сказать, мистер Уилкс, что моя мать богата? — решилась спросить она.

Он улыбнулся:

— Не богата. Ребекка всего лишь состоятельна.

Всего лишь состоятельна. Рэйчел опустила взгляд на острые, тесные носки своих стоптанных ботинок. Она носила их уже два года, они ей жали и, прежде всего, не были новыми уже тогда, когда она купила их у уличного торговца. Девушка силилась что-то сказать, но не могла.

Неожиданно мистер Уилкс наклонился и накрыл ладонью обе ее руки.

— Насколько я понимаю, вы с отцом не столь преуспели в жизни, — мягко сказал он.

Когда Рэйчел взглянула на него, в ее глазах дрожали слезы.

— Нет, — сокрушенно произнесла она. — Нет.

Он выкинул сигару в открытое окно.

— Твоя судьба скоро изменится, ежик, поверь мне.

Рэйчел смотрела на него, слишком хорошо понимая безнадежность своей жизненной ситуации.

— Вряд ли, мистер Уилкс, — отозвалась она. — Мой отец лесоруб, и моим мужем, когда я выйду замуж, скорее всего, тоже будет лесоруб.

Его карие глаза стали задумчивыми и слегка настороженными.

— А возможно, и нет, — сказал он.

Но мысли Рэйчел вернулись назад, к отчаянию и лишениям, которые выпали ей на долю в этом палаточном городке и в других подобных же поселениях на лесозаготовках. Раньше она думала об этом со смирением; теперь, зная, насколько иной могла бы быть ее жизнь, если бы мать любила ее, девушка ощутила горькую обиду.

Она плотнее закуталась в пиджак мистера Уилкса и забилась в угол сиденья, закрыв глаза. Внезапно на нее навалилась страшная усталость, и она заснула.

Джонас заставил себя сосредоточиться на местности за окном, хотя он знал здесь каждую травинку. Провиденс остался позади, и по обеим сторонам тянулись поля, поросшие желтыми цветами.

Всем существом он чувствовал потребность открыто разглядывать эту грязную промокшую оборванку, свернувшуюся клубочком напротив него, запомнить ее изящную шею, округлости груди, нежный изгиб бедер. Он не осмеливался коснуться ее, — не сейчас, после происшедшей сегодня утром бурной сцены с Гриффином Флетчером в доме Фанни Харпер, — но его переполняло желание обладать ею. Если он позволит себе смотреть на нее слишком пристально или слишком долго, то его намерение держаться на расстоянии, чтобы завоевать ее доверие, может быть сметено неудержимым потоком желания, охватывавшего его при каждом взгляде на эту девушку.

Ровный ритм ее дыхания говорил о том, что она заснула, и Джонас улыбнулся. Он почувствовал, как в нем поднимается нечто очень похожее на нежность, и усилием воли поборол ее.

Рэйчел отличалась от остальных; он понял это с самого начала. И это делало ее опасной: она могла легко приобрести над ним власть, даже поработить его. Ни одна женщина — никогда — не представляла для него такой опасности.

Внезапно экипаж резко повернул, выведя Джонаса из задумчивости. Колеса застучали по булыжникам подъездной дороги, ведущей к дому Джонаса, и он осмелился, после мгновения колебания, взглянуть в сторону Рэйчел. Она пошевелилась и тихо застонала. От этого звука у Джонаса заныло в паху.

Когда экипаж перестал прыгать по булыжникам и, покачнувшись, остановился, Уилкс поднялся с сиденья и открыл дверцу. С нежной улыбкой он поднял Рэйчел Маккиннон на руки и понес ее, как ребенка, по широкой мраморной, обрамленной колоннами лестнице к огромным двойным дверям, которые перед ним открыл кучер.

Рэйчел проснулась, едва он переступил порог, и широко открыла свои прекрасные фиалковые, полные сонного изумления глаза. В следующий момент, осознав все неприличия ситуации, она напряглась в объятьях Джонаса и воскликнула:

— Отпустите меня!

Джонас не хотел бы отпускать ее никогда. Просто держать ее на руках, так невинно и неловко — это возбуждало в нем еще более глубокие желания, чем те, которых он опасался. Он едва сдерживался от того, чтобы броситься вверх по широкой лестнице, ведущей в спальню, и там забыться, не думая о последствиях, погрузившись в нежность и пылкую страстность этой девушки.

А в ее страстности он не сомневался. Даже поставив ее на ноги и отвешивая изящный полупоклон, Джонас ощущал, как пламя ее страстности начинает охватывать и его самого. Она была не просто опасной. Она несла смерть.

— Как вам будет угодно,— ответил он, сам не узнавая свой голос.

Рэйчел напоминала экзотическую птичку, насквозь промокшую и с растрепанными перьями.

— То, что я согласилась принять ванну в вашем доме, мистер Уилкс,— с негодованием произнесла она,— еще не значит, что я... я...

Джонас все еще боролся с диким, неудержимым желанием, которое овладевало им, однако заставил себя улыбнуться.

— Разумеется,— сказал он.

Она немного расслабилась и уже не так сильно куталась в пиджак Джонаса. Медленно, потемневшими от восхищения глазами она стала рассматривать помещение, в котором очутилась: холл с черно-белым мраморным полом, высокие, как в соборе, потолки, стены, отделанные резной тиковой древесиной. Разноцветные блики, отбрасываемые хрустальной люстрой, будто искры вспыхивали в темно-фиолетовых глубинах глаз девушки.

Джонас был полностью во власти ее чар и так бы и стоял неподвижно, как заколдованный, не появись в дверях экономка миссис Хаммонд, в изумлении воззрившаяся на Рэйчел.

Джонас взмахом руки указал на свою насквозь промокшую гостью:

— Как видите, этой молодой леди необходимо принять ванну. Пожалуйста, займитесь этим.

Губы экономки сжались и побелели:

— Джонас Уилкс...

Но Джонас уже устремился к выходу. Пробежав по крыльцу, он шагнул наружу, в бушующий ливень.

Широко раскинув руки, Джонас Уилкс с хохотом подставил лицо дождю.

ГЛАВА 3

Фанни Харпер дико билась в постели, голова ее моталась из стороны в сторону, с губ срывались несвязные мольбы к Богу о пощаде.

Гриффин Флетчер вздохнул и закатал рукава рубашки; перепуганный муж Фанни принес ведро кипятка и перелил его в фарфоровый таз, стоявший на умывальнике.

Фанни опять закричала, снова начала молить небеса смиловаться над нею.

Гриффин заставил себя выбросить из головы последнюю стычку с Уилксом и сосредоточиться на стоявшей перед ним в данную минуту задаче.

— Нельзя ли сделать, чтобы она не так мучилась, док? — хрипло прошептал Сэм Харпер; редкая, давно не бритая, темная с проседью щетина не скрывала бледности его лица. Сэм был еще довольно молод — лет тридцати пяти, — но выглядел сгорбленным стариком. Изнурительная работа на лесозаготовках и недостаток нормальной пищи делали свое дело: отнимали у людей молодость и энергию.

Гриффин покачал головой и принялся тереть руки куском щелочного мыла, которое носил в сумке.

Харпер придвинулся поближе; в его глазах была та же нечеловеческая боль, которая терзала его жену.

— Дайте же ей опий! — вполголоса потребовал он.

Гриффин перестал тереть руки и взглянул на стоявшего рядом с ним человека. Стараясь говорить тихо и ровно, чтобы не услышала Фанни, он ответил:

— Если я это сделаю, ребенок может заснуть в родовых путях и задохнуться. Вы что, черт побери, не понимаете, что я не заставил бы ее так страдать, если бы у меня был выбор!

Фанни снова вскрикнула, и в ее вопле слышалось что-то зловещее. Над головой по крыше стучал нескончаемый дождь.

Сэм Харпер, доведенный до состояния немого ужаса, выскочил из комнаты, плотно прикрыв за собой дверь. В следующий момент в отдаленье хлопнула еще одна дверь.

Гриффин подошел к кровати и откинул скомканное, влажное от пота одеяло, прикрывавшее Фанни. При мерцающем свете керосиновой лампы, стоящей на ночном столике, он осторожно осмотрел ее. Слезы струились по лицу женщины, но она изо всех сил старалась лежать неподвижно и терпеть. Однако уже исчезли и ее врожденное достоинство, и хрупкая красота, делавшая Фанни похожей на цветок и, возможно, ставшая основной причиной ее нынешнего положения.

— Скоро? — умоляюще прошептала она, прикусив губу, чтобы не закричать.

— Скоро, — тихо пообещал Гриффин.

Новый приступ боли скрутил женщину; на этот раз Гриффин поднял ее судорожно хватавшие воздух руки к железной спинке кровати. Фанни вцепилась в нее, костяшки ее пальцев побелели, живот дергался в жестоких конвульсиях.

Гриффин ждал вместе с ней, дышал в такт ее дыханию и сожалел, что нет способа облегчить ее боль.

— Если бы я могла умереть, — сказала она. Ее бледно-голубые глаза остекленели от напряжения и муки.

При других обстоятельствах Гриффина бы оскорбили, даже возмутили подобные слова. Для него смерть была безжалостным врагом, чудовищем, с которым следовало неустанно бороться, а не примиряться.

— Нет, — мягко сказал он.

Мальчик родился через пять минут и, как все дети

Харперов до него, умер еще до того, как покинул изможденное тело Фанни и оказался в руках Гриффина. Искусственное дыхание, которым доктор пытался оживить крошечные легкие, не помогло. Тем не менее он осторожно обмыл ребенка и завернул его в одеяло. Горло Гриффина сжималось от ярости, когда он отложил в сторону крохотное тельце; он боролся с диким желанием перевернуть вокруг всю мебель, расшвырять по комнате книги и безделушки.

— И этот тоже? — спросила Фанни, с отчаянием безнадежности в голосе.

Гриффин чувствовал боль каждой клеткой своего существа. Ярость прошла, уступив место беспомощной, невыразимой тоске.

— Мне так жаль, Фанни, — ответил он.

— Это не был ребенок Сэма, — призналась женщина, уставившись невидящим взглядом в потолок. Ее густые рыже-каштановые волосы спутанными прядями лежали на подушке, влажные завитки прилипли к восковым щекам.

Гриффин опять вымыл руки в оставшейся чистой тепловатой воде и вытер их тонким жестким полотенцем. Потом налил в ложку настойку опия и поднес ее к губам Фанни.

Она с благодарностью, в несколько глотков выпила лекарство и отвернулась к стене. Снаружи бесконечный дождь продолжал отбивать свой печальный ритм по покрытой дранкой крыше.

— Это Божье наказание, — простонала женщина. — Господь лишил моего ребенка жизни, потому что я дурная.

Гриффин вновь осмотрел Фанни, встревоженно нахмурился. Кровотечение было слишком сильным.

— Ты не «дурная», Фанни, и я сомневаюсь, что Бог вообще имеет к этому какое-то отношение.

Фанни притихла, и это еще больше обеспокоило Гриффина.

— Это мой грех навлек на меня гнев Господа.

Гриффин вынул из сумки стальную иглу и поднес ее

к пляшущему огню лампы. Когда игла остыла, он вдел в нее кишечную струну и стал зашивать разрыв на теле Фанни.

Господь. Они всегда говорят о Боге, вознося хвалу Ему, когда все идет хорошо, обвиняя свою человеческую природу, когда случается беда. Если Бог есть — а существующие во Вселенной порядок и гармония заставляли Гриффина втайне подозревать, что Он есть — то Его абсолютно не интересует человечество. Он, похоже, уже давно занялся другими, более многообещающими начинаниями, бросив, вероятно, на прощание через плечо: «Живите сами по себе!»

— А теперь отдохни, Фанни,— сказал Гриффин.

Но Фанни начала тихонько плакать, хотя и не могла чувствовать уколов иглы.

— Это не был ребенок Сэма,— повторяла она.

Гриффин взглянул на жалкий сверток, лежащий на сундуке в ногах кровати. У него сжималось сердце при мысли, что этот недоношенный ребенок никогда не будет играть в сверкающем прибое, не подставит лицо солнцу.

— Я врач, Фанни,— раздраженно проговорил Гриффин.— Не священник.

— Эт-тот человек — он дьявол. Все думают, будто он человек, но нет! Он продал душу дьяволу.

Дьявол интересовал Гриффина еще меньше, чем Бог.

— Джонас? — вздохнул он, проверив шов и пытаясь увидеть сходство в неподвижном личике младенца. Фанни кивнула, и ее всхлипывания превратились в тихие, жуткие стенания:

— Будь он проклят, этот человек, будь он проклят!

Гриффин испытал огромное облегчение, когда его пациентка провалилась в прерывистый, беспокойный сон. Даже это, подумалось ему, для нее лучше реальности.

Гриффин, пошатываясь, вышел из комнаты, обнаружил на плите в кухне горячую воду и опять вымыл руки. Кожа между пальцами и на ладонях стала чувствительной от едкого мыла, и он ощутил, как вода обожгла руки.

Гриффин налил себе кофе из синего эмалированного кофейника, закипавшего на задней конфорке, и вернулся в маленькую аккуратную комнатку, где в каменном очаге уютно потрескивал слабый красно-рыжий огонь.

Джонас. Всегда Джонас.

Привалившись плечом к грубой облицовке камина, Гриффин задумчиво потягивал крепкий, хотя и несвежий кофе. Интересно, подействовало ли предупреждение, сделанное им Джонасу — держаться подальше от дочери Бекки. Когда речь идет о Джонасе, трудно сказать что-либо определенное.

Тогда мысли Гриффина были заняты Фанни, и у него не было времени убеждать Джонаса в серьезности своего отношения к этому вопросу. Да, беда в том, что времени всегда не хватает.

Гриффин допил остатки кофе и отнес чашку обратно на кухню. Там он опустил ее в чугунную раковину и до краев накачал в нее чистой воды.

«Все удобства, — подумал он. — Джонас предоставляет своим женщинам все удобства». Его мысли, вернувшись к ребенку в соседней комнате, закрутились вихрем ненависти и отчаяния. Он выругался про себя.

Когда Гриффин потянулся за пиджаком, дверь коттеджа открылась. Сэм Харпер замер у самого порога, и вокруг его поношенных сапог тотчас же образовалась серебристая лужица дождевой воды. Он смотрел на Гриффина, пытаясь прочесть в его взгляде ответ на свой невысказанный вопрос. Рядом с Харпером в молчаливом ожидании стоял преподобный Уинфилд Холлистер, высокий худощавый мужчина с ясными глазами и гладким добрым лицом.

Гриффин заговорил; голос его звучал хрипло и дрожал. Хотя доктор видел смерть много раз, но так и не научился принимать ее спокойно.

— Ребенок умер, — произнес он.

Филд Холлистер положил руку на плечо Харпера, но ничего не сказал. Это было одно из качеств, которые Гриффин особенно ценил в своем друге, — тот знал, когда нужно говорить, а когда хранить молчание, во всяком случае.

— А Фанни? — умоляюще спросил Харпер. — Что с Фанни?

Какое-то мгновение Гриффин разглядывал потолок, пытаясь солгать или хотя бы утаить часть правды.

— Она жива, — наконец сказал он. — Но она потеряла слишком много крови и очень ослабела.

Не видя ничего перед собой, лесоруб, словно вне себя, механически проковылял по комнате и вошел в маленькую спальню. Туда, где жена изменила ему.

— Ты сделал все, что мог, — проговорил Филд.

— Да, — Гриффин судорожно вздохнул.

Священник скрестил руки.

— Фанни не выживет, так ведь?

Гриффин покачал головой и ощутил тяжесть в затылке, будто его сжала железная рука. Чтобы хоть что-нибудь сделать, он взглянул на часы, которые носил в жилетном кармане. Казалось невероятным, что сейчас только девять часов утра.

Филд дипломатично кашлянул.

— Что ж, она в руках Божьих, — сказал он, словно это был ответ на все вопросы и панацея от всех бед.

Взгляд, который Гриффин метнул в сторону своего лучшего друга, был полон уничтожающей ярости.

— Черт возьми, Филд, оставь это для своих прихожан, ладно?

Холлистер снял поношенный пиджак и извлек из кармана старую потрепанную Библию. Священник явно внутренне готовился к чему-то; это происходило уже много раз, но не переставало раздражать Гриффина.

Наступила неловкая тишина, нарушаемая лишь стуком дождя по крыше и тихими стонами Сэма Харпера.

Гриффин сложил руки на груди, опустил голову.

— Прости, — сказал он.

Лицо Филда выражало сострадание и понимание состояния друга, чего в данный момент Гриффин не ожидал.

— Чепуха, — довольно резко произнес священник. Затем в чертах его обозначилась настороженность, какое-то воспоминание. Он опять кашлянул, прочищая горло. Гриффину было знакомо это выражение лица Филда.

— Выкладывай, Филд, — нетерпеливо поторопил он друга.

— Только пообещай, что воспримешь это спокойно.

Гриффин весь напрягся:

— Что случилось, Филд? Бекки умирает?

Филд уже направился в сторону комнаты Фанни, где он был нужен больше всего.

— Нет. Но Фон Найтхорс сказала мне, что та девушка с Джонасом. Она видела, как Рэйчел села в его экипаж и уехала около получаса назад.

Гриффин почувствовал, как внутри у него словно произошел мощный взрыв.

— Рэйчел? Она уверена, что это Рэйчел?

— Она сказала, что это была девушка с фиалковыми глазами.

Двумя резкими движениями Гриффин схватил пальто и саквояж и бросился к двери.

— Я еще вернусь, — прорычал он и выскочил на улицу под дождь.

Краска бросилась в лицо Рэйчел под взглядом изучавшей ее солидной почтенной домоправительницы.

— Не хотите ли чашечку чаю? — спустя несколько мучительных мгновений спросила женщина. — Потребуется некоторое время, чтобы согреть вам воду для ванны.

Чай. Рэйчел не могла вспомнить, когда в последний раз наслаждалась подобной роскошью. Она кивнула, стараясь не показать своего нетерпения:

— Да, пожалуйста.

— Тогда пройдите сюда, — вздохнула экономка с величественным смирением.

Рэйчел последовала за ней сквозь высокие, в виде арки двери в великолепную столовую, где на полу лежали дорогие ковры, а стены, оклеенные со вкусом подобранными обоями, украшали настоящие картины. Над полированным дубовым столом висела тяжелая люстра, и множество подвесок на ней сверкали, будто осколки радуги. Шесть окон от пола до потолка выходили в сад с готовыми вот-вот зацвести розами и трехъярусным мраморным фонтаном.

Она вспомнила о палатке, где ей пришлось завтракать, и улыбнулась слабой грустной улыбкой.

— Меня зовут миссис Хаммонд,— отрывисто объявила экономка, когда они вошли в распахнутые двери и оказались в самой большой и чистой кухне, какую Рэйчел когда-либо видела.

Она остановилась, глядя на сверкающие медные кастрюли, развешанные по желтым стенам, на застекленные буфеты, заставленные изысканным фарфором.

— Меня зовут Рэйчел. Рэйчел Маккиннон.

Миссис Хаммонд обернулась. В ее лице промелькнуло оживление, толстые пальцы начали теребить длинный передник, прикрывавший ее темное шуршащее платье.

— Маккиннон,— задумчиво проговорила женщина, как бы вслушиваясь в это имя.— Маккиннон. Это имя мне определенно знакомо.

Рэйчел слегка пожала плечами:

— Наверное, оно довольно распространенное.

— Маккиннон? — миссис Хаммонд покачала головой с аккуратно уложенными седыми волосами.— Его услышишь не так часто, как, скажем, Смит или Джонс.

Рэйчел стесняло все — окружающая обстановка, мистер Джонас Уилкс и эта строгая, суровая домоправительница. Девушка нервно тронула рукой свое грязное, мокрое платье.

— В-вы очень добры — я имею в виду, я доставляю вам столько беспокойства...

Миссис Хаммонд сняла с плиты кипящий чайник, налила воду в ярко-желтый фарфоровой заварочный чайничек и насыпала туда несколько полных ложек заварки. Лицо женщины немного смягчилось, и, когда она снова заговорила, в голосе неожиданно появились добрые нотки:

— Никакого беспокойства. Погрейтесь вот тут около

плиты, пока я найду вам что-нибудь теплое и сухое из одежды.

Рэйчел приблизилась к поблескивающей, чудовищно огромной плите. Никелированные завитки украшавшего ее орнамента сверкали даже в тусклом свете пасмурного дня, а тепло было поистине чудесным.

— Спасибо.

— И не беспокойтесь о вашем испорченном платье, — громко добавила женщина уже в дверях, ведущих в столовую. — У нас есть кое-какие вещи, которые, возможно, подойдут вам.

Дрожа, Рэйчел придвинулась поближе к плите. Ее нетерпеливый взгляд остановился на желтом чайнике, и пар, клубами поднимавшийся из носика, наполнил ноздри девушки дразнящим ароматом. Она глубоко вздохнула и стала ждать.

Минут через пять миссис Хаммонд вернулась, запыхавшаяся, с порозовевшими щеками, прижимая к полной груди длинный фланелевый халат.

— Туалетная комната здесь рядом, — сказала она. — Почему бы вам не сменить свою мокрую одежду, пока я налью чаю?

Рэйчел, опустив глаза, поспешно схватила мягкий халат и подчинилась.

Комнату украшали огромная эмалированная ванна, мягкие стулья и изысканно расписанная шелковая ширма, за которой можно было раздеться. В благоговении Рэйчел прошла за нее и наконец стянула ненавистное ситцевое платье и промокшие хлопчатобумажные панталоны и сорочку. Прикосновение фланелевого халата к коже было удивительно мягким и теплым.

Каково это — постоянно носить такую одежду и принимать ванны в специально отведенной для этого комнате? Интересно, так ли живет ее мать? Рэйчел улыбнулась. У миссис Каннингэм, в Сиэтле, она мылась в ванне, стоявшей посреди кухни, и, торопливо скребя себя мочалкой, опасалась, как бы в помещение не забрел кто-нибудь из жильцов.

Она глубоко вздохнула и поспешила назад на кухню, где миссис Хаммонд степенно разливала чай.

Рэйчел почувствовала себя почти леди. Девушка выпила чашку крепкого ароматного чаю, и ей жутко захотелось еще, но в ответ на предложение миссис Хаммонд она отказалась. Она и без того поступила достаточно неприлично, явившись вся промокшая и в экипаже фактически незнакомого мужчины. Не стоило прибавлять к своим прежним прегрешениям еще и чревоугодие.

Спустя полчаса, преисполненная трепета и восторга, она погрузилась в горячую душистую воду, которую они с миссис Хаммонд нагрели и принесли в туалетную комнату, чтобы наполнить ванну. Несколько чудесных минут Рэйчел просто лежала в воде, а затем начала тереть свое порозовевшее тело и спутанные волосы мылом, пахнущим дикими цветами. Помывшись, Рэйчел повязала голову полотенцем и снова до подбородка погрузилась в ванну. Сквозь толщу ароматной воды она едва могла различить маленькое ромбовидное родимое пятно возле соска левой груди.

Именно в этот момент до нее донеслись звуки ссоры. Ей не удавалось разобрать слов, но было слышно, что ругаются двое мужчин, а миссис Хаммонд пронзительным голосом изредка вставляет замечания.

Рэйчел задрожала, пытаясь сообразить, что же ей делать. Ничего путного еще не пришло ей в голову, когда дверь распахнулась с силой, чуть не сорвавшей ее с петель, и на пороге возник разъяренный темноволосый мужчина.

— Одевайтесь! — отрывисто скомандовал он.

Перепуганная Рэйчел прикрыла грудь руками и погрузилась в воду еще глубже.

— Немедленно! — прокричал мужчина.

У Рэйчел отнялся язык; она смогла только нервно кивнуть. Похоже, это вполне удовлетворило незнакомца. Он окинул Рэйчел нетерпеливым взглядом, от которого у нее сжалось сердце, и закрыл дверь.

Рэйчел выбралась из ванны и, спрятавшись за ширму, быстро сняла намотанное на голову полотенце и принялась торопливо, лихорадочными движениями обтираться. Сердце чуть не выскочило у нее из груди, когда она снова услышала звук отворяющейся двери. Но это оказалась миссис Хаммонд, которая заглянула за ширму и протянула девушке охапку одежды: шелковое белье, чулки и платье цвета лаванды из какой-то мягкой шуршащей материи. Миссис Хаммонд ничего не сказала; Рэйчел тоже не могла вымолвить ни слова, пока не оделась.

— Кто этот человек? — прошептала она. — Что ему нужно?

Экономка вздохнула, но глаза ее были добрыми.

— Это, моя дорогая, доктор Гриффин Флетчер. И я боюсь, что ему нужны вы.

— Зачем? — ужаснулась Рэйчел.

Миссис Хаммонд пожала плечами:

— Господь знает. Он на вид грубоват, детка, но вас не обидит.

— О-он не имеет права...

— Имеет или не имеет, но всем нам придется поплатиться, если вы не сделаете так, как он говорит, — сказала миссис Хаммонд, после чего вышла, затворив за собой дверь.

Прикусив нижнюю губу, Рэйчел оглядела комнату. В ней было только одно окно, да и то плотно закрытое. Она отчаянно пробовала распахнуть его, пока не поняла, что оконный замок замазан масляной краской, и единственный путь к бегству отрезан. Уже просто от страха она еще два раза дернула окно, и слезы закипели у нее на глазах.

Дверь снова открылась, и появился тот самый мужчина с темными мрачными глазами. Не отрывая от Рэйчел взгляда, он протянул ей ее потертые, заляпанные грязью ботинки.

— Обувайтесь.

Рэйчел вскинула голову и шагнула ему навстречу.

Джонаса переполняла жгучая и злобная ярость, но ему пришлось держать ее в узде, пока его давнишний враг тащил Рэйчел через кухню в столовую, а потом наружу через парадную дверь.

Он побоялся противостоять Гриффину, и этот страх засел у него внутри, усиливая горечь поражения.

Миссис Хаммонд упрямо молчала у плиты, помешивая суп.

— Пошли Маккея за индианкой,— сказал Джонас после нескольких секунд напряженного молчания.

— Но, Джонас...

— *За индианкой,*— выдохнул Джонас.— Фон Найтхорс.

Когда миссис Хаммонд осмелилась, наконец, встретиться с ним взглядом, в ее глазах мелькнуло осуждение.

— Но сейчас полдень. Что Том должен ей сказать?

Джонас круто повернулся и распахнул дверь резким движением руки.

— Что пришло время платить,— ответил он.

ГЛАВА 4

Немного успокоившись, Рэйчел рискнула украдкой взглянуть на мужчину, сидящего рядом с ней в коляске. Его лицо с напряженным подбородком и плотно сжатыми, аристократического рисунка губами выражало неодобрение.

Доктор Гриффин Флетчер. Рэйчел была благодарна миссис Хаммонд, сообщившей ей имя этого человека: самому ему так и не хватило воспитанности, чтобы представиться.

— Зачем вы это делаете? — решилась спросить она, испытывая болезненную неловкость из-за своих мокрых непричесанных волос и одежды с чужого плеча.

Доктор Флетчер обратил свои темные гневные глаза на ее лицо. У него был низкий, рокочущий голос, подобный дальнему раскату грома.

— Что предлагал вам Джонас? — холодно осведомился он.

Рэйчел почувствовала, как все ее лицо вспыхнуло краской.

— Простите? — выдавила она задыхаясь.

— Ничего, — буркнул доктор, переключая внимание на вожжи, лошадь и вязкую грязную дорогу, сменившую мощеную подъездную аллею, ведущую к дому мистера Уилкса.

Замирая от страха, Рэйчел откинулась на подушки сиденья и стала молча молиться о скором и чудесном спасении.

Будто бы в унисон с охватившей ее бурей чувств

дождь превратился в ливень и забарабанил по крыше коляски. Попадая внутрь, капли хлестали Рэйчел по лицу и стекали на ее прелестное сиреневое платье.

Казалось, доктор Флетчер напрочь забыл о ее существовании, и девушку это странным образом беспокоило. Этот человек внушал ей сильнейшую антипатию — Рэйчел почувствовала ее с первого взгляда, и все же что-то внутри нее жаждало его внимания.

— Я хочу знать, куда вы меня везете,— твердо произнесла она, стараясь перекричать гул усиливающегося дождя.

Наконец он посмотрел на нее, окинул уничтожающим взглядом ее промокшее платье, после чего вновь перевел глаза на ее лицо.

— Вам холодно,— сказал он почти осуждающе. Затем быстро снял пиджак и сунул его Рэйчел.

Рэйчел накинула пиджак на плечи и свирепо уставилась на доктора:

— Я требую, чтобы вы мне сказали...

На его плотно сжатых губах появилась невеселая усмешка.

— Значит, вы требуете? — он засмеялся так, что Рэйчел вздрогнула.— Интересно.

— Вы всегда такой гадкий, доктор Флетчер?

— Только когда я в хорошем настроении,— парировал он.— А вы всегда ходите домой к таким, как Джонас Уилкс?

Глубоко оскорбленная Рэйчел надолго лишилась дара речи. Затем заговорила, размеренно и с достоинством, тоном настоящей леди:

— Мистер Уилкс был очень добр ко мне.

В глубине его темных глаз сверкнула мрачная ирония.

— О-о, он отличный парень,— язвительно протянул доктор Флетчер. Его взгляд снова переместился на ставшую уже почти прозрачной ткань ее платья, и выражение злобного веселья уступило место другому — яростному и непонятному.

— Красивое платье,— заметил он.

Рэйчел не была настолько наивной, чтобы принять это за комплимент, и в последний момент прикусила язык, сдержав готовое вырваться «спасибо».

Жалкая кляча плелась, то и дело увязая копытами в грязи; несмотря на дождь, дыхание лошади образовывало в воздухе маленькие облачка пара. Рэйчел сделала вид, будто с интересом рассматривает буйную растительность по бокам дороги. Наконец они добрались до Провиденса, но коляска не остановилась ни у одного из красивых, аккуратно покрашенных домиков, так восхитивших Рэйчел. Лошадь продолжала тащить коляску, пока не остановилась перед тем самым коттеджем, где Рэйчел совсем недавно повстречала мистера Уилкса.

— Вы можете зайти и обсохнуть, — коротко бросил доктор, соскочив с сиденья коляски и поднимая с пола старую черную медицинскую сумку.

Рэйчел с опаской посмотрела в сторону палаточного городка. Он едва виднелся сквозь стену дождя и выглядел все так же неприветливо. Она подавила инстинктивное желание сбежать от этого назойливого человека, пока есть возможность, и укрыться, дрожа от холода, в сомнительной безопасности своей палатки.

Доктора Флетчера вроде бы не особенно интересовало, что намерена делать Рэйчел. Он уже широко шагал по аккуратной дорожке, ведущей к двери коттеджа. Рэйчел поспешила преодолеть расстояние, отделявшее ее от этого дерзкого, смущавшего ее человека. Поравнявшись с ним, она вдруг вспомнила о за́мках, описания которых встречала в книгах. Он был похож на одно из этих угрюмых, неприступных строений — холодный и замкнутый, будто бы отделенный от нее преградой, столь же реальной и непреодолимой, как ров, наполненный водой и кишащий крокодилами. Интересно, подумала она, удавалось ли хоть кому-нибудь — мужчине, женщине или ребенку — проникнуть за эти мощные стены и найти путь, ведущий к его сердцу?

Рэйчел понимала, что у нее просто разыгралось воображение, но это ее не заботило. Умение погружаться в мир фантазии часто скрашивало для девушки невыносимую реальность.

В доме оказалось чисто и тепло, но освещение было скудным. Призрак смерти витал в этом уютном жилище. Рэйчел почувствовала ее присутствие и плотнее запахнулась в пиджак доктора.

Возле очага, в котором потрескивал огонь, стоял, сгорбившись, худой изможденный человек. Его лицо находилось в тени, но Рэйчел поняла, что он плачет, и у нее тоже задрожали губы: слишком много эти тихие, сдавленные звуки говорили девушке о жизни в поселках лесорубов и вокруг них.

Доктор Флетчер молча пересек комнату и исчез за боковой дверью, оставив Рэйчел и убитого горем человека одних.

Но почти тут же из комнаты, куда вошел доктор, появился высокий, приятного вида мужчина. Она печально улыбнулся Рэйчел.

— Здравствуйте,— сказал он и направился к ней, протягивая руку, которая оказалась крепкой и мозолистой.

Она растерянно уставилась на его потертый священнический воротничок. Священники, которых ей случалось встречать, обычно пространно и громко говорили, но редко занимались настоящей работой. Огрубевшая кожа его рук противоречила подобному представлению. Этому человеку, несомненно, не раз приходилось махать топором, а может, и работать двуручной пилой.

Он мягко улыбнулся Рэйчел глазами, но губы его хранили скорбное выражение.

— Я преподобный Холлистер,— представился он, после чего, не спросив имени Рэйчел, удалился, но тут же вернулся с расческой и одеялом.

Рэйчел вспомнила о своих спутанных мокрых волосах и зарделась, однако с благодарностью приняла предложенные ей вещи, прошептав: «Спасибо».

Мужчина возле камина перестал плакать, с видимым усилием поборов себя, и вышел из дома, оставив дверь открытой. Казалось, он не обращал внимания на дождь;

Рэйчел увидела, как он, торопливо пройдя по дорожке, исчез за воротами.

Закрывая дверь, преподобный Холлистер тихо объяснил:

— Ребенок Сэма родился мертвым.— Его доброе лицо исказилось от сострадания.— А несколько минут назад мы потеряли и его жену.

Глаза Рэйчел наполнились слезами.

— О нет,— сказала она, так остро ощущая смерть этой чужой женщины и ее ребенка, как будто то были близкие ей люди.

Несколько секунд длилась тягостная тишина. Рэйчел отвернулась и повесила пиджак доктора на деревянный крючок возле камина и закуталась в шерстяное одеяло, принесенное преподобным Холлистером. Встав у огня, она принялась расчесывать волосы резкими, решительными движениями, в которых прорывалась охватившая ее тоска.

Казалось, целая вечность прошла к тому моменту, когда доктор Флетчер появился из комнаты смерти и встал у огня, рядом с Рэйчел. Искоса взглянув на него, она заметила, как напряжены его плечи под влажной белой рубашкой, а в его великолепных яростных глазах застыло выражение затравленности.

— Мне очень жаль,— сказала она.

На какое-то мгновенье ей почудилось, что в окружавшей его неприступной стене появился просвет, но он, похоже, прочел ее мысли и высокомерно выпрямился. Взгляд доктора, обращенный на нее, ровным счетом ничего не выражал, и с губ его не сорвалось ни слова.

Внезапно Рэйчел пришла в голову жуткая мысль, от которой у нее чуть не подкосились ноги.

— Это из-за того, что вы уехали? Они умерли из-за меня?

— Вы преувеличиваете собственную значимость, мисс Маккиннон,— доктор дал выход накопившемуся раздражению.— Ничего нельзя было сделать, независимо от того, оставался я здесь или нет.

Рэйчел была слишком уязвлена, чтобы отвечать, но преподобный Холлистер укоризненно выдохнул:

— Гриффин!

Казалось, ужасное напряжение, сковавшее тело доктора Флетчера, немного ослабело, но он промолчал. Только повернулся к огню, и багрово-рыжие отблески заплясали на его неподвижном лице.

Глубоко, судорожно вздохнув, Рэйчел начала:

— Я думаю, мне лучше уйти. Я не хочу никому мешать...

Казалось, после всего случившегося доктор не в силах был больше ничем удивить ее, но он схватил девушку за руку и притянул к себе так близко, что она почувствовала сквозь юбку его твердое, мускулистое бедро.

— Не хочешь ли осмотреть свой новый дом, Рэйчел? — его тон вызвал у нее смешанное чувство страха и ярости. — Место освободилось. Одно слово твоему доброму другу Джонасу Уилксу — и ты тоже будешь жить в роскоши!

Не понимая, о чем говорит доктор, Рэйчел попыталась вырваться, но у него была мертвая хватка. Сердце билось в груди девушки, будто раненая птица. Если бы преподобный Холлистер мгновенно не разжал руку доктора Флетчера, Рэйчел упала бы в обморок.

— Гриффин, — резко и сердито сказал священник, — хватит!

Мужчины застыли на миг, уставившись друг на друга. Напряжение, и раньше царившее в комнате, казалось достигло предела. Из горла Рэйчел вырвалось слабое, сдавленное рыдание, и она пулей вылетела из дома и понеслась по скользкой каменной дорожке.

Ворота не поддались ее лихорадочным усилиям, и она вцепилась в них, повинуясь истерической потребности убежать, оставив далеко позади ту почти физически ощутимую ненависть, которая воцарилась в маленьком домике за ее спиной. Но чья-то твердая рука сжала ее руки, прекратив их борьбу с ржавым засовом. Девушка подняла глаза и встретилась с гневным презрительным взглядом доктора Гриффина Флетчера.

Он промок до нитки. По его лицу бежали дождевые

струи, густые черные волосы мокрыми прядями прилипли ко лбу. Сквозь его ставшую прозрачной рубашку Рэйчел увидела темную сетку волос, покрывавших его грудь, и это возбудило в ней ощущения, напугавшие ее больше, чем все происшедшее за день. Она была так ошеломлена, что не могла ни двигаться, ни говорить, а только смотрела на него и поражалась всем тем безумным, противоречивым чувствам, которые подобно шторму бушевали в ее душе.

Доктор Флетчер, похоже, не замечал дождя; он просто стоял и неотрывно смотрел в лицо Рэйчел. Затем неожиданно положил руки ей на плечи.

«Я хочу его, — подумала Рэйчел с ужасом. — *Господи, после того, как он так со мной обращался, я хочу его».*

В отчаянии она вздернула подбородок и прокричала сквозь шум нескончаемого дождя:

— Я иду домой!

Не говоря ни слова Гриффин Флетчер отпустил ее.

Больше всего на свете желая остаться с ним, Рэйчел повернулась на каблуках и побежала по травянистому склону к палаточному городку. Один раз она все же невольно оглянулась. Он стоял у ворот и смотрел ей вслед.

Известие о том, что ее требует к себе Джонас, заставило Фон Найтхорс внутренне содрогнуться, но она постаралась скрыть свой страх. Если бы Маккей понял, что она боится, он бы обрадовался, — а у нее не было ни малейшего намерения доставлять удовольствие этому слизняку.

Она последовала за кучером и «правой рукой» Джонаса по дорожке к калитке, пару раз подставив лицо очищающему дождю. Краем глаза она заметила коляску и лошадь Гриффина Флетчера у ворот дома Фанни.

На мгновение она подумала, не броситься ли к нему. Он защитил бы ее — она это знала, но потом решила, что не стоит просить его о помощи. У Гриффина и так хватало проблем, а у Фон имелись и свои особые причины, по которым ей не хотелось привлекать внимание к ситуации.

Маккей привел с собой вторую лошадь, и Фон проворно вскочила на ее широкую спину, вцепившись в поводья побелевшими пальцами. Седло Маккея скрипнуло, он повернулся к ней и ухмыльнулся.

Фон ответила ему тем же. *«Подонок»,* — подумала она.

Они ехали быстро, свернув с главной дороги на тропинку, ведущую сквозь густой лес на восток от палаточного городка. Минут через пятнадцать, миновав серебристую тополиную рощу, оба всадника пересекли узкую грунтовую дорогу. Фон позволила себе мельком взглянуть через плечо на большой дом из черного камня, где жил Гриффин Флетчер. Если она достаточно резко осадит лошадь, а потом хорошо пришпорит, то успеет оказаться у дверей Гриффина и скрыться в доме, прежде чем Маккею удастся догнать ее.

Она сглотнула слюну. А что ей делать завтра, послезавтра? Она же не сможет вечно прятаться от Джонаса, да и Гриффин, этот великолепный безумец, не одобрит ее поступок.

Дождь стихал, и Фон проклинала его за это: в данный момент ей хотелось, чтобы небеса разверзлись и потоки воды, обрушившись на Джонаса Уилкса, утопили его.

«Он наверняка умеет плавать», — с горечью подумала она.

Маккей начал подниматься по крутому каменистому склону, и Фон поехала за ним. Добравшись до гребня, они остановились, сдерживая нетерпеливо гарцующих лошадей. Внизу лежали необъятные владения Джонаса Уилкса. Маккей созерцал роскошный кирпичный дом и окружающие его земли с нескрываемой гордостью причастного к этим богатствам человека, Фон — с содроганием.

«Не следовало говорить Филду Холлистеру, что я видела, как Джонас увозил Прекрасную Деву, — мрачно подумала она. — *Проклятье! Десять против одного, что*

Филд сказал Гриффину, и Гриффин ворвался к Джонасу, чтобы спасти дочь Бекки от позора и падения!»

Фон выпрямилась и встала на стременах, чтобы размять ноги. *Еще до захода солнца я пожалею, что родилась на свет.*

Через плечо Маккей бросил на нее насмешливый взгляд, будто бы прочитав ее мысли и найдя их чрезвычайно забавными.

— Поехали, индианка. У босса насчет тебя свои планы.

— Говорила я тебе когда-нибудь, как мой народ поступил бы с ползучим гадом вроде тебя, Маккей? — огрызнулась Фон.

Маккей побледнел:

— Заткнись.

Лошади двинулись вниз по склону холма, и Фон повысила голос:

— Сначала наши старухи содрали бы с тебя кожу, а потом...

Маккей пришпорил своего вороного жеребца, и хохот Фон зазвенел, эхом отразившись от горных склонов.

В уединении своей палатки Рэйчел сняла мокрую одежду и завернулась в одеяло. Слезы закипали у нее на глазах, но она не дала себе заплакать.

Она опустилась на лежанку, ощущая внутри себя бурю самых противоречивых чувств. Поскольку злость помогала ей согреться, Рэйчел попыталась разжечь ее, вспоминая грубые слова и намеки доктора Флетчера. Но злость все убывала. И девушка вдруг стала представлять себе, каково это было бы, если бы она отдалась ему.

Касательно отношений между мужчинами и женщинами Рэйчел было известно все основное, хотя собственного опыта в этой области у нее не имелось. Отец неоднократно предупреждал ее, что если она переспит с мужчиной, то будет обесчещена.

Рэйчел знала одну девушку в Орегоне, которую обесчестил сын лавочника. В итоге та оказалась с большим животом, но получила вкусную еду и надежную крышу над головой.

Рэйчел попыталась вообразить себя обесчещенной, потом устало отогнала от себя эту мысль.

День выдался беспокойный. Сначала эта злосчастная сцена с мистером Уилксом в столовой, потом встреча с ним у коттеджа. В довершение этого она выяснила, что ее мать живет поблизости, еще пила чай и принимала настоящую ванну в роскошном доме мистера Уилкса, и в конце концов ее утащил оттуда этот несносный Гриффин Флетчер. Казалось, ему доставляло удовольствие осыпать ее скрытыми оскорблениями, даже ненавидеть ее. Но почему?

Слезы наполнили ее фиалковые глаза и потекли по щекам. *«Я тоже ненавижу его»,* — грустно подумала она, зная, что на самом деле это не так.

Рэйчел продолжала плакать, ворочаясь под тонким одеялом, пока ее не сморил тяжелый, беспокойный сон.

Гриффин остановился у входа в палатку, указанную ему Чангом, глубоко вздохнул и провел рукой по влажным волосам. Вообще-то с его стороны безумство даже приближаться к этой девушке, учитывая впечатление, которое она произвела на него почти с первой минуты как он ее увидел. И все же он не мог оставить ее в палаточном городке — сейчас она была особенно беззащитна перед Джонасом. Да и Бекки рассчитывала, что Гриффин будет оберегать ее.

Доктор выругался. Ему показалось, что Рэйчел не слишком-то обрадовалась, когда он вытащил ее из роскошного логова Джонаса. Насколько Гриффин мог судить, ей понравился этот негодяй.

— Рэйчел? — тихо позвал он.

Ответа не последовало, и его внезапно охватил беспредельный страх. Вдруг Джонас уже опять нашел ее и забрал к себе? Вдруг прямо сейчас он осыпает ласками ее прекрасную грудь или...

Гриффин шагнул внутрь палатки.

Он совершенно не был готов к тому, чтобы обнаружить ее там, спящую на узкой лежанке, едва прикрытую тонким одеялом. В свете лампы он различил изгиб стройного бедра и полностью обнаженную левую грудь. Возле розового соска виднелось маленькое родимое пятно в форме ромба.

Казалось, минула целая вечность, прежде чем Гриффин смог пошевелиться или вздохнуть. Никогда и ни к одной женщине в жизни его не влекло так, как к этой задиристой девчонке с глазами цвета лесных фиалок. Он попытался отнестись к этому философски: в конце концов, даже в этом восхитительном маленьком теле не было ничего, чего бы он не видел раньше.

«Я врач», — напомнил он себе. Но Рэйчел не была его пациенткой.

Он отвернулся, но в нем продолжали бороться разные стороны его сложной натуры. Наконец понятия о чести одержали верх, он наклонился и осторожно натянул одеяло на обнаженную грудь и соблазнительное бедро.

Будет и другой раз — Гриффин знал это. И ждал его с нетерпением в отчаянием.

ГЛАВА 5

Остановившись возле огромных двойных дверей в гостиной Джонаса, Фон глубоко вздохнула. Возможно, все не так плохо, как ей кажется; возможно, ни одно из драматических событий, которые она себе вообразила, не произошло вовсе.

Она просто мимоходом упомянула о том, что видела Рэйчел покидающей палаточный городок в компании Джонаса. Насколько ей известно, Филд мог и вовсе не передавать их разговор Гриффину. Но даже если это и случилось, Гриффин, вполне вероятно, даже и не догадался, что новая обитательница лагеря — это именно дочь Бекки Маккиннон.

Но если он догадался... О Господи, если он понял... И если он в порыве гнева проговорился Джонасу, что предупреждение исходило от Фон...

Фон прижалась щекой к полированному дверному косяку из красного дерева. Уже не в первый раз за свою полную событий жизнь она пожалела, что покинула свой народ, поселилась в доме Холлистеров и ходила в школу, пытаясь найти свое место в мире бледнолицых. Она горько усмехнулась про себя. В этом мире для нее не было места, хотя она умела читать, писать и считать не хуже любого из них. Она была женщиной Джонаса Уилкса — больше никем и ничем.

Фон подняла голову. Ладно. Она женщина Джонаса Уилкса, причем лишь одна из многих. Но сокрушаться по этому поводу было бессмысленно. Она уже не могла вернуться в свое племя, и гордость не позволила бы ей вновь выступать в шоу Бака Джимсона и выставлять себя на посмешище.

Ей следовало искать какой-то способ существовать на границе двух миров, свой путь, лежащий между путями индейцев и бледноличных. И если она не может быть ни индианкой, ни белой, она все же остается Фон Найтхорс. Она по-прежнему умеет мечтать.

Двери гостиной распахнулись, заставив девушку вздрогнуть, и ее страх усилился при виде выражения дикого раздражения в темно-янтарных глазах Джонаса.

— Как мило с вашей стороны было принять мое столь неожиданное приглашение, мисс Найтхорс, — сказал он.

Фон с трудом сдержала дрожь. Джонас был хорош собой и как любовник превосходил многих других, но от одной мысли о прикосновении к ней его рук у девушки мурашки побежали по коже.

— Я бросила все и тут же примчалась, — ответила она, осмелившись разбавить свое смирение хотя бы малой толикой сарказма.

Губы Джонаса изогнулись в слабой насмешливой улыбке.

— Заходи, — сказал он, сделав приглашающий жест правой рукой. В левой он держал рюмку с бренди.

Фон проскользнула мимо него в роскошную комнату с такой опаской, будто обходила льва или медведя. Все внутри нее сжалось от напряжения.

Она резко повернулась к нему лицом, стиснув руки и чувствуя, как кровь отлила от головы.

— Джонас, я не хотела... — вырвалось у нее. — Я не должна была говорить...

Казалось лицо Джонаса по цвету сравнялось с безупречной белизной сорочки. Его глаза вспыхнули желтым пламенем, пальцы, сжимавшие рюмку, заметно напряглись.

— Ты! — выдохнул он.

Безграничный ужас навалился на Фон, совершенно сокрушив ее. Все ее подозрения подтвердились — теперь она это знала. Филд сразу поделился новостями с Гриффином, и Гриффин примчался сюда и забрал Рэйчел до того, как Джонас успел соблазнить ее. Фон поняла, что не Гриффин ее предал — она сделала это сама, но было уже поздно.

Она попятилась:

— Джонас, я...

Но Джонас в несколько шагов пересек комнату, расплескивая из рюмки янтарное бренди.

— Я должен был догадаться,— прорычал он, и его негромкий голос был страшнее любого крика.— Ты видела, как я увез Рэйчел, и пошла прямо к Гриффину!

Голова Фон задергалась из стороны в сторону помимо ее воли.

— Нет... Нет, Джонас, я сказала Филду. Прости...

Внезапно Джонас отвернулся, и на мгновение девушка понадеялась, что наступила передышка.

Но тут рюмка пролетела по комнате и ударилась о кремовый мрамор камина, разлетевшись дождем мелких хрустальных осколков. Огонь взревел, пожирая попавшее в него бренди.

Точно так же будет уничтожена и она.

Когда Джонас вновь взглянул на Фон, его глаза были пусты и невыразительны. Это предвещало беду.

— Снимай одежду,— сказал он.

Задрожав, Фон потянулась к кожаным завязкам, стягивающим сзади горловину ее платья, и тут ее охватили странное спокойствие и отрешенность, всегда помогавшие ей в самые тяжелые моменты жизни. Платье из оленьей кожи упало на пол, открыв смуглое совершенство ее тела.

На мгновение Джонас будто застыл. Она чувствовала, как его взгляд скользит по ее телу, знала о той магии, которую творят отблески огня, пляшущие по ее шоколадной коже, пробуждая древние инстинкты в стоящем перед ней мужчине.

Но наваждение длилось недолго. Джонас грубо швырнул Фон на огромную медвежью шкуру, лежавшую у ее ног. В следующее мгновение он был на ней.

Раньше к ненасытному желанию Джонаса примешивалась какая-то доля нежности; это позволяло Фон выжить, притворяясь, будто он — тот, кого жаждала ее душа. Но в этот раз все было по-другому.

Джонас больно рвал зубами ее соски, прикосновения его рук были жесткими. Фон закрыла глаза и приготовилась к неизбежному вторжению. Но его не последовало. Член Джонаса, секунду назад столь настойчивый, внезапно обмяк на сухой, прохладной коже ее бедра.

И тут Фон Найтхорс совершила третью непростительную ошибку за этот день.

— Белый воин потерял копье, — съязвила она.

Она тут же пожалела о своей глупости и несдержанности, но было поздно.

Обеими руками Джонас схватил ее за волосы и изо всей силы стукнул головой об пол. Левым кулаком, всегда особенно опасным, он нанес ей удар в лицо. Невыносимая боль пронзила Фон, она почувствовала вкус крови во рту.

Последовал еще удар, и еще... Боль была чудовищной. Но Фон не издала ни звука, даже теряя сознание.

Еще не открыв глаза, Рэйчел ощутила, что она не одна в палатке. Кто-то находился рядом и наблюдал за ней. От испута у нее перехватило дыхание и она не могла вымолвить ни слова. Инстинкт самосохранения заставлял ее лежать неподвижно.

В голосе, нарушившем зловещую тишину, прозвучало раздражение:

— Все в порядке, мисс Маккиннон. Я не собираюсь причинять вам зла.

Этого не может быть! Оправившись от первого инстинктивного приступа страха, Рэйчел повернула голову и увидела мужчину, непринужденно сидящего на соседней лежанке.

— Гриффин Флетчер! — шепотом произнесла она, вспомнив все свои связанные с ним тайные желания и залившись краской.

Похоже, он не заметил ее смущения; он просто встал и повернулся к ней широкой спиной.

— Одевайтесь, вам больше нельзя здесь оставаться.

Волна негодования буквально захлестнула девушку.

— Простите, с какой стати? — огрызнулась она, садясь на лежанке и пытаясь натянуть на дрожащие плечи свое слишком короткое одеяло.

— Вы меня слышали? — повторил доктор не оборачиваясь. — Одевайтесь, или я сам вас одену.

Не сомневаясь, что именно так он и сделает, Рэйчел сползла на пол, по-прежнему прикрываясь одеялом, и вытащила из плетеной сумки ненавистное коричневое шерстяное платье — свою единственную сухую одежду.

Платье помялось и отдавало плесенью, но Рэйчел натянула его с рекордной быстротой.

— Да что вы себе позволяете?! — возмущалась она, нервно расчесывая и закалывая волосы. — Мой отец узнает об этом, уж будьте уверены! Он очень сильный, и ему не понравится, если я ему скажу, как вы сюда вломились! Да он...

Негромкий, но дерзкий смешок прервал тираду Рэйчел. Доктор Флетчер повернулся к ней, и краска бросилась ей в лицо.

— Он — что? — с ухмылкой осведомился Флетчер.

— Он... Он... — Рэйчел не очень хорошо представляла, как поступит отец, и сказала первое, что пришло ей в голову: — Он живьем сдерет с вас кожу и выбросит ваши внутренности чайкам!

Издевательская ухмылка стала еще шире.

— Я в ужасе, мисс Маккиннон, — отозвался доктор Флетчер.

Гнев Рэйчел поубавился, и теперь она испугалась.

— Если мне нельзя здесь оставаться, то куда же мне идти? — спросила она, вздернув подбородок и заставив себя встретиться взглядом с темными веселыми глазами своего мучителя.

— Это уж, моя дорогая, проблема вашей матери, а не моя. И вы не можете себе представить, как безмерно я этому рад.

При упоминании о матери все противоречивые чувства Рэйчел вытеснило любопытство. С одной стороны, она ненавидела эту женщину, не желала ее видеть, говорить с ней, даже слышать ее голос. С другой стороны, у Рэйчел накопилось огромное количество вопросов, на которые могла бы ответить только Ребекка Маккиннон.

— Так вы отведете меня к ней? — уже спокойно поинтересовалась девушка.

— С радостью и облегчением, — ответил доктор Флетчер, отвешивая Рэйчел шутливый полупоклон и широким жестом указывая на выход из палатки.

Рэйчел с достоинством проследовала в указанном направлении.

С джентльменской галантностью доктор помог ей взобраться на влажное от дождя сиденье коляски. Гроза прекратилась, но лишь на время, судя по мрачному пасмурному небу.

Снаружи было душновато, но прохладно, и Рэйчел пожалела об утраченной шали. После утренних событий вряд ли было бы удобно заявиться к мистеру Уилксу домой и потребовать ее возвращения.

Доктор Флетчер легко вскочил на сиденье рядом с девушкой и взял в руки поводья. Вскоре измученная лошаденка уже везла их из палаточного городка в сторону большой дороги.

Опять мимо проплывали двухэтажные домики на Мэйн-стрит. Свет в сияющих чистотой окнах уже погас, и полнотелые домохозяйки выходили покопаться в крошечных садиках или просто подышать чистым после дождя воздухом. Некоторые приветливо махали доктору, и он отвечал им легкой улыбкой и кивком головы. Рэйчел несколько раз чувствовала на себе любопытные взгляды.

В конце улицы, возле белой церкви, в которой, должно быть, проповедовал Филд Холлистер, доктор свернул с дороги на широкую тропу, ведущую к воде. Рэйчел вопросительно взглянула ему в лицо, но на нем нельзя было прочесть ничего, что подготовило бы ее к дальнейшему.

Здание вызывающе возвышалось среди пихт, кедров

и молодых елочек. Вычурная золоченая вывеска извещала, что это «Заведение Бекки»; внимание Рэйчел сразу привлекли вращающиеся двери и доносившиеся изнутри звуки дребезжащего пианино.

— Салун,— потрясенная, прошептала она.

В глазах доктора мелькнуло что-то похожее на сочувствие.

— Да,— нехотя подтвердил он. Потом вздохнул и заговорил уже без язвительной отчужденности в голосе: — Рэйчел, ваша мать серьезно больна. Пожалуйста, не забывайте об этом.

Рэйчел кивнула.

Когда доктор помог ей сойти с коляски и предложил свою руку, Рэйчел приняла ее. Она не привыкла опираться на кого-либо, суровые реалии жизни не приучили ее к этому, но сейчас девушке была просто необходима поддержка этого сильного, уверенного в себе человека.

Интерьер салуна оказался даже более живописным, чем ожидала Рэйчел. Полы были настоящие, деревянные, а не посыпанные опилками, земляные, как в тех веселых заведениях, из которых ей иногда приходилось извлекать своего добродушного папочку; стены были затянуты чем-то вроде красного бархата. За украшенной прихотливой резьбой и отполированной до блеска стойкой бара на стене висело длинное сверкающее зеркало.

Рэйчел увидела свое отражение в этом зеркале среди бутылок и поморщилась. Она смахивала на маленькую беспризорницу, запутавшуюся в складках платья, принадлежавшего толстухе.

Только она подумала, что шок от увиденного ею уже почти прошел, как из завешенной драпировками двери слева от Рэйчел с хохотом выскочили две женщины. У обеих были волосы неестественного рыжего оттенка, подобранные кверху и уложенные тугими кудряшками, а платья были столь открытыми, что казалось, будто их тугие груди вот-вот вырвутся наружу.

Рэйчел покраснела до корней волос и в отчаянии взглянула на Гриффина. В его глазах она заметила сочувствие, смешанное с насмешкой, и вся сжалась.

— Танцовщицы? — прошептала она.

— Мягко говоря,— ответил доктор сквозь зубы и крепче сжал руку Рэйчел, подталкивая девушку к крутой деревянной лестнице.

Осознание ужасной правды пришло к Рэйчел между первым и вторым этажом. Она застыла на месте, пытаясь проглотить комок в горле.

— Это место... это...

— Бордель,— резко сказал доктор Флетчер. Но взгляд его теперь стал мягким и спокойно-терпеливым.

Ее густые ресницы слиплись от слез, вызванных потрясением от увиденного. В какой-то момент Рэйчел показалось, что ее вырвет.

— Вы могли бы предупредить меня,— хрипло упрекнула она.

Гриффин Флетчер только пожал внушительными плечами.

— Как? — вполне резонно отозвался он.

На это Рэйчел было нечего ответить, и хотя ей больше всего хотелось повернуться и убежать, она пошла за доктором по лестнице, затем по длинному сумрачному коридору.

Он тихонько постучал в последнюю дверь слева и решительно повернул ручку, когда слабый голос произнес:

— Войдите.

Рэйчел так и осталась бы стоять в коридоре, если бы он силой не втащил ее внутрь.

Через некоторое время он выпустил ее, пересек комнату и остановился у разворошенной постели.

— Привет, Бекки.

Рэйчел с трудом различала очертания худого тела под скомканными одеялами, но она знала, что это привидение со спутанными волосами и восковым лицом и есть ее мать. Подступившая к горлу тошнота, то, что она узнала за последние несколько минут,— все наполняло ее омерзением.

Голос женщины-призрака прозвучал злобно и скрипуче, ее уставившиеся на доктора глаза яростно сверкали:

— Вы негодяй, Гриффин, — вы привели ее сюда!

Доктора, похоже, нисколько не задело оскорбление.

— Я тоже вас люблю, Бекки. А это Рэйчел.

Откинув в сторону шуршащее одеяло, женщина села в постели и прошипела:

— Господи, да зажгите же лампу! Что сделано, то сделано. Дайте мне взглянуть на нее.

Света лампы оказалось явно недостаточно, чтобы разогнать полумрак пасмурного дня, но женщины все же смогли рассмотреть друг друга.

Гриффин Флетчер со спокойным интересом окинул взглядом Ребекку, а затем тихо удалился.

— Подойди сюда, — сказала Ребекка, и в ее голосе смешались приказ и мольба.

С дрожью в коленках Рэйчел приблизилась к постели. Несмотря на жестокий недуг, дивное лицо и неотразимые фиалковые глаза матери сохранили памятную для Рэйчел красоту и очарование.

Неожиданно из горла Ребекки вырвался резкий смешок.

— Это самое ужасное платье, которое я когда-либо видела.

Не в силах больше стоять на ногах, не в силах думать о таких пустяках, как коричневое шерстяное платье, Рэйчел опустилась на колени возле кровати и воскликнула:

— Почему?

Ребекка вздохнула и откинулась на высоко взбитые подушки.

— Что почему? Почему я уехала? Почему я живу в таком месте? Я уехала, потому что не была счастлива, Рэйчел.

Боль и злоба душили Рэйчел, но она сумела выдавить:

— А здесь ты счастлива? Счастливее, чем была с папой и со мной?

— Нет, — ответила Ребекка с ранившей Рэйчел прямотой. — Нет, но когда я это поняла, было уже слишком поздно. Я бы не оставила тебя, Рэйчел, если бы могла начать все сначала.

— Почему же ты не взяла меня с собой?

— Прежде всего, я не была уверена в том, что нам удастся прокормиться. И я знала, что твой отец сможет дать тебе самое необходимое и проследить за тем, чтобы ты ходила в школу. Ведь он так и сделал, правда?

Рэйчел опустила голову. Ее таскали из одной убогой школы в другую, но образование она все же получила. У нее был красивый почерк, и она могла прочесть любую книгу, написанную на английском языке.

— Да, — подтвердила она после долгого молчания.

Ребекка поспешила сменить тему.

— Ты должна уехать из Провиденса, Рэйчел. Причем немедленно.

— И куда же мне ехать? — спросила Рэйчел, удивившись благоразумию своего тона, который совершенно не соответствовал ее состоянию.

— Куда угодно. В Сан-Франциско, Денвер — да хоть в Нью-Йорк. Только уезжай отсюда.

Рэйчел медленно и осторожно поднялась с колен.

— Если ты беспокоишься, что я испорчу тебе жизнь...

Боль затуманила запавшие фиалковые глаза.

— Моя жизнь уже ничего не значит, но твоя... Я отдам тебе деньги, которые накопила, и ты сможешь где-нибудь все начать сначала. Когда придет время, друзья продадут мой бизнес, расплатятся с долгами, а выручку пришлют тебе.

Рэйчел была и потрясена, и тронута.

— Я не могу, — прошептала она.

— Но ты это сделаешь, — настаивала мать. — Рэйчел, ты уже не маленькая девочка, ты женщина. Пора тебе жить прилично устроенной жизнью.

Смысл услышанного не доходил до Рэйчел.

— Ты при смерти, да? — наконец спросила она.

Похоже, у Ребекки начинался припадок — она уже корчилась от боли, которую до того так старалась скрыть.

— Гриффин мне об этом говорил, и, по мне, пусть бы это случилось поскорее.

Слезы потекли по щекам Рэйчел. Она их не замечала, забыв обиду и боль, забыв, что эта женщина — хозяйка борделя. Ребекка была ее матерью, и девушка любила ее.

— Подойди ко мне, детка, — Ребекка сжала руку Рэйчел, потянула дочь в свои объятия, и девушка припала к матери.

Потом, выпрямившись, она утерла слезы, оправила свое немыслимое платье и спустилась вниз искать доктора Флетчера.

За то короткое время, пока Рэйчел отсутствовала, Ребекка заметно ослабела и, казалось, была рада приближающемуся концу. Она только однажды отвела взгляд от лица Рэйчел — когда доктор открывал свой саквояж.

Мистер Флетчер достал ампулу и шприц, но Ребекка покачала головой:

— Нет, Гриффин. Мне нужно каждое еще оставшееся мне мгновенье.

Не говоря ни слова, доктор положил медицинские принадлежности обратно и отошел к дальнему окну.

Запавшие глаза Ребекки вспыхнули, и она сжала руку Рэйчел в своих руках.

— Ты должна уехать — обещай мне, что уедешь. Здесь есть один человек, страшный человек...

Рэйчел кивнула, не в силах говорить.

Через несколько минут Ребекки Маккиннон не стало.

ГЛАВА 6

Рэйчел ощущала полное опустошение. Дрожа, она стояла в темном углу материнской комнаты, а доктор Флетчер закрыл глаза Ребекки и натянул на ее лицо простыню.

Странная тишина надолго повисла в комнате; тусклый солнечный свет то пятнами падал на деревянный пол, то вновь исчезал за темными тучами.

— Мне очень жаль,— пробормотал доктор.

Рэйчел осушила глаза и вздернула дрожащий подбородок. Но ей слышался другой голос, голос ее матери: «Здесь есть один человек, страшный человек...»

Она вспомнила, с каким раздражением, почти ненавистью Ребекка встретила доктора Флетчера, как грубо он разговаривал и вел себя с ней самой с момента, когда ее увидел. Возможно, мать предостерегала ее именно насчет него?

Но Рэйчел не была в этом уверена; вопреки внешним обстоятельствам, она ощущала, что между ними возникло некое подобие грубоватой, насмешливой симпатии. Кроме того, в данный момент в душе девушки не было места ни для чего, кроме беспредельного горя. *«Я дважды потеряла тебя»,*— в отчаянии подумала она, глядя на хрупкое тело, недвижно лежащее под простыней.

Рэйчел не могла смириться с мыслью, что у нее больше не осталось впереди прекрасной надежды, ни малейшего шанса, что Ребекка вновь появится в ее жизни, раскаявшаяся и готовая вновь стать ей матерью. Она чувствовала себя сейчас еще более потерянной, чем тогда, семи лет от роду, и еще более одинокой.

Гриффин знал, что смерть была избавлением для Бекки, но все же скорбел о ней. Ему будет не хватать ее безграничной дружбы, прямоты и острого ума. Но если бы не эта девочка, потрясенная и забившаяся в угол, он бы расхохотался. «Черт возьми, Бекки,— думал он.— Ты все-таки добилась своего. Тебя нет, Эзра в горах, а я нянчусь с твоим ребенком!»

Гриффин тяжело и шумно вздохнул. Он прокручивал в голове факты и каждый раз приходил к одному и тому же неутешительному выводу: нельзя оставлять Рэйчел здесь, в борделе; места́ такого рода имеют свойство затягивать в свой омут неоперившиеся души, подчиняя их своим законам. Конечно, ее также нельзя просто отвезти в палаточный городок и бросить там: с таким же успехом он мог бы передать ее Джонасу из руку в руки.

— Проклятье! — выбранился он и, как и Рэйчел, вздрогнул при звуке этого слова.

Девушка шагнула вперед из тени; ее лучистые глаза налились слезами, прекрасное лицо побелело от возмущения. Ее горе было столь ощутимым, что Гриффин чувствовал, как оно смешивается с его собственным.

— Как вы смеете так ругаться — здесь, сейчас?

Он начал было извиняться, но прежде чем успел вымолвить хоть слово, Рэйчел дала ему звонкую пощечину. Он слегка пошатнулся и, потрясенный, уставился в ее измученное, полное ярости лицо. Но неожиданно Гриффин все понял. Он привлек девушку к себе и крепко сжал в объятиях, давая ей возможность выплакаться на своем плече.

Что-то твердое и холодное в его душе начало таять. Он едва не оттолкнул Рэйчел, насколько тревожным и знакомым было испытываемое им чувство; но потребность защитить и утешить ее взяла верх.

Джонас мерил шагами инкрустированный каменный пол перед камином в гостиной, не замечая осколков стекла, похрустывающих у него под сапогами. Он слишком сильно избил индианку; синяки и порезы на ее теле были чересчур заметны, и сон, в который она теперь погрузилась, был каким-то неестественным. Ее дыхание было слишком прерывистым, и, когда она шевелилась на парчовой софе, с ее распухших губ срывались путающие гортанные звуки.

Проклятая потаскуха могла умереть. Эта мысль преследовала Джонаса, как хищный зверь; и он не мог от нее избавиться, сколько ни метался по комнате.

Он остановился, опершись локтями на изысканно украшенную, с позолотой, каминную полку и увидел свое лицо в висящем над ней зеркале. Потом отвернулся и злобно уставился на стонущую на софе женщину.

Влияние Джонаса было почти безграничным, но если эта девушка умрет, ему придется предстать перед судом по обвинению в убийстве. Его даже могут повесить.

Дверь гостиной с протяжным скрипом отворилась, и Джонас, подняв глаза, увидел миссис Хаммонд, полное лицо которой при виде девушки приобрело выражение тревоги и беспокойства.

— Я пошлю за доктором,— сказала она после долгой, напряженной паузы.

Джонас отвел глаза и, подойдя к бару в другом конце гостиной, налил себе изрядную дозу бренди.

— Думаю, это неплохая идея,— сказал он.

Все это время миссис Хаммонд сверлила спину Джонаса осуждающим взглядом.

— Ты чудовище, Джонас Уилкс,— выдохнула женщина, которая за долгое время службы в его доме утратила чувство страха. — Ты отвратительное чудовище!

Джонас слегка вздрогнул, но не обернулся, чтобы взглянуть в глаза вырастившей его женщине. Хаммонд простит его, как всегда.

— Ну, хватит об этом! — властно произнес он, хотя в данный момент чувствовал себя весьма неуверенно.

Помахивая зажатым в правой руке саквояжем, Гриффин направился к особняку Джонаса. Он вспомнил свой предыдущий, утренний, визит и, несмотря на все, не удержался от улыбки. Вражда между ним и Джонасом Уилксом существовала уже давно и была столь глубокой, что стала неотъемлемой частью натуры каждого из них.

Джонас сам открыл дверь в ответ на резкий стук, приняв вид озабоченного, расстроенного друга. Он провел Гриффина сквозь просторную переднюю в гостиную.

Объяснения, данные при вызове скупым на слова Маккеем, верным прихвостнем Джонаса, были краткими. Гриффину было сказано лишь, что он срочно нужен в доме мистера Уилкса.

Теперь, обведя взглядом внушительных размеров помещение и увидев распростертое на софе безжизненное тело Фон Найтхорс, доктор присвистнул от неожиданности.

— Господи,— пробормотал он, бросившись к Фон и проверяя у нее пульс за левым ухом.— Что ты с ней сделал?

Джонас пожал плечами, наблюдая, как Гриффин чуткими, проворным руками ощупывает ребра девушки.

— Разве Маккей не сказал тебе? Она упала с лестницы.

С трудом сдерживая безумную ярость, Гриффин приподнял сначала одно веко Фон, потом другое. Возможно, есть внутренние повреждения, а под нижней губой придется наложить шов.

— Ах ты ублюдок,— пробормотал он, не поднимая головы.

Теперь Джонас стоял возле софы, и в атмосфере напряжения, повисшего в комнате, его голос звучал раздражающе-монотонно:

— Знаешь, с индейцами всегда трудно добиваться дисциплины.

Гриффин достал из сумки бутылку со спиртом и начал промывать раны на избитом лице Фон.

— Заткнись, ты, сукин сын, и пусть принесут горячей воды и чистых тряпок.

Джонас не сдвинулся ни на шаг со своего поста у ног Фон.

— Ну, ну, Гриффин. Я думал, мы друзья.

Появилась миссис Хаммонд, пристыженная и испуганная, неся таз с водой, от которой поднимался пар, и несколько полотенец. Но присутствие экономки прервало разговор.

— Друзья, как бы не так, — огрызнулся Гриффин, возясь с принадлежностями, принесенными миссис Хаммонд — его раздражало то, что она избавила Джонаса даже от этого незначительного усилия; затем доктор окунул кончик иглы в карболовую кислоту и вдел в ушко кишечную струну. Фон вздрогнула, когда острие иглы впилось в ее плоть, заерзала и широко открыла карие глаза, после того как Гриффин затянул последний стежок.

Тихое торжество наполнило измученную душу Гриффина. Видеть, как твой хороший друг приходит в сознание, — это, по его мнению, было достойной причиной для радости; а после трех смертей и получения наследства в виде ершистой, а теперь еще и убитой горем девочки по имени Рэйчел Гриффин имел особые основания быть благодарным судьбе.

— Как ты себя чувствуешь? — мягко спросил он.

Фон слегка покачала головой:

— Неважно, Гриффин. И, пожалуйста, никаких нотаций.

— Никаких нотаций, — пообещал он.

Фон улыбнулась, но было заметно, какого усилия ей это стоило.

— А как ты, Гриффин?

— Сейчас покажу, — ответил он.

Затем он поднялся во весь рост, повернулся к Джонасу и нацелил на него всю свою боль и ненависть. Звук мощного удара, нанесенного Джонасу под дых, принес Гриффину удовлетворение.

Джонас согнулся пополам, испустив полузадушенный стон, а миссис Хаммонд вскрикнула, как будто ударили ее. Джонас медленно выпрямился. С ненавистью в глазах он обвел взглядом напряженное лицо Гриффина, его плечи, полусжатые кулаки.

Неожиданно Джонас рассмеялся:

— Даже если ты изобьешь меня до чертиков, это не изгонит из тебя бесов, Гриффин. Тебе ничто не поможет. Кстати, не правда ли, Рэйчел выглядела сегодня очаровательно? Надо будет мне отдать ей остальную одежду Афины.

Кровь стучала у Гриффина в висках, ярость болью отдавалась в мышцах рук, заставляя сжиматься и расжиматься кулаки. Имя Афины обожгло его, как лесной пожар, пламя которого добралось до самых потаенных глубин души. Из его горла вырвался вопль звериного бешенства, и он бросился на Джонаса, ослепленный отчаянием и гневом.

Но Джонас был к этому готов. В левой руке у него сверкнуло тонкое серебристое лезвие, правой он поманил к себе Гриффина:

— Давай, Грифф. Давай все решим здесь и сейчас.

Крик Фон эхом разнесся по комнате, слова девушки, будто тихий теплый прибой, отозвались в сознании Гриффина:

— Нет, Гриффин, пожалуйста, не делай этого...

Но Гриффин не мог сдержать себя; казалось, Вселенная потеряла весь свой смысл и разум. Остались только ненависть, боль и предательство. Одним взмахом руки он вышиб у Джонаса нож, проследив взглядом, как блестящее стальное лезвие описало кривую в воздухе и беззвучно упало на ковер.

Последующие мгновения навсегда выпали из памяти Гриффина Флетчера; когда он пришел в себя, скрюченный Джонас стонал на полу, прижимая руки к паху, из уголка рта у него сочилась кровь. Гриффин почувствовал подступившую к горлу желчь, но не испытал ни раскаяния, ни жалости.

Миссис Хаммонд опустилась на колени возле Джонаса, все ее объемистое тело содрогалось от страха и злости. Она с ненавистью взглянула на Гриффина и выпалила ему в лицо:

— Вы не лучше, чем он, Гриффин Флетчер!

Гриффин отвернулся, взял саквояж, поднял на руки испуганно таращившую на него глаза Фон и направился к выходу.

— Вы не можете бросить его в таком состоянии! — закричала миссис Хаммонд.

Грохот двери, которую Гриффин пинком захлопнул за собой, был ей ответом.

Рэйчел не могла оставаться в спальне матери после прихода гробовщика, поэтому она потихоньку прокралась вниз по деревянным ступеням, потом через притихший салун и вышла наружу. Дождь возобновился, но теперь превратился в прохладную изморось, и Рэйчел было приятно чувствовать ее бодрящее прикосновение на своем поднятом к небу лице.

Доктор Флетчер велел ей оставаться в доме до его возвращения и умчался на какой-то срочный вызов. По мнению Рэйчел, она имела полное право уйти.

В палаточный городок, однако, ее по-прежнему не тянуло, а друзей, которых она могла бы навестить, у нее не было, поэтому Рэйчел побрела вдоль обшарпанных стен заведения матери и вниз по тропинке, вьющейся сквозь густой лес.

Шум и запах моря долетели до девушки задолго до того, как она минула последний поворот и оказалась на скалистом берегу Пугета. Вода прибывала, и волны сердитым шумом ударялись о линию прибоя и ворочали крупные бурые камни.

На воде покачивались сотни грубо ошкуренных бревен, связанных канатами. Рэйчел повернула голову к возвышавшейся на севере горе и пожелала, чтобы отец узнал, как он нужен ей сейчас, и скорей вернулся домой.

В своем воображении она видела его работающим в туманной глубине лесов. Он, бывало, привязывал себя к стволу массивной сосны и взбирался по нему на высоту не менее десяти футов, чтобы просверлить два отверстия: одно перпендикулярно к сердцевине дерева и одно под углом. Потом он спускался вниз и тут же взбирался обратно, держа в металлических щипцах тлеющие угли. Он аккуратно закладывал угли в первое отверстие, где они начинали гореть, между тем как наклонная полость служила вентиляцией. Вскоре гигантское дерево падало, сотрясая землю.

Рэйчел много раз наблюдала за работой отца, затаив дыхание смотрела, как он умело закладывал угли или сверлил, зажмуривалась, когда он отвязывал себя и спрыгивал с ненадежного ствола. Страх за него никогда не терзал ее так сильно, как сейчас — в этот день унесший три жизни.

Устремив невидящий взгляд на волны прибоя, она поежилась. Что ей делать, если он погибнет? Куда идти?

Рэйчел наклонилась, подняла гладкий серо-зеленый камень и швырнула его в прибой. Резкий порыв соленого и холодного ветра прижал к телу ненавистное платье из коричневой шерсти.

Мать так настаивала, чтобы Рэйчел уехала из Провиденса и начала жить заново где-нибудь в другом месте. Сейчас, стоя на берегу залива, она поняла, что не хочет, не может уехать.

Обернувшись, между вершин деревьев она увидела угол крытой рубероидом крыши салуна. У нее будет немного своих денег — она сомневалась, что матери удалось скопить много, — и большое хорошее здание.

Нет, она не покинет Провиденс. Имея деньги, она превратит этот салун-бордель в респектабельный пансион и настоящий домашний очаг. Несомненно, благосостояние ослабит странную страсть ее отца к постоянным переездам; они смогут остаться здесь навсегда и вести счастливую, спокойную жизнь.

Рэйчел заведет друзей, будет посещать церковь, покупать книги и красивую одежду, о которой так страстно мечтала. Со временем она станет полноправным членом общества. *«Может быть, я даже выйду замуж»*, — подумала она и покраснела от досады и удовольствия, когда в ее воображении возник образ доктора Гриффина Флетчера. *«Только не за него!»* — мысленно поклялась она. Но вопреки этому его образ уже занял прочное место в ее измученном сердце.

В этот момент она услышала хруст ветки у себя за спиной, затем шорох гальки, скатывающейся вниз по пологому склону, отделявшему владения матери от пляжа.

Гриффин Флетчер стоял там, где тропинка смыкалась с береговой линией, глядя на Рэйчел усталыми, затравленными глазами. Его лицо побледнело под густым загаром, мышцы челюсти напряглись, потом снова расслабились.

Рэйчел почувствовала неудержимое, безрассудное желание подбежать к нему, обнять и утешить, как ребенка.

Его резкий голос разрушил чары:

— Нам пора.

Рэйчел разозлилась:

— Я просто мечтаю узнать, куда же вы потащите меня на этот раз, доктор!

Это замечание вызвало странную реакцию: горестного выражения в его глазах поубавилось, губы тронула нерешительная улыбка. Что-то вечное и могущественное то и дело вспыхивало между ним и Рэйчел, заслоняя все жуткие впечатления прожитого дня.

Наконец он протянул руку:

— Знаете, Рэйчел, когда моя мать впервые показала меня отцу, я не думаю, что она сказала: «Давай назовем его «Доктор»!» Мое имя Гриффин.

Рэйчел упрямо молчала; внезапно ей показалось, что его протянутая рука — приказ, а не приглашение.

— Вы ужасны и невыносимы,— буркнула она.— Так куда вы меня ведете?

Он вскинул темную бровь, все еще держа руку протянутой, и в его тоне зазвучала усталая насмешка:

— Там вкусная еда и крыша над головой не протекает — так не все ли вам равно?

— Мне не все равно, доктор Флетчер!

— Гриффин,— поправил он.

— Ладно! Гриффин!

Он смягчился:

— Вы проведете несколько дней в моем доме — под надежной защитой моего друга и экономки Молли Брэйди.

Охваченная любопытством и зная, что спорить с доктором — значит лишь напрасно тратить драгоценные силы, Рэйчел отправилась с ним в его дом. Это оказалось массивное строение из натурального камня, окруженное яблонями в великолепном розовом цвету. Окна приветливо лучились золотистым светом.

Но этот теплый свет заставил Рэйчел насторожиться. Кто, кроме верной любящей жены, позаботится зажечь лампы, чтобы отогнать сгущающиеся сумерки?

Гриффин помог ей спрыгнуть с сиденья коляски и оставил как сам экипаж, так и усталую клячу на попечение нескладного долговязого парня. Не однажды Рэйчел уже приходило в голову, что доктор, вполне вероятно, женат, и эта мысль казалась девушке определенно неприятной.

— Не представляю, как я могла не заметить это здание, ведь сегодня я два раза проезжала мимо, — сказала она притворно безразличным тоном, оглядываясь на знакомую дорогу, ведущую к особняку Джонаса Уилкса.

Темные глаза Гриффина, еще секунду назад спокойные, стали вдруг угрюмыми и отрешенными.

— У Джонаса роскошный дом, — проговорил он, открывая чугунную калитку в каменной ограде и слегка подталкивая к ней Рэйчел. — Весь этот кирпич, позолота и мрамор, наверное, произвели на вас слишком сильное впечатление, вот вы и проглядели мое скромное жилище.

В том, как он говорил, было что-то глубоко оскорбительное, но Рэйчел не могла точно понять, что именно. Она почувствовала дрожь в нервах, как будто их оголили под пронизывающим вечерним ветром, и когда она заговорила, ее голос прерывался:

— Мне правда лучше вернуться в палатку.

Гриффин рассмеялся, но в его смехе не было ни веселья, ни теплоты.

— Вы говорите так, будто у вас есть выбор, мисс Маккиннон. Но поверьте, у вас его нет.

Рэйчел слишком устала, чтобы препираться с этим неприветливым человеком, но все же у нее хватило смелости дерзко бросить:

— Сомневаюсь, что ваша жена обрадуется неожиданной гостье.

Он быстро отвернулся, но все же Рэйчел успела заметить в его лице сильное раздражение и еще какое-то гораздо более глубокое чувство.

— У меня нет жены, — коротко сказал он, пока они поднимались по каменным ступенькам крыльца.

«Интересно», — подумала Рэйчел, когда он открыл входную дверь и пропустил ее внутрь. Интересно, почему одна часть ее души жаждала избавиться от этого невыносимого тирана, а другая возликовала при мысли, что он не женат?

Внутри дом Гриффина оказался столь же привлекательным, как и снаружи. Это было чистое, просторное, хорошо обставленное жилище, с высокими потолками и полированными деревянными полами. Рэйчел почувствовала себя уютно в этом доме, несмотря на присутствие его угрюмого хозяина. Казалось, сами стены приняли ее под свою защиту и придали ей сил.

Гриффин вывел ее из мира фантазии, со стуком швырнув на стол врачебный саквояж и крикнув:

— Молли!

В широких дверях появилась опрятная, удивительно хорошенькая женщина с каштановыми волосами и весело сверкающими зелеными глазами. Ей уже, наверное, далеко за тридцать, подумала Рэйчел, но сколько бы она ни прожила — она никогда не постареет.

— Хвала всем святым, Гриффин Флетчер! — радостно, с энергичным ирландским акцентом воскликнула она. — Наконец-то вы привели в дом еще кого-то!

Рэйчел почувствовала, что Молли Брэйди ей безумно нравится.

ГЛАВА 7

Джонас попробовал приподняться на подушках, но это ему не удалось. Каждое движение вызывало острую боль в паху, на лбу и над верхней губой у него выступили капельки пота.

Болело все. Все.

Джонас перевел воспаленные глаза на окно спальни, за которым сгустилась тьма, и ему показалось, будто голос ночи произнес его имя. Чтобы отвлечься, он пытался восстановить время, исчезнувшее в глубинах его души, но эти воспоминания ускользали от него.

Горячее дыхание обжигало легкие и иссушало горло. *Гриффин.* Ярость немного ослабила боль, и, вспомнив перенесенные побои, Джонас хрипло выругался в темноте.

В то же мгновение ближняя к кровати Джонаса дверь распахнулась и комната осветилась дрожащим светом керосиновой лампы. *Маккей.* Джонас с отвращением уловил исходившую от вошедшего слабую вонь.

— Виски или чего-нибудь еще, босс?

Джонас закрыл глаза, сглотнул слюну:

— Приведи доктора.

Раздался тихий стук металла о дерево. Он повернул голову и увидел ружье Маккея, прислоненное к дверному косяку. Про себя Джонас рассмеялся: этот дуралей все время стоял на часах в коридоре!

Маккей внес лампу и поставил ее на ночной столик возле кровати Джонаса.

— Но, босс, это ведь он...

Боль становилась невыносимой.

— Делай что сказано. Иди за доктором.

Маккей поспешно вышел, и хотя это стоило Джонасу больших усилий, он протянул руку и достал из ночного столика свои карманные часы. Открыв крышку, нажал на маленькую кнопочку, и в ответ раздалась странная нежная мелодия. Он сощурился и разглядел — почти десять часов.

Джонас ждал, вспоминая свою взбалмошную, впечатлительную мать и то, какие большие надежды она питала, когда дарила ему эти необычные часы. *«Прости, мама»,* — подумал он с мрачной усмешкой.

Он услышал отдаленный тяжелый бой больших часов, стоящих внизу в прихожей, но после этого потерял счет времени. Боль накатывала на него волнами и, схлынув, оставляла ощущение тошноты, потом вновь обрушивалась на него в тот момент, когда он пытался побороть ее.

Наконец в дверях возникла длинная тень. Не говоря ни слова, Гриффин Флетчер бросил свой саквояж в ногах кровати, откинул одеяло и принялся обследовать Джонаса, ощупывая его быстрыми умелыми руками.

Джонас сносил все это молча до того момента, когда Гриффин вытащил из саквояжа шприц и наполнил его жидкостью из стеклянной ампулы.

— Знаешь что, Гриффин? Ты благородный человек, — сказал он без всякого одобрения в голосе.

— Я полный идиот, — бесстрастно ответил Гриффин, впрыскивая содержимое шприца в руку Джонаса.

— Верно, — согласился Джонас.

Гриффин бросил шприц и ампулу обратно в саквояж.

— Опухоль спадет через два-три дня, — сказал он. — На этот срок твои романтические похождения придется сильно сократить.

— А как насчет того месива, в которое ты превратил мое лицо?

— К сожалению, только временно.

Боль начала понемногу убывать, и Джонас засмеялся:

— Как жаль, что мы с тобой враги.

Гриффин вскинул бровь и резко захлопнул саквояж.

— Не надо сантиментов, Джонас. Моему терпению есть предел.

Джонас почувствовал себя заметно лучше и принял сидячее положение.

— Предел? Не знал, что ты вообще обладаешь терпением, чтобы можно было положить ему предел. Ты уверен, что не останется никаких серьезных повреждений?

Гриффин улыбнулся:

— Никаких, если ты больше не тронешь Фон. Или Рэйчел.

Джонас проигнорировал это замечание:

— Почему ты пришел сюда после всего, что случилось?

Гриффин уже стоял в дверях, готовый уйти.

— Я был обязан прийти, и ты это знаешь.

— Останься. Выпей чего-нибудь.

— Зачем? Ты что, подсыпал яду в бренди?

Джонас нахмурился:

— Я предлагаю перемирие, Гриффин. Мы слишком долго держим друг друга за горло. Я честно...

— Ты ни разу не поступил честно за всю свою жизнь,— бросил Гриффин; ему явно было не по себе. Что тебе на самом деле надо, Джонас?

— Рэйчел Маккиннон.

В дрожащем свете лампы лицо Гриффина стало жестким.

— Сначала я убью тебя.

Джонас вздохнул и расслабленно опустился на подушки.

— О, я бы очень не хотел, чтобы все зашло так далеко. Кроме того, думаю, я люблю ее.

— Несомненно, любишь, Джонас. После однодневного знакомства ты уже готов клясться ей в вечной любви и верности.

Джонас хмыкнул:

— Ты не веришь, что человек способен влюбиться так быстро? Или причина в том, что тебе самому она небезразлична?

На этот раз засмеялся Гриффин. Его смех прозвучал резко и отрывисто.

— Она ребенок, Джонас, ребенок.

— Ей семнадцать. Она на тринадцать лет моложе нас с тобой.

— Вот именно.

— Но она женщина, Гриффин.

— Это всего лишь твое мнение.

Джонас знал, что его слабость дает ему временное преимущество, и воспользовался этим.

— Она прекрасная *женщина*, Гриффин. Может быть, даже более прекрасная, чем Афина.

Гриффин опустил голову, закрыл глаза. Странно, подумал Джонас, какую силу сохранило над ним это имя. Было видно, что оно поразило Гриффина в самое сердце.

— Гриффин, — настаивал Джонас, — она ведь красивее, чем Афина?

Гриффин поднял на него взгляд, исполненный страдания.

— Да, — сказал он и ушел.

Джонас откинул одеяло, выбрался из постели и, пошатываясь, направился к бюро. Там он открыл бутылку виски, поднес ее к губам и пил до тех пор, пока не перестали ощущаться последние отголоски боли.

Рэйчел лежала абсолютно неподвижно под одеялом, на настоящей кровати, и шедевры кулинарного искусства Молли Брэйди мирно покоились у нее в желудке. Дождик тихо постукивал по прочной крыше, и Рэйчел было тепло в позаимствованной на время ночной рубашке.

Она не давала себе думать о том, какой ошеломляющий оборот приняли события прошедшего дня, — ей было невыносимо вспоминать об этом. Но она все же позволила себе восстановить в памяти то, что произошло вечером.

Они ужинали, но не в просторной столовой со множеством окон, а в большой, светлой кухне, за круглым дубовым столом. На столе было столько еды, вся она была горячая и свежая, и, к величайшему своему изумлению, Рэйчел почувствовала зверский голод.

Молли Брэйди, ее тяжеловесный и туго соображающий сын Билли, доктор Флетчер и она. Мысленно вновь переживая эту сцену, Рэйчел поняла, что навсегда сохранит в памяти ее спокойную чинную торжественность.

Молли была энергичной, прямой женщиной, всегда готовой посмеяться, и она понравилась Рэйчел, хотя и заставила девушку задуматься: ограничивались ли услуги, оказываемые экономкой Гриффину Флетчеру, уборкой, приготовлением пищи и мытьем посуды?

Рэйчел вздохнула и подтянула плотный фланелевый пододеяльник к самому подбородку. Ей было интересно, в какой спальне находится Фон Найтхорс, та индианка, которую она встретила утром — казалось, целую вечность назад, в палаточном городке.

Весь вечер Фон была объектом повышенного внимания: Молли бегала в ее комнату с подносом, а озабоченный доктор Флетчер много раз навещал ее. Рэйчел не знала, заболела ли Фон, или с ней случилось что-то еще. Она не осмелилась спросить. Теперь, лежа в одиночестве в маленькой, тихой спальне, она ощутила укол зависти, а потом глубокое, болезненное чувство одиночества.

А доктор Флетчер — Гриффин — опять куда-то ушел. Его отсутствие почти физически ощущалось в этом просторном доме, как будто все в нем замирало до возвращения хозяина.

Тут где-то вдалеке захлопнулась дверь. Дом вздохнул и ожил, и все стало как обычно. Рэйчел опустила веки и уснула.

Гриффин неохотно проснулся на рассвете. Еще один день. Господи, иногда он желал, чтобы время остановилось, хотя бы ровно на столько, чтобы дать ему возможность собраться с мыслями.

Он отбросил смятое одеяло и, не одеваясь, ступил на прохладный гладкий пол. Подойдя к умывальнику, он наполнил раковину теплой водой из кувшина и стал умываться. Покончив с этим, он побрился, надел свои привычные черные брюки и свежую белую рубашку и причесался.

Хотя ему нужно было подумать о многом, его мысли продолжали возвращаться к Рэйчел, которая спала в комнате прямо напротив его. Внезапно бешеное желание охватило его, заставляя забыть все его благие намерения. Он теперь свободен, напомнил он себе. Нет ничего такого, что может помешать ему увлечься ей.

В судорожном, неудержимом волнении он бросился к окну и выглянул наружу, в свежесть нового дня, рождающегося из солнечного света, синего неба и тающих туманов. Он глубоко, прерывисто вздохнул и попытался понять, что же именно его тревожит, но обнаружил только одно — боязнь снова полюбить.

Внутренне собравшись с силами, Гриффин отвернулся от окна и вышел из спальни. В коридоре он остановился — все его существо рвалось к закрытой двери комнаты Рэйчел. Через несколько секунд усилием воли он заставил себя двинуться дальше и заглянуть в комнату, где находилась Фон.

Индианка исчезла, а комната выглядела такой чистой и нетронутой, словно Фон там никогда и не было. Гриффина это одновременно и расстроило и позабавило, но он не удивился. Даже ребенком Фон с трудом могла оставаться в одном и том же месте более двух часов подряд.

Он спустился по лестнице, прошел сквозь тишину дома на кухню. Там четыре лампы помогали лучам зарождающегося рассвета, а Молли стояла у огромной плиты, помешивая что-то в чугунной кастрюльке. Женщина настороженно улыбнулась, прядка медных, влажных от пара волос упала ей на лоб. Она отбросила ее назад тыльной стороной ладони.

— Ну как там эта девушка, Маккиннон? — поинтересовалась она безо всяких предисловий.

Гриффин со смехом отвесил легкий поклон:

— И вам доброго утра, миссис Брэйди.

Молли добродушно покачала головой и наполнила горячей овсянкой глиняную миску, пока Гриффин наливал себе кофе.

— Она ведь хорошенькая, правда? — настаивала

Молли.— Святые небеса, могу себе представить, что эти фиалковые глаза творят с мужскими душами!

Гриффин присел к круглому дубовому столу и, зачерпнув ложкой коричневого сахару, посыпал овсянку, которую поставила перед ним Молли.

— Она всего лишь ребенок,— огрызнулся он, обращаясь скорее к самому себе, чем к Молли.

Она усмехнулась с добродушной издевкой:

— Ребенок, как бы не так.

— Ей только семнадцать,— возразил Гриффин, проявляя повышенный интерес к кувшину со сливками.

— Ага,— весело согласилась Молли.— В ее возрасте я уже год была замужем и родила Уильяма.

Гриффин проигнорировал это замечание и продолжал есть молча.

Молли на этом не успокоилась:

— Бедняжка, она выглядела такой растерянной и смущенной вчера вечером! Готова поспорить, что вы и не побеспокоились все ей объяснить, Гриффин Флетчер!

Гриффин снова сел за стол, чтобы допить кофе.

— Это может сделать ее отец. Сегодня я собираюсь его найти.

Молли подняла четко очерченную темную бровь:

— Да? В гору и обратно — да это же поездка на целый день. А вдруг вы будете нужны здесь?

Гриффин пожал плечами с притворным безразличием. Ему не следовало ехать, он знал это,— в особенности, поскольку он вполне мог уговорить Филда отправиться вместо него. Но Гриффину нужна была это поездка, время, расстояние...

— Я вернусь так быстро, как только смогу. До этого присмотри, чтобы Рэйчел была дома или поблизости. Джонас лежит пластом, и у него здорово болят кое-какие весьма существенные места, но это не значит, что он не попытается что-либо предпринять.

Молли быстро, пока он не отказался, налила ему еще кофе.

— Гриффин,— решилась осторожно спросить она,— я знаю, что вы с Бекки Маккинном были близкими друзьями. Я знаю, что вы обещали ей защитить Рэйчел от посягательств Джонаса. Но что, если он ей нравится? Помимо всего прочего, Джонас красив и богат. Эти качества играют большую роль, когда девушка всю жизнь прожила в бедности.

Гриффин резко отодвинул от себя чашку, забрызгав при этом хрустящую белоснежную скатерть, и, встав из-за стола, надел пиджак и шляпу с загнутыми полями, висевшие на деревянном крюке рядом с задней дверью.

— Джонас сломает ей жизнь, — сказал он.

Пожав плечами, Молли протянула ему неизменный черный саквояж.

— Возможно, он действительно любит ее, — с сомнением проговорила она, и взгляд ее зеленых глаз стал тревожным и отрешенным.

— Любит? — с горечью повторил Гриффин. Он распахнул дверь, и хлынувший навстречу прохладный воздух принес ему облегчение. — Джонасу никогда не понять, что такое любовь.

Молли вскинула свой упрямый ирландский подбородок:

— Не вам бросать камни в других по этому поводу, Гриффин Флетчер. Вы же сами беситесь и удираете от этой самой любви.

Гриффин, не ответив, удалился, со стуком захлопнув за собой дверь.

Когда Рэйчел проснулась, она была поражена тем, что ничего не чувствует. Ни скорби по матери, ни страха перед Гриффином, ни одиночества. Казалось, внутри у нее образовалась пустота.

Она отправилась на кухню. В уютном доме было тихо и прохладно. На кухне Молли Брэйди улыбнулась Рэйчел своей быстрой улыбкой и осторожно, вопросительно взглянула на девушку.

— Садись поешь, — велела она.

Рэйчел нерешительно улыбнулась в ответ, принимая предложенную овсянку, пробормотала слова благодарности и села за стол. При каждом движении грубая шерстяная ткань платья раздражала кожу на бедрах и груди, но девушка не обращала на это внимания. Ей было все равно.

Молли поправила свою широкополую соломенную шляпу:

— Рэйчел?

Рэйчел подняла голову, выдавив из себя слабую, неловкую улыбку:

— Да?

— Добро пожаловать.

У Рэйчел слезы подступили к горлу, и это удивило ее: она ведь перестала что-либо чувствовать.

Должно быть, Молли что-то заметила в ее лице, так как быстро подошла, сняла шляпу и опустилась на стул рядом с Рэйчел.

— Мне кажется, что тебе надо с кем-нибудь поговорить, Рэйчел.

— Это так странно,— призналась Рэйчел, отодвигая от себя недоеденный завтрак.— Со мной столько всего случилось, но я ничего не чувствую.

— Еще почувствуешь,— пообещала Молли, положив свою маленькую покрасневшую руку на запястье Рэйчел.

Рэйчел сглотнула слезы и отвела глаза.

— Что за человек доктор Флетчер? — спросила она.

Экономка вздохнула:

— Он хороший человек — сильный и надежный.

— Но он равнодушный и заносчивый тоже! — Неожиданно все утраченные было эмоции нахлынули на Рэйчел, и она сомневалась, стоит ли радоваться этому.— Господи, Молли, я никому не мешала! Я поехала к мистеру Уилксу, потому что он пригласил меня принять ванну...

Ярко-зеленые глаза сверкнули весельем, но одновременно в них промелькнуло нечто, встревожившее Рэйчел.

— Да?

— Все было совершенно прилично — я просто испачкалась, понимаете, и мне было больше *негде* вымыться. И вдруг ни с того ни с сего Гриффин — доктор Флетчер — ворвался туда, потащил меня с собой и с той минуты все время командует мной и оскорбляет меня!

Молли откинулась назад и скрестила руки на груди.

— Такт никогда не был сильной стороной Гриффина. Он очень прямолинейный человек.

— Какое право он имеет указывать, где мне можно, а где нельзя находиться, и держать меня у себя в доме?

— Наверное, никакого. Но доктор и твоя мать были близкими друзьями, Рэйчел. И он обещал ей оберегать тебя.

— От чего? — воскликнула в отчаянии Рэйчел.

— От мистера Джонаса Уилкса, — спокойно ответила Молли, и ее глаза цвета ирландского трилистника подернулись дымкой воспоминаний.

А Рэйчел будто вновь услышала слова матери. *Здесь есть один человек, страшный человек...* Значит, мать имела в виду Джонаса Уилкса, а не доктора Флетчера? Все было слишком запутано.

— Разве мистер Уилкс хочет причинить мне вред?

Молли явно смутилась и понизила голос:

— Мы еще не знаем, этого ли он хочет. Насколько я понимаю, он увлечен тобой — а это очень опасно.

Рэйчел вздохнула. Неужели они все сошли с ума? Зачем такому богатому и могущественному человеку, как Джонас, нужна дочь лесоруба?

— Доктор Флетчер ненавидит его — и, мне кажется, мама тоже ненавидела его.

Молли кивнула:

— Да. Мне кажется, Бекки думала, будто Джонас попытается выместить на тебе злобу за те разногласия, которые были у него с Бекки. Что касается Гриффина, у него есть очень веские причины ненавидеть Джонаса, хотя, по-моему, лучше бы их давно забыть.

— Какие разногласия были у мамы с мистером Уилксом?

Солнечный луч упал на стол, и яркий свет, ослепив Рэйчел, почти скрыл от нее лицо Молли.

— Джонас Уилкс — один из самых богатых и влиятельных людей в штате, Рэйчел. И хотя он подчинил себе многих, ему никогда не удавалось управлять твоей матерью. Она просто не боялась его — пока ты не приехала сюда.

Некоторое время Рэйчел молчала, переваривая это странное сообщение, потом заговорила снова:

— Поэтому он ненавидит и доктора Флетчера — потому что не может его себе подчинить?

— Думаю, главная причина в этом,— согласилась Молли. Солнечный луч потускнел, и ее лицо вновь стало видимым.— Но между этими двумя людьми есть еще и многое другое, и это началось задолго до того, как Джонас получил в наследство эту гору.

Что-то в тоне Молли заставило Рэйчел более тщательно подбирать слова:

— Это связано с тем, из-за чего так страдает доктор Флетчер?

Молли вдруг заторопилась, вскочила со стула, оправила чистенький передник и повязала свои медные волосы желтым платком. Шляпка осталась лежать, забытая, на буфете.

— Я и так тебе слишком много рассказала, а мне еще нужно поработать в саду. Ты пока отдохни, но если у тебя появится настроение почитать, то у доктора в кабинете есть сотни книг.

Рэйчел понравилась идея забыться за чтением романа или стихов — конечно, если у сурового доктора Флетчера имелась столь легкомысленная литература.

В хаосе мыслей и переживаний, она направилась в глубину дома, к закрытой комнате, которая, по ее догадкам, и была кабинетом Гриффина. Молли определенно знала больше, чем пожелала рассказать, и ее скрытность расстроила Рэйчел.

ГЛАВА 8

Рэйчел замерла на пороге кабинета, пораженная. Молли Брэйди не преувеличивала: здесь были сотни — если не тысячи — книг. Они стояли ровными рядами на полках, лежали шаткими стопками на столах и стульях, громоздились на большом письменном столе в центре комнаты.

И все же, вопреки этому, в помещении царила атмосфера строгой опрятности. Медная подставка для дров в камине была вычищена до блеска, черные кожаные кресла с полукруглыми спинками издавали запах дегтярного мыла, хирургические инструменты, аккуратно разложенные в застекленном шкафчике, сверкали.

Не привыкшая к долгим колебаниям, Рэйчел вошла в комнату, приблизилась к стене, сплошь уставленной книжными полками, и с восхищением провела пальцами по разноцветным кожаным корешкам. Многие названия были вытиснены золотом, а сами книги представляли все разнообразие литературных жанров.

Разумеется, здесь имелись медицинские книги — толстые тома трактатов по анатомии человека, — но была и классика, а также труды по ботанике, астрономии, философии политике. Порой среди томов попадались — будто бы для нарушения строго единообразия — легкомысленные комедии и книги о приключениях. Эти сочинения все до единого имели подпись «Луиза Г. Флетчер», сделанную витиеватым причудливым почерком.

Рэйчел задумалась, кому бы могло принадлежать это имя. Но вряд ли ей когда-либо удастся удовлетворить свое любопытство, так как спрашивать у Гриффина, кто такая Луиза, Рэйчел не собиралась, а Молли, если обратиться к ней, возможно, не захочет отвечать.

Смирившись с этим, девушка устроилась в одном из внушительных кресел возле камина и открыла легкомысленный французский роман. Утро прошло в обстановке приятной, спокойной праздности; по крайней мере, на несколько часов Рэйчел Маккиннон смогла отвлечься от мрачных событий реальной жизни. На это время ее колючее уродливое платье превратилось в шелковый наряд, бедность — в сказочное богатство, а одиночество уступило место толпе восторженных поклонников в столь изысканных одеждах, что девушка лишь смутно себе их представляла.

Рэйчел, с пылающими щеками следившая за героическими подвигами героини, все еще пребывала в мире грез, когда вдруг почувствовала, что она не одна в комнате, и увидела перед собой доброе лицо преподобного Холлистера.

— Простите меня,— проговорил он с мягкой улыбкой.— Кажется, я оторвал вас от чего-то весьма увлекательного.

Смущенная Рэйчел прикрыла книгу, заложив ее указательным пальцем, и улыбнулась.

— Пожалуйста,— сказала она, ощущая, как горят ее щеки.— Присаживайтесь.

Преподобный опустился в кресло напротив Рэйчел привычным движением частого и желанного гостя. Девушка инстинктивно догадывалась, что этот человек был лучшим и,— за исключением Молли Брэйди,— возможно, единственным другом Гриффина Флетчера.

Молчание становилось неловким, и Рэйчел первой нарушила его.

— Боюсь, доктора Флетчера нет дома,— сказала она, неосознанно перенимая изящную манеру речи благовоспитанной девушки из высшего общества, о которой читала.

Ее собеседник казался встревоженным, даже нерешительным.

— На самом деле, мисс Маккиннон, я пришел

к вам. — Он отвел в сторону голубые глаза и растерянно умолк.

Рэйчел испытывала желание вскочить, вцепиться в потрепанный воротник священника и хорошенько его встряхнуть. Вместо этого она вежливо произнесла:

— Да?

Теперь в его облике почувствовалась напряженность. Наблюдавшая за тем, как в преподобном Холлистере боролись разнообразные противоречивые эмоции, Рэйчел вздрогнула, когда тот встал и повернулся к ней крепкой, но неширокой спиной.

— Мисс Маккиннон, боюсь, я покажусь вам невежливым, но вам необходимо как можно скорее уехать из Провиденса.

Потрясенная Рэйчел в молчании смотрела, как священник повернулся к ней лицом — в его лазурных глазах она прочитала предельную искренность и вздрогнула. Преподобный Холлистер вздохнул, возвел на мгновение глаза к потолку и продолжил:

— Мисс Маккиннон...

Рэйчел внезапно вспомнила о своем убогом поношенном платье, о сомнительной репутации своей матери и своем весьма двусмысленном присутствии в доме доктора Флетчера. От обиды у нее сдавило горло и ей захотелось плакать.

— Рэйчел, — поправила она. — Пожалуйста, зовите меня Рэйчел.

Священник снова сел, и взгляд его погрустнел.

— Рэйчел, — послушно повторил он. — Мое имя Уинфилд, хотя Гриффин уже давно переделал его в Филд.

Рэйчел слегка кивнула.

— Филд, — сказала она, прислушиваясь к этому имени, к силе и благородству его звучания. — Я... я не такая, как моя мать, если вы из-за этого хотите, чтобы я уехала.

Его лицо выразило молчаливое сочувствие, а в голосе прозвучали утешительные нотки:

— Рэйчел, ваша мать была замечательной женщиной во многих отношениях. Хотя я не одобрял ее... занятия, я ценил ее как дорогого друга.

Рэйчел на мгновение опустила глаза, но потом заставила себя взглянуть в лицо Филда.

— Знаете, мне здесь не слишком хорошо. Все только и говорят, что мне надо поскорее уехать.

Филд протянул руку и коснулся руки Рэйчел.

— Пожалуйста, не думайте, будто все пытаются от вас отделаться. — Неожиданно он снова вскочил на ноги и принялся в волнении расхаживать взад-вперед у камина. — Возможно, мне не надо было приходить сюда, не следовало ничего вам говорить...

Рэйчел выпрямилась в кресле, забытая книга лежала у нее на коленях.

— Филд, *что* именно вы хотели мне сказать?

Он остановился и взглянул на Рэйчел с высоты своего роста. В чертах его лица обозначилась тревога.

— Вы познакомились с мистером Уилксом, — начал он. — И, конечно, вы теперь знаете также Гриффина. Во имя всего святого, Рэйчел, не вставайте между ними!

Удивление Рэйчел могло сравниться разве что с ее смущением.

— Между ними? — повторила она.

Филд снова принялся вышагивать по комнате.

— Теперь я понимаю, не стоило вам этого говорить, — бормотал он, тряся головой в таком комическом отчаянии, что Рэйчел рассмеялась.

— Вы заставляете меня чувствовать себя добычей, за которой все охотятся! Вы действительно считаете, будто Джонас и Гриффин способны поссориться из-за меня?

Бурное веселье Рэйчел, похоже, заставило Филда немного расслабиться, хотя он густо покраснел. Он опять сел, и, когда вновь встретился взглядом с несколько растерянной Рэйчел, его лицо было строгим.

— Это может привести даже к более трагическим последствиям, Рэйчел. Джонас Уилкс хочет заполучить вас — это факт, не вызывающий сомнения. И моя весьма тренированная интуиция подсказывает мне, что Гриффина вы привлекаете ничуть не меньше.

Рэйчел оглядела свое платье с чужого плеча и обтрепанные башмаки и громко расхохоталась над нелепыми, по ее мнению, фантазиями преподобного Холлистера.

Филд нетерпеливо вздохнул и откинулся в кресле, явно ожидая, пока пройдет этот неуместный приступ веселья. Когда Рэйчел поутихла, он отчеканил:

— Рэйчел, поверьте, если бы вы знали, насколько шаток мир между этим людьми, вы бы не стали смеяться.

Его серьезный тон отрезвил Рэйчел, по крайней мере, внешне. Внутренне какая-то часть ее продолжала посмеиваться.

— Преподобный Холлистер... Филд... я думаю...

— Вот именно, подумайте, и как следует! — прервал ее собеседник, сжав подлокотник кресла побелевшими пальцами. — Вы невероятно привлекательны. Ни Джонас, ни Гриффин не могут не замечать этого.

Рэйчел была уверена, что ничего более смехотворного не слышала за всю свою жизнь, но романтическая окраска, пусть фантастических, идей Филда не позволила ей сразу отбросить их. Некоторое время она даже наслаждалась ими.

Потом она проговорила с достоинством:

— У меня нет ни малейшего намерения покидать Провиденс. Мать оставила мне немного денег и дом, и я собираюсь в полной мере воспользоваться ими.

У Филда от неожиданности отвисла челюсть, лицо внезапно стало таким же белым, как его безупречный воротничок.

Усилием воли Рэйчел подавила очередной взрыв неудержимого хохота. Если не считать легкого подрагивания уголка рта, ее лицо не переменилось.

— Судя по всему, мои слова произвели на вас неверное впечатление, — промолвила девушка, вновь обращаясь к высокопарной лексике, почерпнутой из недочитанного ею романа. — Я отнюдь не собираюсь продолжать дело моей матери. Я намерена открыть пансион. Там поселимся я и мой отец, и, надеюсь, также многие женщины из палаточного городка.

Филд Холлистер с завидным самообладанием выбрался из неловкого положения, в которое себя поставил.

— Я понимаю,— сказал он, откашлялся и покраснел до ушей.

Он, безусловно, был очень милый человек, и Рэйчел захотелось ободрить его.

— Филд, пожалуйста, не беспокойтесь о мистере Уилксе и докторе Флетчере. Да посмотрите на меня! Я дочь лесоруба. У меня нет ни красивых платьев, ни хороших манер, ни красоты. Что во мне могут увидеть такие господа, как эти двое?

Филд Холлистер отрешенно смотрел в пространство, и, казалось, в неизмеримой дали ему открывалось нечто пугающее. Наконец он встал и с заметным усилием вернул себя в просторную, полную книг комнату.

— Боже, пощади невинных,— пробормотал он.

Рэйчел открыла книгу у себя на коленях и провела пальцем по надписи на титульном листе.

— Филд, кто такая Луиза Г. Флетчер?— осмелилась спросить она.

Священник вздохнул.

— Она была матерью Гриффина,— рассеянно ответил он.

Рэйчел почувствовала огромное облегчение.

— Какая она была?

Филд улыбнулся, вспоминая:

— Она была красива, практична, и, как и ее сын, не склонна к пустой болтовне.

Затем сердечно, хоть и несколько кратко, попрощавшись, он удалился.

Рэйчел раскрыла роман, которым так увлеклась перед визитом священника, и прочитала один и тот же отрывок три раза подряд. Слова мелькали в ее сознании и тут же таяли, словно дым. Расстроенная, она захлопнула книгу и решительно отложила в сторону. Неожиданно ее жизнь стала куда более захватывающей.

Полуденное солнце уже стояло высоко в небе, когда Гриффин въехал в центральный поселок лесорубов Джонаса. Несколько человек толпились перед входом в барак, где помещалась кухня-столовая, но он знал, что большинство из них работают выше по склону горы.

Мучительное воспоминание больно сжимало горло, пока Гриффин спешивался и привязывал лошадь к коновязи у кухни. Запах смолы, свист, смертоносное падение гигантского дерева, изуродованное тело отца, которое несли обратно в поселок,— все, как это всегда бывало здесь, пронеслось у него перед глазами.

В дверях барака показался Джек Свенсон, повар, одной рукой держащий ободранный котелок, а другой решительными движениями помешивающий свое варево.

— Какая нелегкая занесла вас сюда, док? Сегодня не было никаких несчастных случаев.

Гриффин неосторожно бросил взгляд на содержимое котелка Свенсона и тут же пожалел о своем любопытстве.

— Я знаю, что у вас работает человек по фамилии Маккиннон, лесоруб.

Свенсон презрительно свистнул и сплюнул на землю жевательный табак.

— Маккиннон больше не лесоруб, док. С сегодняшнего утра он здесь командует.

Гриффину это не понравилось. Зачем Джонасу нанимать лесоруба, а на следующий день повышать его в должности?

— Где он?

— Не представляю, зачем он вам,— процедил Свенсон, глядя на Гриффина с открытой неприязнью.— Он не болен.

Гриффин вздохнул, снял шляпу и провел по лбу рукавом промокшей от пота рубашки. Похоже, этот старик так и не простил его за то, что он предпочел медицину лесопильному предприятию отца. Возможно, в каком-то смысле он и сам не мог себе этого простить.

— Где Маккиннон? — повторил вопрос доктор.

Свенсон выдвинул вперед упрямый небритый подбородок:

— Не видал его.

Гриффин выругался про себя.

Морщинистое лицо Свенсона перекосила издевательская улыбка:

— Может, в тебе и есть что от Флетчеров, парень. Тут некоторые сомневаются, тот ли ты, за кого твоя мать тебя выдавала.

Гриффин прикрыл глаза и стал считать про себя. Когда рассудок вернулся к нему, он заговорил осторожным, размеренным тоном:

— Если ты не хочешь захлебнуться в этой жиже, которую приготовил, Свенсон, лучше заткнись.

Старик сунул котелок и деревянную ложку в руки какого-то остолбеневшего лесоруба и с угрожающим видом заковылял по крыльцу.

— Ты воображаешь, малец Флетч, будто сможешь справиться со стариком Свеном?

Гриффин сверкнул глазами:

— Конечно, смогу, и ты прекрасно это знаешь, старый ублюдок.

Свенсон осторожно спустился по скрипучим ступенькам и вышел на солнцепек:

— Так закатай рукава и попробуй.

— О черт, — простонал Гриффин.

— Боишься меня, малец?

Вокруг собралась небольшая кучка лесорубов, привлеченных ссорой, послышались смешки.

Гриффин отстегнул сначала одну запонку, потом другую. Следуя правилам игры, он закатал рукава. *«Видишь ли ты меня, папа?* — подумал он. — *Прошло столько лет, а стоит мне появиться на этой горе, как кто-нибудь из стариков опять требует доказать, что я твой сын».*

— О'кей, Свенсон, — громко сказал он. — Кто будет драться за тебя на этот раз?

Как по команде, вперед выступил один из новичков-лесорубов. Остальные уже видели подобную сцену, но наблюдали за ней с абсолютно непроницаемыми лицами.

Верзила был на голову выше Гриффина, с мощной грудной клеткой и выражением оскорбленного достоинства в глазах.

Гриффин чуть не расхохотался:

— Так это ты будешь драться вместо старика?

Солнечный луч упал на огненно-рыжую шевелюру дровосека. Он возмущенно-недоверчиво обвел взглядом остальных рабочих.

— Да, уж я-то не собираюсь стоять сложа руки и смотреть, как кто-то вдвое моложе вышибает из него кишки! — решительно заявил он.

Гриффин поманил его пальцем:

— Ну давай, молокосос. Свен ведь без драки не успокоится.

Парень был явно не в своей тарелке и не на шутку уязвлен.

— Кто это молокосос?

— Ты, — усмехнулся Гриффин.

К восторгу зрителей, молокосос отреагировал немедленно. От первого удара, мощного, как удар копытом быка, пришедшегося Гриффину в диафрагму, у него перехватило дыхание. Над ним временно одержали верх, но это было частью ритуала. Второй удар оказался легко предсказуемым, и Гриффин увернулся от него. Он решил немного затянуть спектакль: жизнь в поселке была однообразной, и людям требовались развлечения.

Отступление было ошибкой. Правый кулак верзилы с сокрушительной силой врезался в челюсть Гриффина, и боль пронзила его голову, шею и лопатки. Рассудок его помутился, и начался танец смерти.

Внезапно Гриффин вновь ощутил себя мальчишкой. Он находился не в поселке лесорубов, а на палубе одного из кораблей компании, акциями которой владел его отец, плывущего из Сан-Франциско в Сиэтл. Там, на скользкой, шаткой палубе, Ла Ферье обучал его своим смертельным приемам, пока дух и тело подростка не сливались воедино.

И ноги Гриффина, обутые в тяжелые ботинки, превратились в куда более страшное оружие, чем его кулаки. Когда Гриффин опомнился, тот, кто стал жертвой свенсоновской страсти к забавам, неподвижно лежал на земле — одна сторона его головы была покрыта кровью. Только вздымавшаяся могучая грудь говорила о том, что он еще жив.

Гриффин покачнулся, и ему в лицо обрушился ушат ледяной воды, окончательно приведшей его в сознание. У плеснувшего в него водой были молодые глаза, но его борода и волосы были седыми.

— Сукин сын, — проговорил он вполголоса. — Где ты научился драться, как французишка?

Гриффин не мог ответить. Вместо этого, увидев наконец, что он сотворил с ни в чем не повинным защитником Свенсона, доктор побрел, шатаясь, за сарай с инструментами. Там его долго и мучительно рвало.

Все это время седобородый мужчина наблюдал за ним. Когда все было кончено, он протянул Гриффину ведро воды. Гриффин прополоскал рот, сплюнул и вылил остальную ключевую воду на пульсирующую от боли голову. Потом хрипло поблагодарил:

— Спасибо.

Голубые глаза смотрели внимательно, но без настороженности. Мужчина протянул Гриффину мозолистую руку:

— Маккиннон.

Горло Гриффина обжег приступ смеха. Начавшись со сдавленных, отрывистых смешков, он перерос в истерический хохот.

— Гриффин, — наконец выговорил он. — Гриффин Флетчер.

Снаружи спускалась темнота, и Рэйчел беспокоило то, как Молли то и дело встает из-за стола, чтобы выглянуть из кухонного окна в сторону амбара. Кого она высматривает? Доктора Флетчера? Или эту пропавшую индианку, Фон Найтхорс? Исчезновение последней было разочарованием для Рэйчел: ей так хотелось поближе узнать ее, задать столько вопросов!

— Хвала святым! — неожиданно воскликнула Молли, заставив вздрогнуть Рэйчел и молчаливого туповатого парня, сидевшего рядом с ней за столом.

Дверь в кухню распахнулась, и появился доктор Флетчер. Рэйчел так потряс вид его посиневшей, распухшей челюсти, что она вскочила на ноги. Доктор Флетчер даже не глянул в ее сторону, и девушка не успела оправиться от странной боли, причиненной его невниманием, как вошел ее отец.

— Папа! — пронзительно вскрикнула Рэйчел, бросаясь в его раскрытые навстречу ей сильные объятья.

Эзра Маккиннон нежно улыбнулся дочери.

— Вот это встреча так встреча, — сказал он.

И тут Рэйчел вспомнила. Она почувствовала, как кровь отлила от ее лица и глаза наполнились слезами.

Эзра крепко прижал ее к себе.

— Все в порядке, малышка, — сказал он. — Я знаю, что твоей мамы больше нет.

Рэйчел позволила себе выплакаться — это было ей так необходимо! Когда девушка наконец успокоилась, благодаря усилиям отца и своим собственным, то ощутила такую усталость, что едва держалась на ногах.

Эзра усадил ее в кресло возле дубового стола. Только тут она заметила, что они одни в большой комнате.

— Мы уедем отсюда, — пообещал Эзра хриплым от подавляемых эмоций голосом. — Здесь больше незачем оставаться.

Рэйчел запнулась, не уверенная в том, как отец воспримет ее решение. Наконец, набравшись смелости, она объяснила, что Ребекка оставила ей наследство: у них теперь есть свой дом и им больше не надо переезжать из города в город.

Она была поражена суровостью отца, жесткостью его слов:

— Мы этого не сделаем, дочка. После всего того, что мне сегодня рассказал Гриффин Флетчер, я здесь ни за что не останусь.

Разочарование заставило Рэйчел сжаться в кресле.

— Что же такое ужасное он тебе рассказал, па?

— Незачем тебе знать, что он сказал мне. Как только Бекки будет похоронена и мы отдадим ей последний долг, мы уезжаем. Это все, Рэйчел.

«Значит, так тому и быть», — с упавшим сердцем подумала Рэйчел.

ГЛАВА 9

Посыльный, выглядевший особенно неотесанным в своих грубых холщовых штанах и потертой фланелевой рубахе, неловко топтался возле камина в гостиной.

Джонас, облаченный в парчовый халат, налил бренди сначала себе, а потом посетителю.

— Ну, Петерсон,— резко спросил он.— Что на этот раз?

Петерсон не мог отвести глаз от окружавшего его великолепия, кадык на его толстой шее судорожно задвигался.

— Свенсон велел вам передать, что Маккиннон уволился. Взял расчет сегодня утром.

Джонас воспринял это сообщение спокойно.

— Случайно не после долгого разговора с Гриффином Флетчером?

Неприятная усмешка искривила ничем не примечательную физиономию Петерсона.

— Вы когда-нибудь видели, как Флетчер дерется, босс?

У Джонаса вырвался болезненный горький смешок. Мучительная, непрекращающаяся боль в паху была красноречивым ответом на этот вопрос, по крайней мере, для него самого, если не для Петерсона.

— Значит, Гриффин побывал там. Кого же он отметелил на этот раз?

Петерсон мял в огромных ручищах шляпу, уже и так потерявшую всякую форму.

— Этого рыжего кузнеца, нанятого в прошлом месяце — Добсона.

Джонас покачал головой при мысли об иронии происходящего. Интересно, отправится ли Гриффин на гору завтра, чтобы устранить последствия своих сегодняшних действий?

— С этим человеком все в порядке?

Петерсон кивнул и, отложив шляпу в сторону, взял предложенную ему рюмку.

— Свенсону пришлось наложить ему швы на голову, и еще у него пропал аппетит, но в остальном он в порядке.

Джонас пригубил бренди.

— От еды Свенсона у кого угодно пропадет аппетит. Маккиннон объяснил, почему он не хочет оставаться?

— Ничего не объяснял — только сказал, что хочет получить деньги, которые ему причитаются, и уехал вместе с доком.

— Понятно, — пробормотал Джонас. Он осторожно опустился в кресло и поморщился, ощутив боль между ногами. — Допивай бренди и отваливай, Петерсон. И передай от меня благодарность Свенсону.

Как только Петерсон ушел, появилась миссис Хаммонд. Она недовольно взглянула на Джонаса и поинтересовалась:

— Что это вы делаете внизу? Вы не в том состоянии...

Джонас закрыл глаза.

— Где МакКей? — резко спросил он.

— Наверное, где-нибудь под ближайшим забором, — ответила женщина.

Джонас усмехнулся и снова открыл глаза.

— Так вытащите его оттуда. Я хочу его видеть — сейчас же.

Выражение безмолвного бешенства, мелькнувшее на лице Хаммонд, привело Джонаса в восхищение. Интересно, в который уже раз подумал он, почему все эти годы она оставалась в его доме, хотя с осуждением относилась почти ко всему, что делал ее хозяин?

— Если вы хоть на минуту вообразили, будто можете послать сейчас за женщиной...

Джонас рассмеялся. За женщиной! Сколько еще времени пройдет, прежде чем он сможет об этом хотя бы подумать...

— Будьте покойны, миссис Хаммонд. Благодаря Гриффину Флетчеру эта приятная перспектива исключается. Сегодня вечером у вас не будет повода для выступлений в защиту нравственности.

Ворча, миссис Хаммонд оставила его одного.

Джонас не сомневался, что Маккей вот-вот явится. Он наполнил рюмку из бутылки, стоявшей на столике возле его кресла, и задумался.

Значит, Гриффин отправился к Маккиннону и предупредил, что его дочери угрожает страшная опасность лишиться невинности «из-за этого чудовища Джонаса Уилкса». Он хрипло выругался, и звук его голоса эхом разнесся по пустой комнате.

Он закрыл глаза, думая о Рэйчел. Он знал, что нужно дать Маккиннону увезти ее. Но даже при одной мысли об ее отъезде в сердце у Джонаса возникло ощущение невыносимой пустоты.

Боже милостивый, что же она с ним сделала? Какой таинственной силой она обладала, если вызвала в нем такие чувства, способности к которым у себя он и не подозревал?

Джонас открыл глаза и увидел Маккея, который, стоя в дверях, наблюдал за ним.

— В чем дело, босс?

Джонас тихим голосом отдал распоряжение.

Эзра Маккиннон стоял на крыльце дома доктора, глядя вверх на усыпанное звездами небо и пытаясь справиться со своим горем. Неужели Бекки больше нет?

Чтобы не упасть, он вцепился рукой в крашеные перила. Каким же дураком надо быть, чтобы второй раз, окончательно потеряв ее, дать горю так сломить себя! С какой стати ему оплакивать ее? Она и так почти убила его своим отъездом — бросив его, бросив свое дитя.

Звук сдавленного рыдания вырвался из горла Маккиннона, эхом отозвавшись в ночи. Слезы душили его, но он сдерживал их. Сейчас ему необходима выпивка. Да, выпивка и хорошая женщина.

Расправив плечи, Маккиннон перемахнул через перила и прошел вокруг дома через залитый лунным светом двор к стойлу. Там он оседлал гнедую лошадь, одолженную им в поселке лесорубов. В сумраке стойла он нащупал пальцем клеймо Уилкса, отвернулся и сплюнул. *«Только через мой труп, ублюдок»,* — поклялся он, обращая свои слова к лесному магнату, вообразившему, будто он может попользоваться дочерью порядочного человека как жалкой игрушкой.

Верное средство подействовало как всегда. Бекки все сделала как надо, размышлял Маккиннон два часа спустя, покинув салун. Он вспомнил возвышенные идеи Рэйчел о превращении этого заведения в пансион и усмехнулся про себя.

Маккиннон вскочил на гнедого и поскакал по темной дороге. Они проведут ночь в доме Гриффина Флетчера, а утром попрощаются, как положено, с Бекки, и уедут подальше от Уилкса. Маккиннон слышал, что работа есть на севере, в Канаде.

Внезапно его окружили всадники, ни звуком не выдавшие своего приближения. Их было шестеро, насколько он успел заметить, и их лица были закрыты. Про себя Маккиннон проклял мягкую землю, заглушившую стук копыт их коней.

Рэйчел проснулась с лицом, залитым слезами. Слишком много прощаний выпало на предстоящий день: с матерью, с мечтами о настоящем доме, с Гриффином Флетчером. В ее сознании, сверкнув, возникла мысль о возможности бунта против отцовского решения. А если она просто откажется уезжать? Что случится тогда?

В окно комнаты для гостей заглянуло утреннее солнышко, и Рэйчел возненавидела его, себя, своего отца. Она была беззащитна против его власти, как с точки зрения закона, так и с точки зрения общественной морали. В конце концов, эта власть перейдет к пока еще неизвестному мужу, опять ускользая от Рэйчел. Она никогда не сможет сама по-настоящему делать выбор, и мысль об этом наполняла ее яростью.

Впервые Рэйчел поняла, почему ее мать сбежала.

Девушка тяжело вздохнула, откинула покрывала и выбралась из постели. По крайней мере, теперь у нее появятся деньги, она ни за что не уедет, не получив их. Потом, когда продадут салун, ей перешлют еще какую-то сумму. Жить станет легче. Она купит книги, обзаведется новым гардеробом и, возможно, — возможно — ей удастся найти мужа, который предоставит ей хотя бы подобие свободы.

В дверь спальни тихонько постучали, когда Рэйчел уже оделась и начала расчесывать волосы.

— Войдите, — рассеянно отозвалась она.

В зеркале, рядом с ее собственным отражением, возникли лицо и плечи Молли Брэйди. Внутри у Рэйчел все сжалось от безотчетного страха.

— Молли, что случилось?

Неестественно бледные щеки Молли слегка порозовели.

— Рэйчел, ты видела своего отца сегодня утром?

Недоброе предчувствие повисло в воздухе. Неспособная вымолвить ни слова, Рэйчел покачала головой.

Молли изо всех сил пыталась скрыть собственные опасения:

— Я уверена, что нам не о чем волноваться. Доктор и Билли поехали его искать.

Рэйчел отложила в сторону головную щетку, которую одолжила ей Молли, и села на постель, неподвижно уставившись в одну точку. Молли присела рядом, сжала в ладонях ледяную руку Рэйчел:

— Ну-ну, не надо волноваться. Отец ведь не уехал бы без тебя, правда? И вряд ли он передумал и вернулся на гору.

Вопреки своему недавнему стремлению к независимости, Рэйчел испугалась. Она любила отца — несмотря на все существующие между ними разногласия.

— Я... я думала, что он всю ночь был здесь...

Молли постаралась успокоить девушку:

— Мы все так думали. Но дело в том, Рэйчел, что его постель не тронута, а его лошадь исчезла.

Рэйчел проглотила слезы.

— Он бросил меня. Он бросил, я знаю.

Молли по-матерински обняла Рэйчел, но ничего не сказала.

Мучимая самыми противоречивыми эмоциями, Рэйчел в своем коричневом платье тоскливо стояла во время похорон у гроба матери. Провожающих было много, они печально внимали мягким, полным сочувствия словам Филда Холлистера; но среди присутствующих не было Эзры Маккиннона.

Когда все было сказано, Молли и доктор Флетчер повели Рэйчел прочь, мимо свежих могил женщины из коттеджа и ее крошечного младенца.

«Я должна заплакать», — в отчаянии подумала Рэйчел. Пытаясь понять, почему она не может дать волю слезам, от которых резало глаза и саднило в горле, она обернулась и увидела, что простой сосновый гроб уже опускают в землю.

Раздался пронзительный крик, колени Рэйчел задрожали и подогнулись. Доктор Флетчер поднимал ее на руки, когда она поняла, что этот крик был ее собственным, и без сопротивления погрузилась в нахлынувшую на нее тьму.

Гриффин откинулся на спинку кресла возле своего письменного стола и сжал в руке стакан. Боль терзала его — его собственная, смешанная с болью Рэйчел.

Что с ним происходило? Почему он не мог отделить ее чувства от своих?

— Гриффин?

Он поднял глаза и увидел в дверях кабинета Филда, который пристально наблюдал за ним.

— Маккиннона нашли? — глухим, угрюмым голосом спросил Гриффин.

Взгляд Филда упал на двойную порцию чистого виски в стакане Гриффина; священник снял с кресла три книги и сел.

— Ни малейшего следа. И ты не имеешь никакого права топить свои печали в виски, друг мой,— терпеливо заметил он.

Гриффин неторопливо сделал глоток, запрокинул голову и ощутил, как виски обожгло горло и согрело желудок.

— Тут что-то не так, Филд. Маккиннон не стал бы исчезать таким образом — во всяком случае, один, без дочери.

Филд вздохнул:

— Возможно, он просто больше не хотел чувствовать ответственность за девушку?

Одним глотком Гриффин осушил стакан.

— Нет, черт возьми, невозможно. Он слишком любил ее.

Наступила краткая, напряженная пауза. Филд резко прервал ее:

— Это не то, что ты думаешь, Гриффин. Если бы Маккиннон был мертв, кто-нибудь обнаружил бы тело или хотя бы лошадь.

Гриффин пристально посмотрел на друга:

— Джонас гораздо сообразительнее, чем тебе представляется, Филд.

Филд Холлистер не был другом Джонаса, но, несмотря на это, он стукнул кулаком по столу и закричал:

— Для тебя все проблемы в мире начинаются и заканчиваются Джонасом Уилксом! Гриффин, ты одержим этим человеком!

— Он убил Маккиннона.

— Гриффин, прислушайся хоть раз к голосу разума! Он не мог его убить. Благодаря тебе он уже два дня не выходит из дома!

Гриффин потянулся было к бутылке с виски, но передумал. Он и так с трудом выдерживал неодобрительный взгляд друга.

— Так ты уже наслышан об этом?

— Конечно, миссис Хаммонд не преминула мне об этом сообщить. И о том лесорубе я тоже знаю.

Гриффин проигнорировал упоминание о вчерашнем инциденте в поселке и огрызнулся:

— Сообщила ли тебе миссис Хаммонд также, что Джонас сделал с Фон Найтхорс?

Открытое лицо Филда побелело, он пытался что-то сказать, но не мог.

— Я подумал, старина, что это несколько поубавит твое благородное негодование по моему поводу.

Филд вскочил на ноги, вцепился пальцами в край стола:

— Скажи мне!

— Поверь мне, Филд, тебе будет тяжело об этом слушать. Я привез ее сюда, но, очевидно, она пострадала не так сильно, как я полагал, потому что она сбежала.

— Сбежала? Но куда...

Гриффин пожал плечами с притворным безразличием:

— Кто знает?

Филд резко отвернулся, но по его сгорбленным плечам Гриффин понял, что старая горечь опять нахлынула на друга. Солнце скрылось за тучей, и в комнате потемнело; потом снова стало светло.

Собрав все свое хладнокровие, Филд сел в кресло.

— Ну так что, Гриффин? Что ты думаешь делать с Рэйчел?

Зверская боль сжала затылок Гриффина, застучала в висках.

— У меня не было времени как следует подумать об этом,— ответил он, опять стараясь избежать взгляда Филда.— В данный момент она не в том состоянии, чтобы ехать куда-либо.

— Ерунда. Пусть Молли упакует ее вещи, и я сам отвезу ее в Сиэтл и помогу ей устроиться.

— Сиэтл?— выдохнул Гриффин.— Почему бы просто не отвезти ее к дому Джонаса и не оставить на пороге?

Филд расстроенно вздохнул:

— Мне начинает казаться, что ты одержим ею не меньше, чем он.

Неожиданно Гриффин почувствовал сильнейшее волнение. Он вскочил с кресла и остановился возле камина, повернувшись к другу спиной.

— Я не могу допустить, чтобы он коснулся этой девушки, Филд. Не могу.

— Так будь разумным, Гриффин! Дай мне увезти ее туда, где она будет в безопасности.

Впившись пальцами в каминную полку, Гриффин опустил голову:

— Через несколько дней, Филд. Ей нужно время.

Голос Филда был тихим, но настойчивым:

— Ей? Или тебе?

Эти слова обрушились на мозг Гриффина, как удары молотка. Он попытался ответить, но не смог.

Филд вдруг оказался рядом с ним, заглядывая в его лицо и видя, — как опасался Гриффин, — все то, что должно было быть скрыто.

— Господи, Гриффин — неужели это правда? Ты сам хочешь ее!

Гриффин закрыл глаза.

— Да, — прошептал он после долгого молчания.

Филд заговорил мягко, успокаивающе:

— Будь осторожен, мой друг. Будь очень, очень осторожен.

Гриффин отпустил каминную полку и расправил усталые, ноющие плечи.

— Буду.

— И убедись, что ты не просто хочешь использовать ее против Джонаса. Ты прекрасно знаешь, что все то, чего добивается Джонас, неодолимо влечет к себе и тебя.

Гриффин отвел глаза:

— Это совсем другое.

Рука Филда легла ему на плечо.

— Если ты любишь Рэйчел, у тебя два пути. Ты можешь предложить ей стать твоей женой — или помочь ей начать новую жизнь где-нибудь в другом городе. Но будь осторожен, принимая решение, Гриффин, и прими его быстро.

Гриффин кивнул, потом услышал, как Филд повернулся и ушел. Решение было уже принято. Когда Рэйчел наберется сил для предстоящего путешествия, он сам отвезет ее в Сиэтл и купит ей билет на первый же пароход, отплывающий за границу.

Субботнее утро Джонас встретил уже значительно оправившись от злополучной стычки с Гриффином и в прекрасном расположении духа. Выражение потрясения и ярости на лице Молли Брэйди, которая, открыв дверь, увидела его на пороге, весьма его позабавило.

— Добрый день, — сказал он, прикоснувшись пальцами к полям шляпы.

Красная от возмущения, Молли попыталась захлопнуть дверь, но ей помешала нога Джонаса.

— Я хочу видеть Рэйчел, — сказал он спокойно. — Сейчас же.

Молли вздернула подбородок, и было ясно, что она намерена дать ему отпор. По крайней мере, надо было отдать ей должное, она не попыталась убедить Джонаса, будто Гриффин где-то рядом.

— Я и близко вас к ней не подпущу, Джонас Уилкс. У бедняжки и без вас достаточно проблем!

Джонас поборол желание вцепиться левой рукой в гладкое, белоснежное горло Молли и приятно улыбнулся:

— Ладно, Молли...

Раздавшийся в этот момент голос — тихий, но твердый, — заставил вздрогнуть и Джонаса, и Молли.

— Все в порядке, — сказала Рэйчел. — Пожалуйста, Молли, пусть мистер Уилкс войдет.

Джонас опомнился быстрее, чем Молли, и воспользовался этим. Изящным жестом он отстранил ее, вошел в переднюю и приблизился к Рэйчел.

Как же чудесно она выглядела, даже в этом кошмарном коричневом платье! Вновь Джонас подавил в себе дикое, исступленное желание.

— Я очень сожалею о смерти вашей матери,— мягко сказал он.

Отважные фиалковые глаза наполнились влагой.

— Благодарю.

Вид ее слез потряс Джонаса, внезапно что-то изменилось в желании, которое он испытывал к этой женщине. Ему захотелось защитить ее, сделать так, чтобы она опять улыбнулась.

— Рэйчел, поедем прокатиться в моем экипаже. Вам нужен свежий воздух.

На ее бледном, похудевшем лице медленно возникла милая улыбка.

— О, это было бы чудесно, мистер Уилкс!

— Меня зовут Джонас,— с улыбкой поправил он.

Ее прелестных очертаний щеки вспыхнули очаровательным румянцем.

— Джонас,— застенчиво повторила она.

— Нет, минутку!— Молли наконец-то обрела голос.— Она никуда с вами не поедет, Джонас Уилкс!

Каким бы любезным ни казался взгляд, брошенный им на Молли, в нем была угроза.

— Я обещаю быть джентльменом, миссис Брэйди. И, мне кажется, вы и доктор слишком долго держали Рэйчел взаперти.

Зеленые глаза Молли лихорадочно метнулись в сторону Рэйчел.

— Не езди, Рэйчел,— пожалуйста...

Рэйчел с достоинством вскинула голову, взгляд ее потемневших фиалковых глаз встретился с зелеными глазами Молли.

— Я сама могу позаботиться о себе, Молли Брэйди. И я намерена совершить эту прогулку в экипаже.

Молли, побледнев от огорчения и злости, сдалась.

— Доктору это не понравится,— предупредила она.

Рэйчел, опершись на подставленную Джонасом руку, продолжала смотреть в лицо Молли.

— Вполне возможно,— ответила она, после чего

позволила Джонасу вывести себя из дома и двинулась вместе с ним по дорожке.

Но у ворот Рэйчел заколебалась:

— Возможно, мне не стоит уходить. Они были так добры ко мне, и...

У Джонаса хватило осторожности не давить на девушку: ситуация была слишком деликатной, а решимость Рэйчел — слишком хрупкой.

— Тогда в другой раз? — ровным голосом осведомился он, готовый, в случае необходимости, послушно удалиться.

Реплика достигла цели. Озорная улыбка заиграла на нежных, подвижных губах, мелькнула в глубине колдовских глаз.

— Нет, Джонас. Если я еще хоть ненадолго останусь в этом доме — я умру.

Он склонил голову набок:

— А мы не можем этого допустить, правда, ежик?

Рэйчел вспыхнула.

— Вы же обещали быть джентльменом, — напомнила она ему.

— Так и будет, — сказал он спокойно, помогая Рэйчел забраться в экипаж, хотя из горла его рвался наружу крик ликования. — Я не такое чудовище, каким меня считает Гриффин, Рэйчел.

Она посмотрела на него тревожными, широко раскрытыми глазами.

— Почему он так к вам относится, Джонас?

Уилкс опустился на сиденье напротив, снял шляпу.

— Дело в том, Рэйчел, что мы никогда не ладили. Я, вообще-то, восхищаюсь Гриффином — он замечательный человек, — но он меня просто не любит.

Сочувствие, отразившееся на лице девушки, едва не заставило Джонаса торжествующе расхохотаться — придется ему наболтать еще что-нибудь «приятное» о Гриффине Флетчере. Однако самое главное — следует соблюдать осторожность, чтобы не испугать ее. Если это случится, она в страхе упорхнет, как птичка, и исчезнет навсегда.

ГЛАВА 10

Лишь когда экипаж тронулся и она услышала поскрипывание кожи и стук копыт лошади, у Рэйчел в памяти возникли слова Филда Холлистера. *Джонас Уилкс хочет заполучить вас. Это факт, не вызывающий сомнений.* Вслед за ними, как эхо, прозвучал голос Молли: *«Насколько я понимаю, он увлечен тобой»*.

Рэйчел подняла голову и улыбнулась в ответ на спокойную, приятную улыбку Джонаса. Предположим, Филд и Молли правы. Что же в этом ужасного?

Непрошеным гостем в ее мысли ворвался образ Гриффина Флетчера. Она испытывала к нему непостижимое, мучительное влечение. Девушку отталкивал его резкий, холодный сарказм, но притягивала его дерзкая сила.

Она нервно заерзала на сиденье и отвернулась к окошку.

— В чем дело, Рэйчел? — ласково осведомился Джонас Уилкс. — Уж не сожалеете ли вы, что поехали?

Ей вспомнился Гриффин Флетчер, стоявший перед коттеджем возле палаточного городка, в прилипшей к груди мокрой от дождя рубашке. Рэйчел встретилась взглядом с Джонасом и зарделась.

— Это из-за отца. Мистер Уилкс, он уехал без меня, и это очень странно.

Ангельски невинное лицо Джонаса приобрело выражение участливой озабоченности.

— Возможно, у него появились какие-то важные дела и он скоро вернется.

Рэйчел потупила глаза.

— Нет, — прошептала она, и осознание непоправимости произошедшего обрушилось на нее, будто маленький, но жестокий шторм. — Нет, он не вернется.

Рэйчел не сопротивлялась, когда рука Джонаса коснулась ее подбородка и осторожно приподняла его.

— Почему вы так в этом уверены? — мягко спросил он.

У Рэйчел сжалось горло, но она совладала с собой.

— Я знаю, что он не оставил бы меня одну, не сказав ни слова. Он твердо решил, что мы должны уехать из Провиденса, сколько я ни умоляла его остаться и жить со мной в доме матери.

Джонас слегка приподнял темно-золотистую бровь:

— Так вы хотите остаться в Провиденсе?

Рэйчел кивнула.

В его ровном голосе слышалась настороженность:

— И жить в борделе?

Рэйчел подозревала, что реакция этого человека на ее утвердительный ответ была бы весьма интересной, но не решилась это проверить.

— Я собиралась превратить это заведение в пансион, — сказала она.

— Собирались? Ваши планы изменились?

С мрачным видом Рэйчел снова кивнула:

— Да. Доктор Флетчер и Молли настаивают, чтобы я уехала, все равно мне здесь будет неуютно. Как только я получу деньги, которые оставила мне мать, и договорюсь насчет продажи ее имущества, я переберусь в Сиэтл.

Глаза Джонаса тревожно потемнели, улыбка стала странно натянутой.

— Что вы будете делать в Сиэтле, Рэйчел?

— Я намерена найти работу, мистер Уилкс. И, конечно, попытаюсь разыскать отца.

Его глаза вежливо скользнули по измятому коричневому платью Рэйчел, и разговор принял совершенно неожиданное направление:

— Где же то очаровательное платье цвета лаванды, в котором вы покинули мой дом?

Рэйчел, залившись краской при воспоминании о бурном вторжении Гриффина в дом Джонаса, вновь пережила тот момент, когда доктор с такой ненавистью оглядел чу́дное платье.

— Я думаю, оно все еще в палаточном городке,— ответила она.— Оно... оно было очень мокрое, а доктор Флетчер не дал мне возможности вернуться за ним...

Хотя Рэйчел заметила быстро промелькнувшее скрытое раздражение в глазах Джонаса и то, как он неожиданно стиснул зубы, она была слишком поглощена воспоминаниями о легком воздушном бледно-лиловом одеянии.

— Вы в нем выглядели совершенно очаровательно,— заметил Джонас после напряженной неловкой паузы. Но его взгляд на этот раз витал где-то далеко, словно перед глазами разворачивалась какая-то тяжелая, трагическая сцена.

Рэйчел испытала безотчетную потребность сказать что-нибудь, что вернуло бы его к действительности:

— Если бы мы остановились у палаточного городка, я могла бы взять платье, выстирать и вернуть его вам.

Отстраненность исчезла из взгляда Джонаса, и он улыбнулся:

— Конечно, мы остановимся. Но вам не нужно его возвращать, Рэйчел. На вас оно выглядит куда лучше, чем могло бы когда-либо выглядеть на мне.

Вырвавшийся у Рэйчел смех был целительным и соединился с первой настоящей радостью, испытанной ей за долгое-долгое время. Прекрасное платье теперь принадлежало ей!

— Большое спасибо.

— У меня есть и другие платья, Рэйчел. Хотите забрать их тоже?

Рэйчел не отдавала себе отчета, как широко открылись ее глаза при мысли о такой перспективе.

— Я не могу...

— Конечно, можете. И, в конечном счете, вы окажете мне огромную услугу. Эти платья занимают слишком много места и они... э-э... навевают горькие воспоминания.

Рэйчел была в восторге, хотя ее смутно тревожил один вопрос: кому раньше принадлежали платья?

— Болезненные воспоминания? — повторила она.

Джонас испустил тяжелый вздох.

— Да. Но видеть, как вы носите эти чудные платья, было бы для меня величайшим удовольствием.

— Правда? — прошептала она, восхищенная.

— О да. Пообещайте же, что возьмете их, Рэйчел.

Охваченная порывом великодушия и жадного нетерпения, Рэйчел кивнула.

И через два часа Рэйчел вернулась в дом Гриффина Флетчера с грудой чемоданов, набитых нарядными платьями, атласным бельем, ночными сорочками в кружевах, тонкими шелковыми блузками и роскошными шуршащими юбками.

Кучер Джонаса Маккей проносил чемодан за чемоданом мимо оцепеневшей Молли Брэйди вверх по лестнице в указанную Рэйчел комнату.

Рэйчел ликовала и абсолютно забыла о неодобрительном отношении Молли к прогулке в экипаже с Джонасом.

— Молли! — восклицала она. — Мне подарили такие красивые платья! Только посмотри!

Глаза Молли приобрели угрожающий изумрудный оттенок.

— Господи, спаси и помилуй! — ахнула она, в отчаянии вскидывая руки.

Рэйчел побежала по лестнице, ухватившись за перила, чтобы не улететь от счастья.

— А завтра будет пикник, после церковной службы...

— Правда? И какое отношение это имеет к тебе, Рэйчел Маккиннон? — Молли Брэйди уперла руки в бока.

— Ну как же! — отозвалась девушка, улыбаясь экономке Гриффина Флетчера. — Там будет так замечательно! Миссис Хаммонд приготовит для нас корзинку: там будет курица и шоколадный торт и...

— И неприятности, — заключила Молли Брэйди и, яростно взмахнув юбками, отправилась на кухню. —

Больше неприятностей, чем ты видела за свою короткую жизнь, Рэйчел Маккиннон!

Рэйчел пожала плечами и помчалась дальше по ступенькам. Завтра она наденет белую шелковую блузку, решила она, с шуршащей черной атласной юбкой...

Измученный Гриффин с размаху опустился в кресло возле письменного стола и потянулся за стаканом виски. Он видел Фон — по крайней мере, какое-то время ему можно о ней не беспокоиться. Она находилась в доме Бекки и под неназойливым присмотром чернокожей поварихи Мэми чувствовала себя все лучше.

Гриффин закинул на стол обутые в сапоги ноги, ощущая, как кровь отливает от ступней к коленям и бедрам, снимая усталость. Он закрыл глаза и стал методично перебирать в памяти дневные вызовы.

— Гриффин? — раздался в дверях вопросительный голос Молли.

Гриффин поднял утомленные веки и усилием воли сосредоточил взгляд на взволнованной фигуре экономки.

— Привет, Молли, — сказал он дружелюбно.

Она стояла, теребя в руках передник и хлопая глазами. И то и другое было дурным знаком.

— Что еще? — вздохнул Гриффин.

— Рэйчел...

Гриффину внезапно захотелось выпить еще виски.

— Да?

Молли на цыпочках прокралась в комнату, будто приближаясь к костру, обложенному динамитом.

— Я пыталась остановить ее, Гриффин, клянусь, пыталась.

Гриффин закрыл глаза, собираясь с духом.

— Продолжай, — рявкнул он после минутного напряженного молчания.

— Джонас Уилкс взял ее прокатиться в экипаже, и она привезла с собой чемоданы одежды. А завтра, как она заявила, Джонас будет сопровождать ее на церковный пикник! — выпалила Молли.

Ради Молли Гриффин выслушал новости спокойно. Женщина явно не испытывала большой радости от того, что вынуждена была сообщить ему это.

— Сейчас она здесь? — спросил он с великолепным самообладанием.

— Да. Она наверху, примеряет свои обновки.

Гриффин говорил ровно, тщательно следя за интонацией своего голоса:

— Пришли ее сюда сейчас же. Да, Молли!

— Да?

— Если она начнет кричать, беги сюда и вылей мне на голову холодной воды.

Молли весело прыснула и выбежала вон, шурша юбками.

Гриффин наполнил опустевший стакан и, подойдя к окну, стал ждать. Казалось, тьма за окном наполняла его душу, предвещая нечто опасное. Прогулка в экипаже, несколько тряпок, пикник — какое ему дело?

Но что-то шевелилось внутри него. *«Только бы это не повторилось,* — молило оно. — *Только бы не повторилась».*

Рэйчел осторожно, тихо позвала его:

— Доктор Флетчер?

Гриффин заставил себя обернуться медленно; еще мгновение прошло, прежде чем он позволил себе осознать увиденное. И тогда он почувствовал себя так, будто только что отразил с десяток самых мощных ударов своего недавнего противника — верзилы из лагеря лесорубов.

Он смотрел на нее, смотрел на слишком памятное ему платье из розовой тафты, и бешенство клокотало у него в горле. Он яростно, вполголоса выругался.

Открытое, мучительно прекрасное лицо побелело, и Рэйчел отступила на шаг. Только выражение потрясения и испуга в ее глазах удержали Гриффина от того, чтобы не броситься к ней и сорвать с нее это платье.

— Тебе это дал Джонас? — рявкнул он, и его слова прозвучали одновременно и как вопрос, и как обвинение.

Глаза Рэйчел вспыхнули, и она торопливо кивнула:

— Я не знала, что это имеет какое-то значение — все равно они валялись без дела. Он сказал, что они навевают горькие воспоминания.

— Да, я представляю себе, что именно так он и сказал. Снимай платье.

Она вздернула маленький изящный подбородок:

— Не сниму! Это мое платье, и я буду его носить, раз мне так угодно!

Гриффин зажмурил глаза, чтобы не видеть ее — не видеть платья, — и шумно перевел дыхание. В его воображении возник призрак светловолосой смеющейся женщины, одетой в это платье из розовой тафты. — *«Не будь таким дурачком, Гриффин,* — дразнила его женщина далеким, мелодичным и до боли знакомым голосом. — *Я люблю только тебя... ты же знаешь, я люблю только тебя».*

— Шлюха, — прошипел Гриффин, обращаясь не к Рэйчел, а к обворожительной обольстительнице, смех которой продолжал звучать в его памяти.

Раздался крик, и маленький яростный кулак врезался в лицо Гриффина, заставив его онеметь от боли, — другим она колотила его в грудь. Давясь старой и неистребимой злобой, он открыл глаза и сжал одной рукой тонкие запястья Рэйчел.

Девушка бросила на него испепеляющий взгляд, полный оскорбленного достоинства.

— Я ненавижу вас! — задыхаясь, произнесла она.

— Не говори так. — Это была мольба, но также и приказ.

Рэйчел пробовала вырваться, но он держал ее крепко.

— Вы назвали меня шлюхой, — прошептала она.

— Нет, — сказал он, закрывая глаза.

— Вы лжете! Я сама слышала!

Он открыл глаза и заставил себя взглянуть в ее заострившиеся черты.

— То, что ты слышала, не имеет к тебе никакого отношения, — сказал он.

Все разумное в Гриффине требовало, чтобы он оттолкнул ее, спасаясь от непобедимого притяжения ее близости, но он не смог. Он притянул ее ближе, ощущая, как нежные мягкие груди вдавливаются в его тело, как прикосновение ее бедер и живота наполняют его трепетным ожиданием. Сжав лицо девушки обеими руками, он наклонился и поцеловал ее.

Она сопротивлялась лишь мгновение, затем он почувствовал, как что-то в ней неудержимо рванулось ему навстречу. Ее тело стало податливым под его руками, губы ответили на его поцелуй.

Гриффин так неожиданно отпустил ее, что Рэйчел потеряла равновесие и чуть не упала.

— Ты именно этим занималась с Джонасом? — протянул он намеренно оскорбительным тоном.

Слезы сверкнули на ее длинных темных ресницах и скатились вниз по гордому, пылающему от негодования лицу.

— Гриффин Флетчер, вы... вы *подонок!* Вы развратный, мерзкий...

Гриффин отрывисто усмехнулся.

— Не забудь еще добавить «заносчивый», — съязвил он.

Стиснув кулаки, она попятилась:

— Я ненавижу вас, я *презираю* вас. Надеюсь, что вы будете гореть в аду!

Упершись руками в бедра, Гриффин с нарочитой дерзостью оглядел девушку с головы до ног.

— Если я увижу вас еще раз в этом платье, мисс Маккиннон, — проговорил он, — я сорву его с вас. Ясно?

Округлившиеся фиалковые глаза были полны ужаса. Рэйчел бросилась бежать и со всего размаху налетела на Филда Холлистера. Филд поймал ее за дрожащие плечи, не давая упасть.

— Рэйчел, что такое?.. — Он испытующе посмотрел ей в лицо, потом поднял глаза и уничтожающе взглянул на Гриффина. — Ты... — произнес он голосом, в котором слышалось обещание геенны огненной.

Гриффин отвесил изящный, издевательский поклон. Затем, для большего эффекта, проследовал к столу, налил себе еще виски и произнес краткий глумливый тост:

— За дочь Бекки Маккиннон.

Внезапно Рэйчел вскрикнула; этот страдальческий возглас наполнил Гриффина мучительным, безграничным страданием. Он хотел попросить прощения, но почему-то не смог. Он неподвижно смотрел на нее, и тогда Рэйчел медленно повернулась в мягком круге добрых рук Филда.

— Да, я дочь Бекки Маккиннон, — с достоинством промолвила она. — И вы можете относиться к этому так, как вам будет угодно.

С этими словами Рэйчел высвободилась из рук Филда и скрылась. Закрыв глаза, Гриффин услышал звук ее шагов по лестнице.

Голос Филда был похож на извержение вулкана: первые звуки, напоминавшие тихий ропот, переросли в грохочущую лавину:

— Ты сошел с ума, Гриффин?!

Гриффин вздохнул:

— Возможно.

— Извинись перед ней.

Но Гриффин покачал головой:

— Нет. Пусть она меня лучше ненавидит. Это все упрощает.

Филд был взбешен.

— Для тебя — возможно! — рявкнул он. — А для нее? Гриффин, она не заслуживает такого отвратительного отношения, и ты это прекрасно знаешь!

— Пусть она тебе покажет платья, которые ей подарил Джонас. Платья Афины.

Лицо Холлистера стало твердым, как скала.

— Вот оно что. Гриффин, она не могла об этом знать.

Гриффин подошел к шкафу, где лежали его медицинские инструменты, открыл стеклянные дверцы. Затем он принялся методично перебирать инструменты, которые и до этого лежали в идеальном порядке.

* * *

Рэйчел не подозревала, что можно испытывать такую боль и при этом продолжать жить. Она неподвижно сидела на краешке кровати в комнате для гостей и всхлипывала, по ее лицу текли горькие слезы.

«Шлюха», сказал он. *«За дочь Бекки Маккиннон».*

Впервые в жизни она ощутила настоящую ненависть — к себе, к своей матери и, прежде всего, к доктору Гриффину Флетчеру.

В запертую дверь тихонько постучали.

— Уйдите,— равнодушно сказала Рэйчел.

— Я не уйду,— раздался бодрый голос Молли Брэйди.— А если что, у меня есть ключ.

Коленки Рэйчел предательски дрожали, пока она шла по комнате и затем медленно открывала дверь.

Спокойная доброжелательность Молли ободрила ее.

— Рэйчел, он разозлился не из-за тебя.

Само упоминание о неистовой тираде Гриффина разбередило свежую рану в душе девушки.

— А из-за кого?— бросила она.

— Это не имеет значения, и не мое дело это обсуждать. Я пыталась предостеречь тебя, Рэйчел, но ты не стала меня слушать. Бог знает, что теперь будет.

— Я могу сказать, что будет!— огрызнулась Рэйчел.— Я собираю вещи и ухожу из этого дома!

— Ты не послушалась моего первого предостережения, Рэйчел. Пожалуйста, послушайся второго: не уходи.

Кровь бешено стучала в висках Рэйчел.

— Теперь-то я точно не останусь!

Молли изогнула бровь.

— Куда же тебе идти?— спросила она с убийственной логикой.— Пароходов в это время нет, а если ты отправишься к Джонасу Уилксу, результат будет просто ужасный.

Во-первых, она могла пойти в палаточный городок. Во-вторых, в салун. Рэйчел в растерянности посмотрела на разбросанную по комнате одежду. Впервые в жизни она осознала, какой обузой для человека может оказаться имущество.

— Ну? — настаивала Молли.

— Я не знаю, — солгала Рэйчел.

Но через несколько часов, когда в доме наконец все стихло, Рэйчел собрала столько одежды, сколько могла унести, и выскользнула в приятную ночную прохладу.

Так как миссис Хаммонд легла спать рано, Джонас сам открыл дверь. Выражение лица Гриффина немедленно заставило его насторожиться, но день выдался удачный, и чувство триумфа по-прежнему переполняло Джонаса.

— Привет, Гриффин, — вежливо сказал он.

Гриффин пронесся мимо хозяина в холл и остановился; казалось, на все окружающее легла тень его ярости.

— Где она, Джонас?

Джонас позволил себе осторожно улыбнуться.

— Где кто? — поинтересовался он.

Мгновенно руки Гриффина стиснули лацканы домашней куртки Джонаса. Затем напряженное лицо дрогнуло, Гриффин ослабил хватку и отступил.

Смеяться было опасно, и Джонас понимал это. Но смех у него вырвался невольно, порожденный ненавистью и желанием увидеть Гриффина Флетчера поверженным на колени.

— Рэйчел! — произнес он. — Ты думал найти Рэйчел у меня в постели, да, Гриффин?

Страдание, наполнившее темные глаза Гриффина, было для Джонаса источником безумного наслаждения.

— Если это так, я убью тебя.

— Тогда я могу дышать свободно. Ее там нет.

Гриффин метнулся вверх по мраморной лестнице, перепрыгивая сразу через три ступеньки.

Джонас стоял, опираясь о балясину перил у подножья лестницы и вознося молчаливую благодарственную молитву Богу. Потом захохотал и торжествующе крикнул:

— Ты опять остался в дураках, Гриффин,— опять!

Он услышал звук открытой пинком двери, возбудивший в нем смешанные чувства и воспоминания. *«Ты не найдешь там Рэйчел,—* с облегчением подумал Джонас.— *И, судя по всему, к счастью для меня».*

Через некоторое время Гриффин спустился вниз. Но он и не подумал изображать смущение.

— Джонас, если тебе известно, где она, лучше скажи мне. Немедленно.

Джонас знал характер своего врага: при всей его грозности, ему была присуща некая благородная наивность. Самую очевидную возможность Гриффин, как правило, рассмотрев лишь мельком, с недоверием отвергал.

И, повинуясь инстинкту, Джонас с готовностью и совершенно искренне сказала:

— Думаю, она может быть в доме Бекки.

Догадка, мелькнувшая во взгляде Гриффина, тотчас сменилась сомнением. С трудом сдерживая радость, Джонас сердечно попрощался с ним, и лишь только дверь захлопнулась, торжествующе расхохотался.

ГЛАВА 11

Не в силах уснуть, охваченная тревогой, Рэйчел лежала в постели, которая совсем недавно была постелью ее матери. Дверь в комнату была на замке, ручку подпирал массивный стул; но сердце Рэйчел по-прежнему сжимал ужасный, всепоглощающий страх.

Было очень поздно, но пронзительные звуки пианино и грубый хохот, доносившиеся снизу, и не думали стихать. Более того, в коридоре то и дело слышалось игривое женское хихиканье и грохот тяжелых сапог, а в соседней комнате непрестанно скрипели пружины кровати.

Рэйчел чувствовала себя бесконечно несчастной. На самом деле, если бы ей не было так страшно столкнуться в коридоре или на лестнице с каким-нибудь пьяным похотливым лесорубом, она бы бегом бросилась обратно к Гриффину Флетчеру, готовая принести все необходимые извинения.

Она жарко покраснела в темноте. Почему воспоминание о его поцелуе оставалось столь свежим и ярким, а его дикая, неуправляемая жестокость, напротив, уже почти забылась? Почему ее тело так рванулось к нему, хотя ее гордый дух взбунтовался?

Рэйчел позволила себе представить, как руки Гриффина касаются ее груди и живота, как его твердое, сильное тело прижимается к ее телу. Ответом было наполнившее ее отчаянное, неистовое желание.

Если бы Гриффин Флетчер находился рядом с ней в этой темной, пугающей комнате, Рэйчел отдалась бы ему охотно, даже со страстью. Если бы он, конечно, хотел ее.

Она заворочалась, яростно взбивая подушки. Будь он проклят! Будь прокляты все его грубости и обвинения! Он достаточно ясно высказал свое мнение о ней, и то острое желание, которое Рэйчел ощутила в нем, было вызвано лишь надеждой на легкую победу, а не каким-либо искренним, сердечным чувством.

Слезы потекли по щекам Рэйчел. Она закрыла глаза, зарылась поглубже в постель и решила думать о предстоящем завтра пикнике. Наконец она заснула.

В ярком утреннем свете бордель уже не внушал ей такого ужаса. Лесорубы ушли, пианино стихло, а «девочки» спали за закрытыми дверями.

Рэйчел умылась, надела то, что и собиралась, — белую шелковую блузку и черную атласную юбку — и особенно тщательно причесала волосы. И вскоре, напевая, она уже решительно входила в крохотную кухоньку, ютившуюся в глубине дома на первом этаже.

Глянув на дверь кухни, девушка улыбнулась. Подумать только, еще ночью она тряслась от страха, придя искать убежища в собственном доме!

Добродушная черная женщина, Мэми, появилась, когда Рэйчел наливала себе кофе.

— Как вы чудесно выглядите, мисс Рэйчел!

Рэйчел улыбнулась. Ей никогда еще не было так приятно думать о том, как она выглядит или кто она такая.

— Спасибо, — сказала она.

Мэми начала собирать кастрюли и сковородки, наполнив солнечную кухню оглушительным веселым грохотом. Вскоре на сковороде уже жарилась яичница, а в духовке подрумянивались тосты.

Рэйчел почувствовала волчий аппетит. Она пыталась заставить себя есть как можно более прилично и неторопливо, но тут в кухню шаркающей походкой вошла Фон Найтхорс, индианка из палаточного городка, облаченная в огромную фланелевую ночную рубаху, и застыла с открытым ртом при виде новой обитательницы заведения Бекки.

— Доброе утро, — звонко поздоровалась Рэйчел, обрадованная этой встречей.

Фон, сощурившись, уставилась на девушку, потом снова широко распахнула свои яркие карие глаза.

— Рэйчел? — наконец прошептала она.

Рэйчел кивнула и прыснула при виде недоверия, отразившегося на распухшем лице Фон.

Фон доковыляла до ближайшего стула и опустилась на него, качая головой. Черные, как ночь, блестящие волосы падали ей на плечи, на грудь и доставали до локтей.

— Гриффин знает, что ты здесь? — тихо и испуганно спросила она.

Рэйчел вся ощетинилась:

— Нет. Это его не касается!

Фон с благодарностью взглянула на Мэми, когда эта огромная, внезапно явно забеспокоившаяся женщина поставила перед ней кружку с кофе. Однако когда глаза Фон вновь встретились со взглядом Рэйчел, они предостерегающе сверкнули.

— Если Гриффин узнает, что ты здесь, он задаст тебе трепку.

Сама мысль об этом вызвала у Рэйчел такое глубокое возмущение, какого ей еще не приходилось испытывать. Но не успела она выразить свой протест, как Фон остановила ее, подняв тонкую смуглую руку:

— Не говори ничего — я знаю, что ты думаешь. Но если кто-то и посмеет это сделать, то только Гриффин. Лучше не испытывай судьбу, Рэйчел.

Хотя Рэйчел улыбнулась в ответ с несокрушимой самоуверенностью, убежденность Фон в своей правоте достигла цели. Не успела Рэйчел, однако, подыскать достойный ответ, как дверь в кухню распахнулась и на пороге возник Джонас Уилкс в прекрасно сшитом сером костюме.

Его золотистые глаза встретились с темно-карим взором Фон, и комнату, казалось, потряс бесшумный взрыв. Еще хранящий угрозу, напряженный взгляд Джонаса скользнул в сторону Рэйчел и тут же повеселел.

— Значит, моя догадка была правильной, ежик. Ты действительно пряталась здесь. Готова?

Рэйчел так мечтала поскорей сбежать из кухни, от ее атмосферы гнетущей враждебности, что молча вскочила на ноги, едва не опрокинув при этом свой недопитый кофе. С непривычки девушка почувствовала боль в пальцах и ступнях ног, втиснутых в бархатные лодочки, которые нашла среди вещей матери.

Фон медленно поднялась, не сводя глаз со спокойного, восхищенного лица Джонаса:

— Минутку, Джонас...

Он с вежливым равнодушием оглядел скрытую складками фланели фигуру Фон.

— Приятно видеть, что вы так быстро поправляетесь, мисс Найтхорс,— проговорил он.— Затем, нахмурившись, коснулся пальцем аккуратного шва на нижней губе индианки.— Надеюсь, что так пойдет и дальше.

Фон побледнела — Рэйчел могла в этом поклясться — под шоколадной смуглостью своей гладкой кожи. А затем молча вновь опустилась на стул. Джонас слегка кивнул с рассеянно-рыцарственным взглядом, словно подтверждая нечто, сказанное индианкой.

Рэйчел нервничала, чувствуя, что эта ситуация имеет некий глубокий подтекст, но, когда Джонас предложил ей руку и улыбнулся, она отбросила прочь все свои смутные сомнения и проследовала с ним прочь из кухни, через пустой салун в ясное, напоенное ароматами утро.

— Как вы догадались, что я здесь? — спросила она, устраиваясь в экипаже напротив Джонаса.

Он пожал плечами:

— Никто не может слишком долго оставаться под одной крышей с Гриффином Флетчером, ежик. Он совершенно невыносим.

— Знаю,— удрученно согласилась она.— Я надела

одно из платьев, которые вы дали мне — из чудесной розовой тафты, — и он просто взбесился.

Какое-то мгновение казалось, что Джонас рассмеется, но потом его лицо приняло настороженное выражение.

— Что он сказал?

Рэйчел вспомнила и тут же покраснела.

— Он... он намекнул, что я иду по стопам своей матери, — ответила она, не упомянув о страстном, жадном поцелуе Гриффина.

Джонас печально покачал головой:

— Не расстраивайся, Рэйчел. Гриффин примерно так же относится к большинству женщин.

Рэйчел все еще переваривала это сообщение, когда экипаж Джонаса остановился возле белой, лишенной всяких украшений церкви. Лошади, как под седлами, так и запряженные в коляски и повозки, были привязаны к крепкому частоколу, люди стояли маленькими группками, переговариваясь приглушенными благочестивыми голосами.

Рэйчел тут же, и с немалым раздражением, отметила, что нарядные дамы из общества держались отдельно от одетых в ситцевые платья женщин из палаточного городка. Первые бросали на Рэйчел взгляды украдкой; вторые рассматривали ее открыто.

Рэйчел вскинула голову и победоносно улыбнулась щеголеватому кавалеру, на руку которого опиралась.

Внутреннее убранство церкви было простым, но сияло чистотой. Здесь имелся орган и на грубо отесанных сосновых скамьях, с интервалами в полметра, лежали сборники церковных гимнов в кожаных переплетах.

Джонас подвел Рэйчел к скамье недалеко от выхода и сел рядом с ней. С насмешливой и неотразимо-подкупающей улыбкой он шепнул:

— Если он сегодня станет пугать всех геенной огненной, у нас будет путь к спасению.

Рэйчел улыбнулась сцене, которую вызвала в ее воображении эта фраза, но с нетерпением ожидала проповеди Филда Холлистера, инстинктивно зная наперед, что впечатление от нее будет незабываемым.

Полная пожилая женщина начала перебирать пальцами клавиши органа, и из церковного дворика стали подтягиваться прихожане; как обитатели брезентовых палаток, так и владельцы богатых домов продолжали таращиться на Рэйчел. Но угрожающий взгляд Джонаса заставил любопытных быстро, хотя и с неохотой, отвернуться.

Страстный, хотя и несколько визгливый голос органистки придавал восторженность обычно мрачному гимну, прихожане стали робко присоединяться к пению. Некоторые знали слова, другие стали торопливо листать сборники.

Филд Холлистер поднялся, как только затихли последние звуки гимна, исполненный скромного величия в своем аккуратном поношенном костюме и безупречном воротничке. Он обвел глазами собравшихся, лишь на мгновение задержавшись на чуть приподнятом лице Джонаса, но остановил на Рэйчел изумленный взгляд, от которого ей стало не по себе. В его голосе сперва слышалось легкое замешательство, но он заставил себя сосредоточиться, и началась та глубокая, прочувственная проповедь, какую и ожидала Рэйчел.

Девушка была тронута его мягкими, убедительными словами, но испытала огромное облегчение, когда проповедь закончилась. Несколько раз за время службы глаза Филда останавливались на ее лице, и каждый раз она замечала упрек в глубине его лазурных глаз.

Теперь, к ее величайшему смущению, Филд стоял возле открытых дверей церкви, тепло приветствуя выходивших прихожан. Рэйчел отдала бы что угодно, лишь бы выскользнуть наружу незамеченной, но это оказалось невозможным. Джонас задержался в проходе между скамьями, беседуя с каким-то представительным седым мужчиной, а остальные верующие уже успели покинуть церковь.

— Где вы были? — резким шепотом спросил Филд. — Гриффин наполовину сошел с ума от беспокойства!

— Гриффин сошел с ума больше чем наполовину, —

огрызнулась Рэйчел, меньше всего желая вступать в пререкания.

Филд увидел Джонаса, и в его небесно-голубых глазах блеснула ярость, но он продолжал говорить тихо:

— Рэйчел, вы не... вы не были...

Рэйчел покраснела до слез.

— Конечно нет, — прошипела она сквозь зубы.

Священник вздохнул, на мгновенье отведя взгляд:

— Простите. Просто мы искали везде...

— Кроме салуна моей матери, — нетерпеливо перебила смущенная Рэйчел.

Филд мягко коснулся ее руки:

— С вами все в порядке, и это самое главное. Я рад...

— Чему? — внезапно вмешался в разговор Джонас.

В выражении глаз Филда появилось что-то страшное.

Понравилась ли вам моя проповедь, Джонас? — спросил он. — Знай я, что вы будете в церкви, я бы выбрал совсем другой текст.

Улыбка Джонаса опять показалась Рэйчел натянутой.

— Проповедь была замечательная, святой отец. А теперь, с вашего позволения...

Филд покачал головой, чем-то глубоко расстроенный, и отвернулся; рука Джонаса, до этого почти болезненно сжимавшая локоть Рэйчел, ослабла, и он галантно повел ее к выходу.

На большой зеленой лужайке, расположенной за церковью и маленьким домиком священника, приготовления к пикнику шли полным ходом.

Детишки играли в тихие, спокойные игры, которые считались приличествующими воскресному дню, принаряженные женщины в широкополых шляпах расстилали на мягкой теплой траве цветастые скатерти. Мужчины курили, держась небольшими плотными группами, будто бы готовясь к какому-то энергичному вторжению. Притихшие, нищенского вида обитатели палаточного городка собрались несколько поодаль.

Оборванные дети наблюдали оттуда, как богатые дамы достают из корзинок пироги, цыплят и ветчину, маленькие, истощенные личики заморышей были полны тоски и недоумения.

Приподнимая шуршащую атласную юбку и присаживаясь на одеяло, расстеленное для нее Джонасом, Рэйчел уже знала, что есть ей не захочется.

Голос Джонаса прервал ее размышления:

— Что случилось, Рэйчел?

Рэйчел опустила голову, притворяясь, будто внимательно рассматривает складки на юбке.

— Эти дети,— страдальчески прошептала она, слишком хорошо понимая пустоту, которая их мучила, пустоту, мало связанную с голодом.— У нас столько всего, а у них ничего нет.

Джонас, который лежал на одеяле, подперев голову одной рукой, другой дотронулся до ее подбородка:

— А если мы поправим ситуацию, ежик? Тогда у тебя будет хорошее настроение?

Недоумевающая, но обнадеженная, Рэйчел кивнула.

Джонас вскочил на ноги и, передвигаясь от одного пестрого одеяла к другому, что-то стал тихонько говорить их хозяевам. Будто по мановению волшебной палочки дары потекли от одной части общества к другой. Зардевшиеся матроны несли щедрую долю своих припасов озадаченным, несколько недоверчивым получателям, и хотя два полюса общества так и не смешались, они значительно сблизились.

Рэйчел приняла активное участие в раздаче, внеся свой вклад в виде большей части жареной курицы, приготовленной миссис Хаммонд, вишневого пирога и половины шоколадного торта.

Филд Холлистер перехватил ее, когда она возвращалась обратно к Джонасу, которого происходящее явно забавляло.

— Неужели зрение мне не изменяет? — спросил священник в веселом удивлении.

Рэйчел пожала плечами:

— Это была идея Джонаса.

Лицо Филда приобрело вежливо-скептическое выражение.

— По-моему вы оказываете замечательное воздействие на нашего Джонаса Уилкса, моя дорогая.

Рэйчел мило улыбнулась и покачала головой, но слова, которые она собиралась произнести, застряли у нее в горле. С белым, застывшим от злости лицом к ней приближался Гриффин Флетчер.

В поисках защиты она умоляюще посмотрела на Филда. Но тот стоял, сложив руки на груди, и его добрые глаза, казалось, говорили: «Я вас предупреждал». В отчаянии Рэйчел оглянулась в поисках Джонаса. Одеяло, где он лежал несколько мгновений назад, опустело. Джонаса нигде не было видно. Испуганная Рэйчел подвинулась поближе к Филду, остро ощущая тишину, которая повисла над лужайкой.

— Не смейте устраивать здесь сцену! — прошипела она, когда Гриффин остановился в полуметре от нее.

Он протянул руку и схватил ее кисть, не причиняя боли, но и не давая возможности убежать. В его тихом голосе была угроза.

— Вы правы, — сказал он. — Как насчет небольшой беседы вон под той ивой?

Рэйчел подумала, что выбранная им ива расположена далековато, как раз на противоположном берегу темного, заросшего пруда.

— Но...

— Или это — или сцена, которую город никогда не забудет, — с расстановкой отчеканил он, кривя губы в фальшивой улыбке.

Рэйчел пыталась сохранять спокойствие, пока Гриффин тащил ее за собой по высокой траве вдоль берега пруда, за скрывшую их от всех глаз завесу из ивовых ветвей. Там он неожиданно крепко взял ее за плечи и встряхнул так, что спиной она почувствовала грубую кору дерева сквозь блузку и тонкую сорочку.

— Где ты была, черт возьми? — рявкнул он.

Рэйчел была в ужасе, но изо всех сил старалась этого не показывать. Она ответила на его взгляд гневным сиреневым огнем собственных глаз.

— Я не обязана вам ничего объяснять!

Он насмешливо улыбнулся:

— Верно. Может быть, тебе и не нужно ничего объяснять. Может, твое присутствие здесь в компании Джонаса объясняет все.

Рэйчел вспыхнула:

— Вы ничем не лучше Филда! Я провела ночь в комнате моей матери!

Презрительная ухмылка в глазах Гриффина была столь красноречива, что ему не требовалось даже выражать вслух свое пренебрежение.

Рэйчел была задета за живое. Она приподняла юбку и указала на бархатные туфли, взятые ею из гардероба матери.

— Посмотрите! — взмолилась она, ненавидя себя за само желание доказать свою невинность. — Это туфли моей матери...

Тем временем Джонас уже спешил вдоль берега пруда и быстро приближался. Гриффин наблюдал за ним с нескрываемым торжеством.

— Да, похоже, туфли Бекки тебе как раз впору, как и ее профессия, — бросил он.

Рэйчел, пошатнувшись от осознания ужасного смысла его слов, чуть не упала, когда он внезапно выпустил ее и зашагал прочь.

Джонас и Гриффин встретились на середине тропинки, огибающей маленький пруд, но даже если они и говорили, их голоса были слишком тихими, и не долетали до Рэйчел.

День был испорчен. Когда Гриффин обошел Джонаса и обменялся несколькими словами, сопровождаемыми энергичными жестами, с покрасневшим Филдом Холлистером, Рэйчел бросилась бежать.

Скользкий берег пруда ушел у нее из-под ног. Перед самым падением Рэйчел услышала хриплый, задыхающийся голос, зовущий доктора Флетчера. Голос стих, и неглубокие стоячие воды пруда сомкнулись у нее над головой. Отплевываясь, Рэйчел сумела-таки встать на ноги. Ее шелковая блузка и тонкая сорочка намокли и липли к телу, в волосах застряли гнилые листья.

Выражение восторга на лице Джонаса Уилкса заставило девушку оглядеть себя. Ее груди, соски, даже темное родимое пятнышко — все было так ясно видно, как если бы она была голой. Дрожа от холода и смущения, Рэйчел прикрылась руками и упрямо продолжала стоять в воде, пока Джонас не засмеялся и не повернулся к ней спиной.

— Подожди здесь,— сказал он голосом, в котором, кроме сдавленного смеха, слышалось и что-то еще.— Я принесу одеяло.

Как только Джонас ушел, Рэйчел выбралась из воды и остановилась, прижавшись лбом к жесткой ивовой коре. Отчаянные беззвучные рыдания сотрясали ее тело. Гриффин опять, с бессмысленной жестокостью, набросился на нее. И вот, она упала в этот гадкий пруд и испортила самый красивый наряд, который был у нее в жизни.

Она не слышала его приближения и вздрогнула, когда он заговорил:

— Прости меня, Рэйчел.

Рэйчел обернулась, шмыгая носом, все еще прикрывая руками грудь, и взглянула в знакомые темные глаза. Гриффин нежно улыбнулся, вытаскивая прелый листок из ее волос.

— Ты такая красивая,— сказал он.— Даже с ряской в волосах. Пойдем прокатимся на повозке.

Рэйчел пошевелила губами, но у нее не вырвалось ни звука.

Его сильная рука обняла мокрые плечи девушки.

— Пойдем побыстрее, хорошо? Меня ждут на горе, а если Джонас появится здесь до того, как мы уйдем, дело кончится скандалом.

Рэйчел молча позволила Гриффину Флетчеру увести себя. Миновав переплетение кустов черничника, заросли гигантского папоротника и орешника, они вышли на залитую солнцем полянку, где их ждала повозка, запряженная двумя лошадьми, и взволнованный возница. Нехорошо было так оставлять Джонаса, даже ничего не объяснив, но у Рэйчел не было желания, да и голоса, чтобы протестовать.

Она снова обрела способность говорить, когда они проехали уже довольно большое расстояние по грунтовой дороге, ведущей в поселок лесорубов. Завернутая в пахучую конскую попону, она наклонилась к непредсказуемо-противоречивому в своих поступках человеку, сидевшему рядом.

— Зачем вы увезли меня? — спросила она, надеясь, что возница, сидящий слева, не слышит ее.

Гриффин взглянул на нее, улыбнулся и вынул еще один лист из ее спутанных волос.

— Не мог же я оставить тебя там, русалочка. Ты либо утонула бы, либо тебя бы кто-нибудь похитил.

Она вскинула бровь:

— Ну, разумеется, с вами мне ничего не грозит.

Оп рассмеялся, пожал плечами и отвернулся.

Рэйчел покачала головой и посмотрела на свои испорченные туфли, горячо надеясь, что солнце сквозь попону успеет высушить ее блузку, прежде чем они доберутся до лагеря лесорубов.

ГЛАВА 12

Время и теплое летнее солнце способствовали тому, что Рэйчел в конце концов смогла скинуть с себя попону, не опасаясь, что ее женские прелести будут выставлены на всеобщее обозрение. По ее догадкам, было около четырех часов, когда повозка, прыгая по ухабам, въехала в поселок. Рэйчел могла бы осведомиться насчет времени у доктора, но ей казалось, что разумнее хранить молчание. Слова могли нарушить установившееся между ними шаткое перемирие.

Поселок был похож на многие другие, виденные Рэйчел — горстка покосившихся лачуг, крытых повозок и палаток. В центре располагалась ветхая кухня-столовая, из жестяной трубы которой клубами поднимался серый дым.

Возница потянул за рукоятку тормоза и остановил лошадей. Лицо Гриффина Флетчера исказила едва уловимая гримаса. Он явно ненавидел это место. «Интересно, почему?» — подумала Рэйчел, когда повозка, накренившись, остановилась. Поселок был убогим и, как и многие подобные места, изолированным от внешнего мира, но казалось, что Гриффин чувствует себя здесь привычно.

Доктор ловко соскочил с повозки и повернулся, чтобы помочь Рэйчел. Она инстинктивно вздрогнула, когда его руки сжали ее талию. Их взгляды встретились, и от девушки не ускользнуло предостережение, мелькнувшее в глубине его неистовых глаз. Она покраснела. Гриффин твердо поставил ее на ноги рядом с повозкой и выпустил, чтобы достать со дна медицинскую сумку.

— Никуда от меня не отходи,— строго приказал он, затем повернулся и зашагал в сторону кухни.

Мгновенье Рэйчел помедлила — этого требовала ее гордость,— затем поспешила догнать Гриффина. Жадные, любопытные взгляды нескольких мужчин, которые находились в лагере, подтверждали обоснованность его требования.

Внутри кухня была скудно освещена и пропитана запахом свиного жира, керосина и пота. На длинном, грубо оструганном столе посредине комнаты неподвижно лежал седой морщинистый старик.

— Что случилось? — резко спросил Гриффин, с раздражением бросая сумку.

— Ужасно разболелся живот, малец Флетч. Будто я умираю.

Гриффин только хмыкнул в ответ и принялся ощупывать живот старика. Тот несколько раз вскрикнул.

Рэйчел отвернулась и неподвижно уставилась в тусклое, покрытое слоем жира окно. По случаю воскресного дня людей в лагере было мало — только те, кто чинил инструмент и ухаживал за лошадьми. Больших быков, которые обычно стаскивали гигантские бревна по трелевочному волоку, ведущему вниз к заливу, нигде не было видно.

Старик застонал:

— Прекрати давить мне живот, пока я не умер!

— Заткнись,— велел Гриффин.

— Что со мной, док? — в голосе послышались плаксивые, жалобные нотки.

— Ты прожорливый старый ублюдок, вот что с тобой такое. Ты объелся своей паршивой стряпни.

— У меня не раздулся пендикс?

— С твоим аппендиксом все в порядке.

Когда Рэйчел обернулась, старик уже принял сидячее положение и выглядел глубоко разочарованным. Но тут его взгляд упал на ее туфли и стал медленно и одобрительно подниматься вверх, к ее лицу.

— Черт побери,— прошептал он.— Гриффин,

в твоей сумке найдется что-нибудь, чтобы мне скинуть с плеч долой лет двадцать-тридцать?

Взгляд, который Гриффин бросил на Рэйчел, был почти нежным.

— Это Рэйчел Маккиннон, Джек. Рэйчел, Джек Свенсон — самый ужасный повар на северо-западе тихоокеанского побережья.

Имя Рэйчел явно вызвало у Джека раздумье.

— Говоришь, Маккиннон? Какая-нибудь родственница Эзры?

— Его дочь,— ответил Гриффин, и что-то в его повадке заставило Рэйчел промолчать.

В глазах Свенсона мелькнуло настороженное выражение, и он быстро отвел взгляд от Рэйчел.

— А-а. Что-то я его здесь не видел.

Гриффин присел на краешек другого стола и скрестил руки.

— Никто тебя не спрашивал, видел ты его или нет,— заметил он.

Мимолетная тревога сжала сердце Рэйчел, хотя она не могла понять почему. Это было больше связано со странной натянутостью поведения Гриффина, чем со словами старика. Однако прежде чем она успела сказать что-либо, темные глаза недвусмысленно приказали ей не вмешиваться.

— Есть здесь кто-нибудь *действительно* больной? — с вызовом спросил Гриффин.

Свенсон принял оскорбленный вид и ворчливо ответил:

— Добсону все еще нездоровится. Это тот рыжий лесоруб, с которым ты сцепился в последний раз.

Рэйчел метнула быстрый взгляд на Гриффина и с удивлением заметила, как лицо его посуровело, а затем стало абсолютно непроницаемым.

— Где он? — рявкнул Гриффин.

Свенсон скупо объяснил, как пройти к нужному бараку, и Гриффин понесся туда с такой скоростью, что Рэйчел приходилось почти бежать, чтобы поспеть за ним.

Барак оказался грубо сколоченным строением, состоящим из четырех покосившихся стен и земляного пола, посыпанного опилками. Больной лесоруб лежал неподвижно в дальнем углу на койке, куда не доходили солнечные лучи, пробивающиеся сквозь единственное тусклое оконце. Огненно-рыжие волосы Добсона свалялись и прилипли к черепу, на бледном лбу выделялись черные стежки, уродливые и неумело наложенные. Костяшки его огромных рук кровоточили, а массивная грудная клетка была обвязана грязной рваной тряпкой.

Гриффин бросил грозный взгляд на стоявшего за ним Свенсона:

— Почему вы не послали за мной?

Свенсон пожал плечами, еще раз покосился на Рэйчел и вышел.

Замирая от острой жалости, Рэйчел смотрела на полумертвого человека, распростертого на узкой койке.

— Это сделали вы? — в ужасе прошептала она.

Гриффин уже склонился над Добсоном, быстрыми движениями ощупывая его, разматывая самодельные повязки и морщась при виде ужасных стежков над глазом Добсона.

— Иди на кухню и принеси горячей чистой воды, — приказал он.

Рэйчел, слишком потрясенная увиденным, чтобы спорить, повернулась и, пошатываясь, выбралась наружу. Через несколько минут она вернулась с тазом горячей воды и единственной чистой тряпкой, которую удалось найти Свенсону. Гриффин принял все это из рук Рэйчел и так бережно начал промыть раны больного, что невозможно было поверить в его причастность к их появлению.

— Если у тебя есть нижняя юбка, — бросил он, даже не оборачиваясь к Рэйчел, — то она мне понадобится.

Боязливо оглянувшись на окно и открытую дверь, Рэйчел приподняла подол и сняла требуемую часть своего туалета. Гриффин, не произнеся ни слова благодарности, разорвал чудесную, украшенную вышивкой тафту на широкие полосы и стал перебинтовывать ими торс Добсона. Покончив с этим, он еще раз осмотрел стежки и выругался.

— Что это? — осмелилась спросить Рэйчел.

— Шелк, — отрывисто сказал он. — Эти идиоты зашили его шелком.

Рэйчел почему-то вдруг почувствовала себя виноватой, словно сама наложила Добсону эти вызвавшие возмущение Гриффина стежки.

— А что, нельзя было этого делать? — поинтересовалась девушка, когда Гриффин, порывшись в сумке, вытащил коричневую бутылку и стал мазать чем-то грубо заштопанную рану.

— Нет, нельзя, — раздраженно отозвался он, не отрываясь от своего занятия. — Шелк негигиеничен.

Рэйчел машинально дотронулась пальцами до мягкой, восхитительно гладкой ткани, из которой была сшита ее блузка.

— А мне шелк нравится, — возразила она.

Наконец-то Гриффин удостоил ее быстрого, неожиданно ласкового взгляда.

— Шелк хорош для одежды, русалочка. Для зашивания ран требуется кишечная струна.

Лесоруб заворочался на узкой лежанке и застонал. Звук, вырвавшийся из его груди, был похож на рев раненого зверя.

— Мне... Я думаю, мне лучше выйти, — пролепетала Рэйчел, чувствуя приступ тошноты.

— Ладно, — коротко бросил Гриффин, сосредоточив все внимание на пациенте. — Только не заблудись.

«Только не заблудись». От этих слов Рэйчел вспыхнула: он обращался с ней как с ребенком. Но спорить с ним не имело смысла: он бы сделался еще более невыносимым, чем обычно.

Рэйчел взглянула на небо, и оказалось, что солнце уже клонится к западу. Интересно, который час? Пять часов, шесть? Если они вскоре не двинутся в обратный путь, придется ехать в темноте.

Она прислонилась спиной к грязной некрашеной стене барака, вдыхая успокаивающий своей привычностью терпкий аромат сосен, возвышающихся вокруг поселка. Поблизости расположились человек шесть лесорубов — они сидели на пеньках и ящиках из-под инструментов и резались в карты.

Поколебавшись, Рэйчел все же подошла к ним и спросила напрямик:

— Кто-нибудь из вас видел человека по имени Маккиннон в последние несколько дней?

Повисла тревожная тишина. Кое-кто из мужчин рассматривал ее с оскорбительным интересом.

— А ты кто такая? — поинтересовался лесоруб постарше с такими могучими руками и плечами, что было видно, как перекатываются мышцы под вытертой фланелевой рубахой.

Рэйчел вздернула подбородок:

— Я его дочь.

На ноги лениво поднялся светловолосый парень с редкими зубами.

— Что, если мы отойдем в сторонку и поговорим об этом наедине, крошка?

Силач, который вступил в разговор первым, бросил на парня предостерегающий взгляд.

— Ты, похоже, не видел, что случилось с Добсоном, Уилбер?

Уилбер с неохотой опустился на пень.

— Так ты — женщина Флетчера? — процедил он, выплевывая слова изо рта, словно грязь.

Лицо Рэйчел стало медленно заливаться краской, но она поборола свое смущение.

— Да, — уверенно солгала она. — И советую вам быть со мной повежливее.

Уилбер побледнел и снова уткнулся в карты, которые держал в руке.

С величайшим достоинством Рэйчел повернулась и направилась в сторону кухни. *Женщина Флетчера.* Над этим стоит поразмыслить.

В кухне исполненный рвения Свенсон предложил ей прогорклого кофе и начал бойко потчевать ее историями из жизни лесорубов. Он заявил, что работал в этих лесах сорок лет — сначала на Большого Майка Флетчера, а потом на Джонаса Уилкса.

Упоминание фамилии Гриффина вызвало повышенный интерес у Рэйчел:

— Большой Майк был отцом доктора, да?

Свенсон кивнул, и его морщинистое лицо презрительно скривилось.

— Он был джентльменом, мистер Флетчер, но не такой франт, как его надутый сынок, нет. У него были корабли, и он сам плавал на них — и сам валил лес на этой горе. Каково же ему было, когда его собственный сын, его плоть и кровь, отвернулся от него?

— Отвернулся? — осторожно переспросила Рэйчел.

— Малец Флетч уплыл в Шотландию. Он не захотел заниматься лесным делом, как его отец, — Свенсон скорбно покачал седой головой. — Но гордость не помешала сыну брать деньги, которые отец присылал ему на плату за образование. Когда мальчишка вернулся — он и еще сын Холлистера, — то так надулся спесью от своей врачебной науки, что больше в руки не брал пилу.

Рэйчел выслушала это сообщение, стараясь не обнаружить своей глубокой заинтересованности.

— Я думала, что эта гора всегда принадлежала мистеру Уилксу, — безразлично обронила она, выдержав долгую паузу.

Свенсон с готовностью принялся просвещать девушку; он был болтлив, точно старая сплетница.

— Ничего подобного. Уилкс — то есть отец Джонаса — сделал деньги на торговле с Китаем. Поговаривают, что он промышлял еще и контрабандой. Он построил этот большой дом и привез сюда жену с ребенком из Сан-Франциско.

— Тогда как... — выпалила Рэйчел и тут же осеклась. — Почему же лесное предприятие не принадлежит Гриффину — доктору Флетчеру?

Старик покраснел: от праведного негодования его щеки сделались прямо-таки пунцовыми.

— Гриффин сам отказался от отцовского предприятия. Между ними произошла жуткая ссора, прямо здесь, в поселке. Старый Флетчер чуть не вышиб из него мозги, но сын все равно и слышать не хотел о том, чтобы заняться валкой леса. Флетчер, сам не свой, помчался в лес — помогать своим лесорубам, Гриффин — за ним. — Разгоряченное лицо Свенсона побледнело и стало скорбным. — В тот же день Майк погиб, и кое-кто считает, что это из-за сына, который свел его с ума непослушанием. Когда прочли завещание — мать Гриффина умерла, пока он учился на доктора, — там было написано, что парню не достанется ничего, кроме дома и пароходных акций, если он не перестанет заниматься своей паршивой медициной и не начнет валить лес, как положено мужчине.

Рэйчел закрыла глаза: ей было втайне жаль и Гриффина, того деспотичного тирана, который был его отцом. Она нарочно помалкивала, чтобы не прерывать поток лихорадочного словоизвержения повара. И старик без помех завершил потрясающую историю столь же поразительным концом:

— Лесные акции отошли к Джонасу Уилксу, потому что он сын единственной сестры миссис Флетчер.

Рэйчел показалось, что ей теперь понятна яростная ненависть, которую Гриффин и Джонас питали друг к другу. Невозможно было поверить, что они двоюродные братья — сыновья двух родных сестер.

В одобрительном молчании Свенсон следил, как дочь Маккиннона, выйдя из кухни, гордо прошествовала мимо этих исходящих слюной при виде нее, трусливых лесных крыс, что сидели за своей воскресной партией в покер. Может быть, стоило упомянуть также о той женщине, — но Свенсон решил, что это было бы не очень к месту. Кроме того, старый Свен был не дурак. Он не хуже других знал крутой нрав мальца Флетча. Незачем ворошить прошлое, особенно *то*.

Он проводил Рэйчел взглядом и понадеялся, что она не слишком-то сильно рассчитывает когда-нибудь вновь увидеть своего отца.

* * *

Рэйчел остановилась в дверях барака, придерживаясь за косяк и наблюдая за Гриффином Флетчером. Он сидел на лежанке напротив Добсона, уронив голову на руки и расслабив плечи, устало сгорбленные под измятой белой тканью рубахи.

Девушка лучше понимала его теперь, хотя многое в нем по-прежнему озадачивало ее. Его острая ненависть к Джонасу Уилксу, пусть даже несправедливая, больше не казалась Рэйчел необъяснимой. Джонас был так добр к ней, и она испытывала к нему симпатию. Она представила себе, как он искал ее там, на церковном пикнике, и ей стало очень стыдно за свое бестактное исчезновение.

— Если мы не уедем как можно скорее, будет слишком темно, — сказала она резким от сознания собственной вины голосом.

Гриффин поднялся на ноги, потянулся и зевнул.

— Боюсь, нам придется провести ночь здесь, — произнес он, как бы смиряясь с неизбежностью.

Руки Рэйчел сильнее стиснули косяк.

— Что?

Улыбка Гриффина была усталой — и слишком понимающей.

— Прости, русалочка. Ничего не поделаешь. У этого человека начинается лихорадка, и мне кажется, у него сотрясение мозга.

Неожиданно Рэйчел охватило странное, но сладостное предчувствие.

— Благодаря вам! — вырвалось у нее.

Он проигнорировал это замечание и медленно приблизился к девушке:

— Одну-то ночь Джонас сможет обойтись без тебя, правда?

Рэйчел замахнулась, собираясь залепить Гриффину пощечину, но он поймал ее запястье и предотвратил удар. Под пыльной крышей барака повисло долгое напряженное молчание.

Гриффин ослабил хватку, но принялся большим пальцем ласкать нежную кожу на запястье Рэйчел, от чего по ее телу пробежала предательская дрожь.

— Где я буду спать? — наконец прошептала она с колотящимся сердцем.

Свободной рукой Гриффин обнял девушку за талию, нежно притянул к себе, и она почувствовала его худощавые, стройные бедра, крепкий торс. Внезапно Рэйчел охватило непреодолимое желание слиться с ним, превратившись в его неотъемлемую, трепетную частицу. Она задохнулась, когда его губы прошлись по ее виску, по нежной пульсирующей коже под ухом, по ямке на шее. Его тихий, рокочущий стон всколыхнул в ней такие глубины страсти, что она уже готова была молча отдаться на его милость.

Но он внезапно отстранил ее. Его жест был быстр и решителен, и Рэйчел вдруг ощутила ужасающую пустоту.

— Гриффин...

Он нежно тронул указательным пальцем кончик ее носа:

— Не сейчас, русалочка. Позже — но не сейчас.

Рэйчел переполняло такое желание, что она поспешила сменить тему — только бы не броситься к нему с мольбой о любви, о прикосновении.

— Теперь я знаю, почему вы не доверяете Джонасу, — дрожащим голосом объявила она.

Гриффин поднял бровь.

— Правда? — с довольно умеренным любопытством спросил он, держа руки на ее талии. — Скажи мне, русалочка: почему я не доверяю Джонасу?

Рэйчел затаила дыхание, чувствуя, как его руки поднимаются вверх, к ее груди.

— С-Свен рассказал мне о завещании...

Гриффин рассмеялся, и сверкание его темных глаз выдавало, что он знает о своей власти над нею и наслаждается этим.

— Завещание. Ах да, Великая Потеря Лесной Империи. Что касается меня, то пусть она остается у Джонаса.

Под его ладонями, под шелковой блузкой и рубашкой ее соски начали гореть.

— Но... если не это... то что...?

— Акции не волновали меня, Рэйчел. Но Джонас забрал кое-что другое.

Рэйчел шагнула назад, чтобы он не мог до нее дотянуться, и вскинула голову.

— Женщину? — спросила она, бесстрашно глядя ему в глаза.

Но Гриффин отвернулся. Его лицо стало каменным, и он не произнес ни слова, пока, гораздо позже, они не покинули барак.

Казалось, что вечер будет тянуться бесконечно. Сначала пришлось есть омерзительное варево, приготовленное Свенсоном. В течение всего ужина светловолосый парень, Уилбер, и некоторые другие то и дело бросали вороватые взгляды на Рэйчел и откровенно завистливые на Гриффина.

Скованность, которая до этого ощущалась в Гриффине, исчезла; он уничтожил порядочную порцию ужасной солонины и черствого хлеба и с интересом слушал разговор, главной темой которого был статус округа. Округ Вашингтон хотел присоединиться к содружеству и занять в нем достойное место, хотя были и такие, кто утверждал, что превращение в штат обернется скорее трудностями, чем выгодами.

В надежде скрыться от нервирующих изучающих взглядов Рэйчел выскользнула из-за стола и стала помогать Свенсону с подготовкой к мытью посуды.

Наконец Гриффин, извинившись, встал из-за стола, подозвал вежливым взглядом Рэйчел и вышел вместе с ней в теплую, напоенную ароматами летнюю ночь.

«Что сейчас будет?» — думала она.

Как выяснилось, ничего особенного. Гриффин подвел Рэйчел к двери покосившегося сарая, бегло поцеловал в губы и зашагал в сторону барака, где лежал Добсон.

Ощущая себя несчастной, распутной и безжалостно отвергнутой, Рэйчел вошла в сарай. Несомненно, кто-то здесь немного навел чистоту, и возле ложа, состоящего из охапки соломы и одеял, на полу горела лампа. Рэйчел разделась, оставшись в панталонах и рубашке, погрустила с минуту о чудесной тафтяной юбке, чтобы не грустить о другом, и опустилась на отдающую плесенью постель.

Сквозь большие щели в крыше сарая виднелись горящие в черном небе серебристые звезды. Девушка задула керосиновую лампу и лежала неподвижно на подстилке из старого пледа и соломы. Она лишь на мгновение встревожилась, когда примерно через час дверь сарая со скрипом отворилась. Силуэт, появившийся в дверном проеме, был до боли знакомым.

Гриффин говорил очень тихо и размеренно:

— Если ты собираешься сказать «нет», Рэйчел, то скажи это сейчас.

Она молчала.

— Ты не спишь? — спросил он.

Рэйчел тихо засмеялась.

— Нет, совсем не сплю, — ответила она.

ГЛАВА 13

Рэйчел была рада, что темнота скрывает ее пылающие щеки, что кваканье лягушек и жужжание насекомых доносящиеся снаружи, заглушают ее прерывистое, испуганное дыхание. Закинув руки за голову, она слушала, как Гриффин раздевается. Солома под ней скрипнула, и Гриффин, невидимый в темноте, растянулся рядом с ней.

Нежно, осторожно он раскрыл ее губы своими, покусывая их, возбуждая, заставляя отвечать на поцелуи. Это непобедимое, еще не испытанное ею наслаждение вынудило Рэйчел застонать. Она пошевелилась, чтобы высвободить руки из-за головы и запустить пальцы ему в волосы, но одной рукой он обхватил ее запястья, лишая свободы движения.

И все это время его губы двигались вниз — сперва по подбородку, потом по шее, к пульсирующей точке под ухом. Он начал стягивать с нее тонкую рубашку, пока одна ее горячая, трепещущая грудь не ощутила прикосновения ночной прохлады. Поглаживая большим пальцем, Гриффин превратил обнаженный сосок в твердый пульсирующий комочек. Когда он впился в сосок губами, Рэйчел чуть не задохнулась от наслаждения. Но Гриффин продолжал сжимать ее руки в своей. Наконец он обнажил и вторую грудь, безжалостно возбуждая ее, и начал сосать.

Рэйчел извивалась от прилива первобытной страсти. Скоро он овладеет ею... Но ее ожидали новые невиданные удовольствия. Отпустив ее руки, он стянул с нее панталоны и отбросил в сторону. Он начал ласкать самый сокровенный уголок ее плоти, а потом раздвинул его пальцами.

Рэйчел выгнула спину, тяжело дыша в приступе блаженства от горячих ласк его требовательного рта, которые зажигали всю ее мучительным пламенем. Его руки, скользнув вниз, гладили кожу под ее коленями, и Рэйчел ощутила, как внутри у нее что-то начало бесшумно взрываться. Она громко вскрикнула от возбуждения и замерла.

Гриффин неожиданно ухмыльнулся.

— Теперь им будет о чем поговорить какое-то время,— поддразнил он Рэйчел.

Девушке было все равно, слышали ли лесорубы ее крик. Сейчас ее не волновало ничего, кроме завершения чудесного ритуала, доведения его до естественного финала. Гриффин это понял. Он опустился на нее сверху и осторожно вошел в нее. Едва заметная, краткая боль — и снова пульсирующее, захватывающее наслаждение. Оно возрастало с каждым движением их тел, с каждым приглушенным стоном, пока оба они не забылись в безумном вихре полного освобождения.

Она спала.

Гриффин прислушивался к ее тихому сладостному дыханию и не мог простить себя за то, что обошелся с ней подобным образом. Он был так уверен, что она не девственница — так дьявольски уверен. Но он ошибся и теперь чувствовал себя бессовестным вором. Он не имел никакого права желать ее — ему нечего было ей предложить.

Случайный лунный лучик упал на ее лицо, и Гриффин тяжко, удрученно вздохнул. Что он может дать ей? Разумеется, верность — сама мысль о том, что он сможет приходить к ней, когда захочет, лишала его интереса к другим женщинам,— уютный дом, деньги, страсть. Страсть — это несомненно.

Но она заслуживала большего, куда большего. Она заслуживала любви, а Гриффин Флетчер больше не обладал способностью к этому высокому, благородному чувству.

Но даже вновь утверждаясь в своем прежнем, весьма мучительном решении — как можно скорее отослать Рэйчел из Провиденса, Гриффин опять почувствовал непреодолимую потребность в ней. Когда он привлек ее к себе, она проснулась и потянулась к нему — нетерпеливая, сонная и теплая.

Рождение нового дня оставило Джонаса Уилкса безучастным; его нервы были на пределе после тягостной ночи, от недостатка сна очертания предметов расплывались перед глазами.

Где Рэйчел? Этот вопрос продолжал преследовать его столь же неотступно, как преследовал в течение всей этой долгой, истерзавшей его ночи. Джонас обыскал салун и палаточный городок, а его люди опросили Филда, Молли и даже Чанга, повара-китайца. Где бы она ни находилась, она была с Гриффином. В тысячный раз после исчезновения Рэйчел с пикника Джонас закрывал глаза, предаваясь полному, сокрушительному отчаянию.

Он вздрогнул, когда в комнате появилась миссис Хаммонд и поставила перед ним тарелку яичницы с колбасой.

— Господи, да вы глаз не сомкнули?

Джонас оттолкнул от себя тарелку:

— Я убью его. Если он притронется к ней, я убью его.

Бывшая няня и нынешняя домоправительница Джонаса позволила себе присесть возле огромного полированного обеденного стола.

— Господи о ком это вы толкуете?

Он вытащил из внутреннего кармана пиджака сигару и зажал ее в зубах.

— Я говорю, миссис Хаммонд, о Гриффине Флетчере.

— И Рэйчел, — догадалась женщина.

Внезапно в измученном сознании Джонаса мелькнуло нечто, что он до этого упустил из виду. Как только

Рэйчел так неловко упала в церковный пруд, кто-то громко позвал доктора Флетчера. Ну конечно. Гора. Гриффина вызвали на гору, и он взял с собой Рэйчел. А Джонас пребывал в таком смятении, что не учел этого. Возможно, Гриффин даже увез девушку против ее воли.

Ярость охватила Джонаса, сметая остатки усталости. Он так резко вскочил, что с грохотом опрокинул стул, и вылетел из дома, оставив позади как миссис Хаммонд, так и последние крохи здравого смысла.

Маккей, лицо которого в лучах рассвета выглядело особенно изможденным, ехал ему навстречу.

— Мы с Уилсоном дежурили всю ночь, босс. У Флетчера никого, кроме Молли и ее сына.

— Ладно, собери Уилсона, Рили и всех, кого найдешь, — спокойно приказал Джонас. — Я знаю, где они. Когда Гриффин будет возвращаться с горы, мы подстережем его там... для пары теплых слов.

Маккей неловко поерзал в седле.

— А что делать с девушкой? — пробормотал он.

Упоминание о Рэйчел причинило Джонасу боль, но он не собирался выставлять свои чувства напоказ перед таким подонком, как Маккей. Он сохранил непроницаемое выражение лица.

— Я не желаю, чтобы ей причинили вред, при каких бы то ни было обстоятельствах. Того, кто ее хоть пальцем коснется, я исполосую хлыстом в кровь. Это понятно?

Маккей кивнул, но, казалось, сомнения одолевали его с еще большей силой.

— Не думаю, что это такая уж хорошая идея: я имею в виду связываться с Гриффином.

— А как насчет того, что ты можешь потерять работу? — заорал Джонас. — Эта идея тебе нравится?

— Я приведу вам лошадь, — ответил Маккей, направляя своего скакуна к деревянной конюшне позади дома.

Успокоившись, Джонас поднял глаза к голубому, без единого облачка небу. Хороший день для возвращения долгов — как старых, так и новых.

Образ Рэйчел, извивающейся в объятьях Гриффина, внезапно заполнил его воображение. Он отогнал эту картину. Гораздо приятнее было вспомнить о том, какую взбучку он устроил Фон Найтхорс. И гораздо менее болезненно.

Когда Рэйчел проснулась, Гриффина рядом не было. На мгновенье ее охватила паника, она взметнулась на колючей соломенной постели, готовая закричать.

Добсон. Гриффин наверняка в бараке, возле Добсона.

Рэйчел натянула на себя одежду и, насколько это было возможно, привела в порядок волосы. Воспоминания прошедшей ночи заставили ее зардеться. *«Рэйчел Маккиннон»,* — прогремел голос внутри нее. — *Тебя обесчестили».* Она улыбнулась про себя и тихонько приоткрыла хлипкую дверь сарая.

Поселок был практически пуст. Выше по склону горы раздавался скрежет пил, крики рабочих, мычание быков. Сбегав ненадолго в лесок, Рэйчел набрала воды из колодца рядом с кухней и несколько раз плеснула себе в лицо.

— Доброе утро, мисс, — стоявший на ветхом крылечке Свенсон расплылся в улыбке. — Хороший денек, а?

Делая вид, будто не замечает все понимающего взгляда старика, Рэйчел согласилась, что да, день и вправду чудесный.

Гриффин был в бараке, но там ситуация заметно улучшилась. Войдя, Рэйчел увидела, что Добсон не только проснулся, но и смеется над какой-то историей, которую рассказывает ему Гриффин. Рэйчел стало не по себе. Уж не то ли, как она бесстыдно отдалась Гриффину, так их забавляет?

Флетчер поднялся с соседней с постелью Добсона лежанки и улыбнулся девушке. Но, несмотря на улыбку, его лицо хранило все то же натянутое, угрюмое выражение, на которое она обратила внимание накануне, когда они только приехали.

Уязвленная, Рэйчел опустила глаза и стиснула руки.

— Мы скоро уезжаем? — спросила она, ненавидя себя за собственный дрожащий голос.

Указательным пальцем Гриффин приподнял ее подбородок.

— Ты сможешь сначала заставить себя проглотить завтрак, приготовленный Свенсоном? — мягко ответил он вопросом на вопрос.

Его прикосновение и ободряющий взгляд заставили ее приободриться.

— Я смогу, если ты сможешь, — коротко сказала она.

Через несколько минут Рэйчел и Гриффин сидели друг напротив друга за столом Свенсона и, молча обмениваясь смешливыми взглядами, уничтожали водянистую овсянку. Затем Гриффин привел из конюшни двух лошадей, запряг их в ту же самую повозку, на которой они приехали, и галантно подсадил Рэйчел на сиденье.

Путешествие вниз по склону горы было долгим и опасным даже при свете дня. На полпути они остановились, любуясь открывшимся перед ними потрясающим видом залива Путет, лесами из громадных сосен, перемежающихся серебристыми тополями, высокими кедрами и приземистыми пихтами, даже самим Провиденсом.

— Посмотри, — прошептала Рэйчел. — Вон церковь Филда.

Взгляд Гриффина был устремлен в том же направлении, но внезапно он насторожился.

— Ты видела это? — спросил он после зловещей паузы.

Рэйчел присмотрелась и наконец заметила вспышку серебристого света.

— Зеркало? — сообразила она.

Гриффин нажал на тормозной рычаг и, ничего не ответив, спрыгнул на землю; торопясь, распряг лошадей.

— Что ты делаешь? — потребовала ответа Рэйчел, чувствуя, как ее любопытство сменяется беспокойством.

— Ты сможешь ехать верхом? — резко спросил Гриффин, вскакивая на спину одного из жеребцов, которые до этого тащили повозку.

— Как видно, придется, — огрызнулась Рэйчел, прежде ни разу в жизни не сидевшая верхом на лошади.

Ухватив второго коня за гриву, Гриффин подвел его поближе к сидевшей в повозке Рэйчел, чтобы она смогла перелезть на его спину.

— Забирайся, — скомандовал он.

Рэйчел опустилась а потную спину животного, подобрав юбку до весьма рискованной высоты.

— Что...

Но Гриффин уже направил своего жеребца в густой кустарник, которым порос склон горы. Без всякого понукания со стороны Рэйчел ее лошадь двинулась следом.

Они спускались осторожно, но все равно у Рэйчел поминутно захватывало дух от страха. Примерно через полчаса девушка наконец потеряла терпение:

— Гриффин Флетчер, если вы не объясните мне, что происходит...

Обернувшись через широкое плечо, Гриффин усмехнулся:

— Это долгая, запутанная история, мисс Маккиннон. Думаю, достаточно сказать, что однажды Филд воспользовался этим же приемом, дабы предупредить меня, что мой отец поднимается на гору с ремнем в руках и жаждет моей крови.

Рэйчел наморщила нос.

— Он не мог сообщить все это с помощью зеркала, — возразила она.

— Он и не смог. Мой отец отыскал меня и как следует отлупил.

Рэйчел заливисто расхохоталась:

— Что же такое ужасное ты натворил?

Гриффин ухмыльнулся:

— Я описал в школьном сочинении, как моя любимая бабушка, приехав из Старого Света, нанялась в служанки и отбила своего хозяина у супруги.

Рэйчел снова рассмеялась:

— А что, так и было?

— Да, но мне не полагалось этого разглашать, — ответил Гриффин и снова переключил внимание на спуск по крутому склону.

Они еще дважды заметили серебристую вспышку до

того, как достигли подножия горы и медленно въехали в рощу позади церкви Филда Холлистера. Когда лошади остановились напиться из пруда, священник выбежал из дома с покрасневшим от досады и облегчения лицом.

— Будь оно все проклято, Гриффин... — гневно начал он.

Рассмеявшись, Гриффин перекинул одну ногу через шею лошади и соскочил на землю.

— Успокойся, Филд. Я получил твое послание. *На этот раз.*

Филд тоже не смог удержаться от смеха.

В доме Филд деликатно указал Рэйчел комнату, где она могла привести себя в порядок. Как только дверь за девушкой затворилась, Гриффин, скрестив руки на груди, прислонился спиной к стене кухни.

— Где они ждали, Филд?

Покачав головой, Филд отвел друга в крошечную гостиную. Там он заговорил в полный голос.

— Возможно, у подножья горы, — ответил он. — Утром сын Молли принес мне записку. В ней говорилось, что люди Джонаса всю ночь продежурили возле твоего дома. Это меня встревожило, я прокатился мимо дома Джонаса и заметил, что он собирает целую небольшую армию. Об остальном я догадался.

— Возможно, ты спас мою шкуру, — сказал Гриффин; одновременно перед его мысленным взором поплыли чудесные воспоминания о прошедшей ночи. Он отвернулся, притворившись, будто внимательно разглядывает ничем не примечательный кирпичный камин Филда, и пытаясь таким образом скрыть неприглядную истину, которая могла отразиться на его лице.

Но не успел.

— Черт тебя побери, Гриффин, — прошипел Филд, разворачивая его лицом к себе. — Ты сделал это, да? Ты скомпрометировал эту девушку!

Но слова Филда не могли вызвать в нем большего стыда, чем тот, который он и без того испытывал.

— Я не знал, что она девственница! — огрызнулся он.

— Ты идиот, Гриффин, — тихим, охрипшим от ярости голосом ответил Филд. — Ты твердолобый *идиот*. Ты просто хотел досадить Джонасу.

Гриффин пожал плечами, тщательно избегая взгляда своего друга.

— И мне это удалось, — с притворной небрежностью отозвался он.

Окаменевшая, стояла Рэйчел посреди безупречно чистой кухоньки в доме Филда Холлистера. *Ты скомпрометировал эту девушку. Ты просто хотел досадить Джонасу*. Эти слова безжалостно терзали душу девушки. Но все же менее безжалостно, чем ответ Гриффина. *И мне это удалось*.

Казалось, прошла целая вечность, прежде чем Рэйчел опять смогла пошевелиться. Молча, затаив в себе страшную боль и гнев, она потихоньку выбралась из дома через заднюю дверь и бежала до тех пор, пока не оказалась в салуне. По пути она заметила, что пароход «Стэйтхуд» стоит в порту.

— Мэми! — воскликнула она и дрожа, в изнеможении привалилась к двери кухни. — Мэми, где ты?

Добрая женщина, чье круглое лицо выражало удивление и испуг, немедленно примчалась на зов Рэйчел.

— Рэйчел, ради всего святого, что случилось?

Рэйчел прерывисто дышала, хватая ртом воздух.

— Я... в порту стоит пароход... мне нужны мои деньги...

— Но, Боже мой...

Рэйчел уже выбегала из кухни; слезы ручьями текли у нее из глаз.

— Пожалуйста, Мэми, — у меня нет времени...

Спотыкаясь, она взобралась по ступенькам, не обращая внимания на любопытные взгляды томящихся от безделья танцовщиц и нескольких посетителей, забредших в салун выпить утром в понедельник. В комнате матери Рэйчел отыскала вместительный чемодан и начала заталкивать в него одежду, которую забрала из дома Гриффина.

Спокойный, невозмутимый голос пронзил ее, как лезвие ножа:

— Не торопись, Рэйчел. Пароход отходит только через час.

Сжимая в руках голубую муслиновую рубашку, Рэйчел медленно обернулась и встретилась взглядом с Гриффином. Один его вид наполнил ее сердце острой, невыносимой болью.

— Ты... — начала она. — Ты...

Она замолчала. Ибо просто не существовало слов, которые могли бы ранить его так больно, как бы ей хотелось. Преодолев себя, Рэйчел продолжила укладывать в чемодан одежду, и это занятие немного успокоило ее.

— Я прослежу, чтобы чемоданы, которые ты оставила в моем доме, были погружены вовремя, — спокойно сказал он.

И удалился.

Рэйчел опустилась на обитую красным бархатом скамейку, закрыла лицо руками и плакала до тех пор, пока у нее больше не осталось слез.

Когда пароход покидал гавань Провиденса, Рэйчел Маккиннон была на его борту. Она стояла, сжимая обеими руками поручни и обводя прощальным взглядом верфь, уютные домики и кладбище на вершине небольшого холма, расположенного рядом с палаточным городком.

— До свидания, — тихо проговорила она.

Мэми Дженкинс казалось, что она никогда не видела ни в чьем лице такого отчаяния, какое было написано на лице Гриффина Флетчера. Подавленный и сокрушенный, он сидел за столом Бекки и делал вид, что пьет кофе, который она поставила перед ним.

«Боже мой, — подумала добрая женщина. — *Он любит эту девушку».*

— Почему же вы, как дурак, сидите здесь, а не

пытаетесь ее догнать? — выпалила Мэми, в волнении оправляя огромными натруженными руками передник и вспомнив, каким несчастным было лицо мисс Рэйчел, когда та забирала у нее оставленные матерью деньги.

Гриффин покачал головой, избегая взгляда Мэми:

— Лучше дать ей уехать, Мэми. Поверь мне.

— Осел, — буркнула Мэми, отвернувшись и с грохотом бросая в дуршлаг шишковатые картофелины. — Упрямый, твердолобый осел!

— Спасибо.

Мэми принялась яростно чистить картошку.

— Сколько раз, по-вашему, Гриффин Флетчер, вам будет ниспослана любовь?

Он отхлебнул кофе, и на лице его изобразилось нечто, весьма далекое от беспечности, к которой он, возможно, стремился.

— Если повезет, больше ни разу. — С этими словами он залпом выпил кофе и вышел.

За окнами было темно. Билли Брэйди не любил темноту: она была полна враждебности так же, как город полон враждебно настроенных людей. Он был рад, что в передней Филда Холлистера горит свет: не будь его, он, возможно, не решился бы постучать.

Филд отозвался быстро — так быстро, что Билли пришло в голову, уж не от Бога ли священник узнает о том, что должно произойти. Преподобный уже держал в руках пальто и произнес только одно слово:

— Гриффин?

Билли кивнул:

— Мама просит: придите, пожалуйста, быстрее потому что мы не можем с ним справиться.

— Этого не может никто, — ответил Филд, вздыхая так же, как вздыхала мама Билли, когда у нее не поднималось тесто. Но потом священник все равно отправился с Билли — выполнять свою нелегкую миссию.

ГЛАВА 14

Ни скользкая палуба под ногами, ни белые крашеные поручни, за которые она держалась, ни красота заросших буйной зеленью берегов, проплывавших мимо, — ничто не интересовало Рэйчел, не имело для нее никакого значения.

Пароход сделал две остановки: одну в Кингстоне, другую на острове Бэйнбридж. Рэйчел не обратила внимания ни на сами порты, ни на людей, покидавших корабль или всходивших на борт.

Вместо этого девушка непрерывно смотрела на заснеженные, недоступные склоны гор Райньер. Та, подобно бастиону возвышалась на востоке в огненно-золотом сиянии заходящего напротив нее солнца. Ничто в мире, кроме этого великолепного пика с затерянной в облаках вершиной, не казалось Рэйчел огромнее и значительнее, чем боль и стыд, смешавшиеся в ее душе.

Ослепительная яркость послеполуденного солнца сменилась первыми признаками наступления сумерек, когда пароход, выпуская клубы дыма, вошел в залив Эллиот и уверенно взял курс на Сиэтл.

В Рэйчел снова проснулась любовь к этому молодому, шумному городу. Она, наконец, оторвала уставший взгляд от Райньера и стала смотреть на шумный город, который теперь станет ее домом.

Если не считать небольшого припортового района, Сиэтл был расположен на скате холма. Деревянные постройки, среди которых изредка попадались здания из кирпича, жались к склону, будто дети, играющие в «царя горы». На западной стороне побережья лепились лачуги и палатки — вместилища борделей и салунов Скид Роуд — которые тоже претендовали на то, чтобы считаться полноправной частью Сиэтла. Пронзительные голоса клиентов и обслуги уже неслись из этих заведений, минуя серые здания складов и скрипучие верфи.

Рэйчел закрыла глаза, пытаясь отогнать от себя воспоминания о том, как она пробиралась туда, на Скид Роуд, чтобы разыскать и привести домой отца. Неужели и сейчас он сидит где-нибудь там, накачиваясь виски и потчуя других лесорубов своими небылицами?

Рэйчел, глубоко вздохнув, втянула в себя запахи соли, водорослей и керосина, и решительно открыла глаза. Прежде всего она отправится к мисс Каннингем и, если удастся, оставит за собой комнату в женском пансионе. Она поест, какой бы отвратительной ни казалась ей сейчас мысль о пище, и спрячет толстую пачку денег, которую передала ей Мэми в Провиденсе. После этого она соберет все оставшиеся силы и прочешет все заведения Скид Роуд. Даже если отца там нет, вполне вероятно, что кто-нибудь в одном из тамошних злачных мест хоть что-то о нем слышал.

Когда «Стэйтхуд» мягко причалил к пристани и был привязан к сваям ловкими голосистыми матросами, Рэйчел внутренне приготовилась к новой жизни, ожидавшей ее здесь.

Других пассажиров встречали радостные родственники с повозками и экипажами, и, поднимаясь вверх по пристани, девушка испытала глубокое, тоскливое чувство одиночества. Ее чемодан был тяжелым, старые высокие ботинки на пуговицах больно жали в пальцах под подолом изящного дорожного костюма из серого льна. Уже не в первый раз Рэйчел стало любопытно, что за женщина, — несомненно, подруга Джонаса — носила этот наряд раньше?

В конце скрипучего деревянного причала необыкновенно уродливая индианка предложила Рэйчел предсказать судьбу с помощью раскрашенных раковин. Рэйчел отрицательно покачала головой и, горько усмехнувшись, ускорила шаг, пересекла широкую, покрытую дощатым настилом улицу и направилась вверх по склону горы, скромному жилому району, где мисс Флора Каннингем сдавала внаем комнаты.

За время своего отсутствия Рэйчел забыла городской шум Сиэтла — пронзительные пароходные свистки, доносившиеся со стороны гавани и лесопилок, звонкие колокольчики конок, хриплые звуки гульбы на Скид Роуд.

Отбросив свои недавние фантазии о приятной жизни в этом городе, Рэйчел остро затосковала по спокойному, неспешному быту Провиденса. Туда едва доносился отдаленный шум с лесопилок Джонаса Уилкса, а свистки проходящих мимо судов звучали удивительно мелодично. Вскинув голову, Рэйчел продолжала подниматься в гору, мечтая о том, чтобы острота ее душевной муки притупилась так же, как мучительная боль в ногах.

В Провиденсе она стала бы посмешищем, сурово напомнила Рэйчел себе, — дочь лесоруба, осмелившаяся претендовать на внимание таких господ, как Джонас Уилкс и Гриффин Флетчер. Как они, должно быть, потешались над ней — не только эти двое суетных мужчин, но и праздные женщины, разливающие чай в своих уютных гостиных и выращивающие нежные розы в садиках за заборами.

Глаза Рэйчел наполнились слезами. *«Идиотка!* — ругала она себя с жестокостью, на которую не была бы способна по отношению к любому другому живому существу. — *Теперь ты знаешь, почему папа предостерегал тебя насчет мужчин,* — *теперь-то ты знаешь. То, что ты сделала, запятнало тебя на всю оставшуюся жизнь; теперь ты не нужна ни одному порядочному мужчине».*

Но тело Рэйчел, под элегантным дорожным костюмом, помнило бесконечное наслаждение, которое дарили прикосновения Гриффина Флетчера, требовательные ласки его рта, впивающегося в ее отвердевшие соски. Призрак его страсти, смешавшейся с ее собственной, ожил и всколыхнул все ее существо до самых сокровенных глубин.

Написанное от руки объявление, прикрепленное к стволу вишни в полисаднике Флоры Каннингем, вернул Рэйчел на землю, к вопросам практическим. «Комнаты внаем,— гласило оно.— Собственность Флоры Каннингем».

Рэйчел отворила побеленную деревянную калитку, решительно прошла по выложенной сосновой доской дорожке и повернула ручку звонка. На стекле овального окошка во входной двери были выгравированы лилии, и Рэйчел, ожидая, пока ей откроют, вновь восхитилась изысканностью рисунка.

Мисс Каннингем, маленькая, суетливая женщина с редкими растрепанными седыми волосами и живыми голубыми глазами, сама открыла дверь.

— Как, Рэйчел Маккиннон! — пропела она, явно сразу оценив перемены к лучшему в одежде девушки, ее чемодан и расшитую бисером сумочку.

«Она гадает, что со мной произошло,— с грустной иронией подумала Рэйчел.— *Если бы она узнала, ее бы хватил удар».*

— Мне нужна комната,— заявила она.

Мисс Каннингем напоминала маленькую довольную птичку, выглядывающую из своего гнезда. Затем по ее узкому, алчному личику внезапно пробежала тень почти комичного разочарования.

— Так вы одна? А где же ваш отец?

Рэйчел чувствовала себя усталой и несчастной, и упоминание об Эзре Маккинноне вызвало у нее нешуточное раздражение.

— Наши пути с отцом разошлись,— коротко ответила она.— Но у меня есть деньги, и я собираюсь как можно скорее поступить на работу.

Старая дева еще раз оглядела дорогой костюм Рэйчел и впустила ее.

Апартаменты, которые она предложила Рэйчел, состояли из темной, наспех сооруженной каморки под лестницей. Там находилась узкая продавленная кровать, деревянный умывальник с облупленным тазом, и несколько крючков, прибитых к внутренней стороне двери и призванных служить гардеробом.

Тревога в глазах мисс Каннингем втайне позабавила Рэйчел. *Я в моем красивом платье кажусь ей слишком важной для такой комнаты, как эта.*

— Это единственная комната, какая у вас есть? — спросила она, прекрасно понимая, что предприимчивая леди предложила бы ей самую лучшую комнату в доме, будь она свободна.

Женщина взволнованно закивала:

— Весь верхний этаж занимает один джентльмен — капитан Дуглас Фразьер с судна «Чайна Дрифтер».

Рэйчел постаралась придать своему лицу выражение надменного недовольства, хотя ее не волновал ни капитан Фразьер, ни его судно. Ей хотелось только снять ботинки, умыться и отдохнуть часок-другой на этой чрезвычайно непривлекательной кровати под лестницей.

— Я надеюсь, что он ведет себя тихо и воспитанно, — заявила она, поскольку в ней вдруг взыграл дух противоречия.

Мисс Каннингем опять закивала, на этот раз почти лихорадочно для убедительности.

— Да-да, он настоящий джентльмен. И, конечно, как только «Дрифтер» уплывет, вы сможете выбрать любую из комнат наверху.

Рэйчел достала самую мелкую купюру, какая у нее была, чтобы заплатить за комнату и стол за две недели вперед, и ее опять слегка позабавило изумление пожилой дамы.

— У меня нет сдачи с такой суммы! — воскликнула мисс Каннингем, пальцы которой сжимались и разжимались от желания схватить деньги.

— Тогда вы, конечно, не станете возражать, если я заплачу вам завтра, после того как схожу в банк? — осведомилась Рэйчел таким тоном, будто ей постоянно приходилось совершать крупные денежные операции.

«Ты будешь выглядеть ужасной дурой, — увещевал ее практично настроенный внутренний голос, — *если*

тебе не удастся найти работу. Когда у тебя кончатся деньги, ты уже не сможешь вести себя так, словно ты не дочь лесоруба, а важная дама.

После долгих колебаний мисс Каннингем согласилась получить деньги утром, вручила Рэйчел тяжелый медный ключ и удалилась, предоставив ей устраиваться на новом месте.

Но Рэйчел не занялась тем — по крайней мере, сразу. Как только дверь захлопнулась, Рэйчел скинула ненавистные ботинки — какие бы другие удовольствия ее ни ожидали, утром она прежде всего купит себе новые туфли, — и начала исследовать тесную маленькую комнатку в поисках надежного места, куда можно было бы спрятать деньги.

После тщательного осмотра она обнаружила отверстие в стене за кроватью. Любой опытный вор нашел бы его в считанные минуты, просто приподняв выцветшее лоскутное одеяло и заглянув под кровать, но Рэйчел была слишком усталой и расстроенной, чтобы придумать какой-то другой тайник. Ноги у нее распухли и болели, освобожденные из заточения узких ботинок, и девушка сомневалась, что в состоянии будет предпринять прогулку по Скид Роуд в этот вечер.

Рэйчел сняла шляпку, милый ее сердцу льняной костюм и мягкую батистовую блузку и умылась теплой водой, налитой в умывальник. Оставшись в муслиновых панталонах и рубашке, она опустилась на кровать и закрыла глаза. Тотчас же перед ее мысленным взором из темноты возникло лицо Гриффина Флетчера. Рэйчел резко открыла глаза, приказав себе не думать о нем и о том, как он обошелся с нею, до тех пор, пока не соберется с силами и не сумеет противостоять натиску противоречивых чувств.

Но она так устала — безумно устала. Ее глаза готовы были вот-вот закрыться сами собой. Девушка упрямо продолжала глядеть на скошенный потолок, нависший в нескольких сантиметрах над головой, и ждать.

Вскоре она заснула, и сновидения одолели ее. Она

снова лежала на пропахшей плесенью соломенной подстилке, высоко на горе над Провиденсом, и Гриффин Флетчер страстно обнимал ее.

Когда громкий топот сапог по ступенькам над головой разбудил Рэйчел, в маленькой комнатушке в доме Флоры Каннингем было совсем темно. В приливе неистовой гордости Рэйчел смахнула слезы с лица и приказала себе быть сильной.

Она так бы и лежала, спрятавшись в своей комнате, сломленная и одинокая, если бы мисс Каннингем не постучала в дверь и не прощебетала, что ужин стынет. Несмотря на пережитые потрясения, Рэйчел была голодна. И она знала, что в предстоящие часы, дни и недели ей потребуются все ее силы, если она хочет найти работу, разыскать отца — или хоть что-нибудь узнать о нем — и собрать по кусочкам свои разбитые надежды.

Капитан Дуглас Фразьер с изысканной любезностью поднялся со стула за обеденным столом, увидев вошедшую в комнату морскую нимфу. На ней было прелестное платье из батиста в цветочек. Она храбро, хотя и несколько скованно, улыбалась. Ее волосы, черные и блестящие, как соболий мех, были заплетены в одну толстую косу, спускающуюся с правого плеча.

За много лет, проведенных им на земле и на море, капитану не приходилось видеть более обворожительного создания. И раз она, как знамя, выставляла напоказ свое разбитое сердце, что ж, положение было довольно легко исправить.

— Здравствуйте, — сказал он спокойным, как он надеялся, голосом. — Я капитан Дуглас Фразьер.

Ее фиалковые глаза откровенно оценивали его, но капитана это не обеспокоило. В свои тридцать семь лет он был по-прежнему недурен собой, с густыми каштановыми волосами, лихими щегольскими усами и голубыми глазами, которые смеялись даже тогда, когда не улыбались губы.

— Это Рэйчел Маккиннон, — тоном заботливой матери прочирикала Флора Каннингем.

Дуглас вежливо кивнул:

— Мисс Маккиннон.

Девушка покраснела и села на предложенный ей стул.

— *Капитан Фразьер,* — отозвалась она, прежде чем заняться блюдом с рагу из устриц, дымящимся на столе перед ней.

С разбитым сердцем или без, но аппетит у нее не хуже, чем у матроса, подумал Дуглас Фразьер. Опускаясь на свое место, он размышлял о том, кто был этот негодяй, который до такой степени сломил ее дух, что в глазах у нее появилось это измученное, загнанное выражение.

Дуглас выпрямился. Он пригласит мисс Рэйчел Маккиннон в хороший ресторан, какой найдется в этом суматошном приграничном городке, и сделает это очень скоро. А потом они сходят в оперу. Да. Немного веселья поможет ей излечиться и сделает ее пригодной для того плана, который созрел у него в голове.

На Рэйчел капитан Фразьер произвел довольно приятное впечатление, хотя у нее не возникло желания познакомиться с ним поближе. Она так и не рассказала ничего о себе во время ужина, хотя он забрасывал ее умело сформулированными вопросами.

Нисколько не обескураженный, рыжеволосый красавец пустился в рассказы о своих приключениях на море и в иностранных портах. Он говорил о далеком, загадочном Китае, о Гавайских островах и тамошних туземцах, которые во время своих языческих праздников наряжались в костюмы из разноцветных перьев тропических птиц.

Несмотря на усталость и разбитое сердце, а также терзавшее ее подозрение, что она больше никогда не увидит отца, Рэйчел была очарована. Капитан Фразьер говорил живо и увлекательно: казалось, она собственными глазами видела красивых, загорелых обитателей Гавай, облаченных в наряды из перьев.

— Но там же есть, наверное, и города, — заинтересованно вставила девушка, накладывая себе вторую порцию рагу.

— Деревни, — любезно поправил капитан. — Но когда-нибудь там появятся города, и это очень печально. Островитяне станут чужими на собственной земле, так же как краснокожие здесь.

Рэйчел подумала о пылкой прекрасной Фон Найтхорс, и ей стало больно.

— Надеюсь, что нет, — печально отозвалась она.

— Это неизбежно, моя дорогая, — коротко сказал капитан.

Наверное, он прав, решила Рэйчел, и это еще больше расстроило ее. Она сочувствовала тем, кто жил между двух миров, не находя себе места ни в одном из них.

Джонас и его люди прождали у подножия горы более двух часов. Кто-то каким-то образом предупредил Гриффина — это было ясно. Джонаса терзала ярость, но он не стал ее выказывать. Его людям было вовсе необязательно знать о его состоянии.

— Что вы думаете, босс? — спросил Маккей, держась за луку седла и наклонившись вперед в надежде прочесть что-нибудь по ничего не выражающему лицу хозяина.

— Я думаю, что выяснение отношений с доктором Флетчером придется отложить до другого раза, — сказал тот, скрывая обуревавшее его бешенство под маской вялого равнодушия. — Возможно, до наступления темноты.

Маккей расплылся в глупой улыбке, продемонстрировав свои гнилые зубы.

«Он любит заниматься такими делами в темноте», — с легким омерзением подумал Джонас. Гриффин наверняка ожидает этого: возмездия под покровом ночи. Джонас поднял руку, давая сигнал к отступлению,

и улыбнулся про себя. У него хватит сообразительности быть не столь предсказуемым.

Осмелев, Маккей поскакал рядом с арабским скакуном Джонаса, между тем как все остальные ехали позади.

— Мы ведь не сможем захватить его, если он затаится у себя дома?

— В делах с людьми, подобными Гриффину Флетчеру,— ответил Джонас,— есть свои преимущества. Он слишком спесив и упрям, чтобы «таиться» где-нибудь. Нет, он будет разъезжать везде в открытую, если только будет уверен, что мы не схватим его вместе с девушкой.

Маккей на минуту задумался.

— Мы убьем его? — наконец спросил он.

Джонас в раздражении возвел глаза к небу, потом бросил убийственный взгляд в сторону Маккея:

— Нет, мы не станем его убивать.

— Почему?

— Потому что я хочу, чтобы он остался в живых, Маккей,— по нескольким причинам. Во-первых, он единственный врач на много миль вокруг, во-вторых, он мой кузен. *«Я хочу, чтобы он видел Рэйчел, когда она забеременеет от меня. Я хочу, чтобы он ползал на брюхе»*.

Маккей был явно разочарован, но, к облегчению Джонаса, вопросов больше не задавал.

И в измученном сознании Джонаса возникла, в натуральную величину, картина: Рэйчел, носящая ребенка. Его ребенка. Возникший образ не имел ничего общего с местью Гриффину: нет, это будет лишь мизерным удовольствием для Джонаса по сравнению с радостью видеть Рэйчел, носящей его детей, отдающей ему свою сладостную прелесть всякий раз, когда он того пожелает. А это будет часто.

Джонас улыбнулся и с грустной уверенностью признался себе, что влюблен. После этого ему стало легче строить дальнейшие планы.

* * *

Направляясь в кабинет Гриффина, Филд Холлистер ожидал обнаружить там полный разгром — и не ошибся. Громадный дубовый стол бы перевернут, его ящики косо торчали в разные стороны, будто поломанные конечности. На полу повсюду валялись книги, а тяжелые бархатные занавеси, полусодранные с карнизов, болтались как тряпки.

Посреди всего этого разорения возвышался, покачиваясь, Гриффин Флетчер.

Филд не раз видел своего друга в приступах безумия — после смерти Луизы Флетчер, после предательства Афины, — но ни один из них не мог даже отдаленно сравниться с этим.

— Отдай мне бутылку, Грифф, — ровным голосом сказал священник.

Гриффин улыбнулся, поднял бутылку к губам и стал жадно пить. Филд вздохнул, встретился взглядом с Молли Брэйди и кивком головы попросил ее выйти. Женщина бросила неуверенный, огорченный взгляд на Гриффина и с неохотой подчинилась. Притихший от страха Билли поплелся за матерью и плотно прикрыл за собой дверь кабинета.

Филд знал, что взывать к разуму друга было уже поздно. Оставалось только сидеть рядом и ждать, пока буря стихнет. Филд опустился на колени и принялся собирать разбросанные книги.

Гриффин заговорил глухо и удрученно, растягивая слова:

— Знаешь, кто ты, Филд? Ты человек, который вечно пытается что-то исправить.

Филд не поднял головы:

— Действительно?

Последовала долгая пауза.

— Ты знаешь, сколько времени я был знаком с Рэйчел, Филд? Шесть дней.

Филд невозмутимо осматривал растерзанный переплет томика греческой философии.

— Бог сотворил мир за шесть дней, Гриффин. Очевидно, за это время можно многое успеть.

Гриффин хрипло рассмеялся:

— Не разумно ли предположить в таком случае, что столько же времени потребуется, чтобы все разрушить?

Священник благоговейно подобрал с пола Чосера, Шекспира и Бена Джонсона.

— Все будет хорошо, Гриффин, — проговорил он.

Из груди Гриффина вырвалось сдавленное рычание, и он швырнул бутылку через всю комнату. Она разбилась о массивную дверь кабинета, залив ее остатками виски.

Филд проигнорировал агрессивность этой акции.

— Неплохо для начала, — сказал он.

ГЛАВА 15

Мисс Каннингем была явно недовольна просьбой Рэйчел принести ей в комнату горячей воды и ванну, но, тем не менее, смирилась, предупредив свою жилицу, что подобные услуги оказываются за дополнительную плату и не чаще раза в неделю.

Едва, после того как пожилая дама ушла и дверь за ней была заперта, Рэйчел погрузила в воду свое измученное тело, ей поневоле вспомнилась другая ванна в другом, куда более роскошном доме. Как напугал ее Гриффин в тот день, будто черная грозовая туча возникший в дверях и приказавший ей одеваться!

С болью в сердце она глянула в сторону тяжелой двери своей каморки. Если бы только он появился сейчас в дверях и сказал, что все это чудовищная ошибка, что той ночью в поселке лесорубов он доставил ей это безграничное наслаждение потому, что любит ее!

Рэйчел резко выпрямилась, сидя в горячей воде, и шепотом обругала себя дурой.

Потом, подогреваемая презрением к себе, она с яростью терла свое тело до тех пор, пока оно не порозовело и не стало поскрипывать. Волосы, подобранные и заколотые на макушке шпильками и гребенками, которые Рэйчел захватила из туалетного столика матери перед самым отъездом, она помоет вечером. Сейчас сушить их полотенцем было некогда.

Она быстро встала и потянулась за жестким белым полотенцем, которое с такой неохотой предоставила ей мисс Каннингем. Первым делом, решила Рэйчел, она положит деньги в банк, оставив при себе немного на покупку обуви; возможно, она даже раскошелится на туфли из лайковой кожи, с блестящими лакированными носками. И конечно, расплатится с мисс Каннингем.

Только когда она начала рыться в своей одежде, подыскивая что-нибудь, в чем прилично наниматься на работу, девушка вдруг вспомнила о чемоданах, оставленных в доме Гриффина Флетчера. Он обещал отослать их на пароход — но выполнил ли он свое обещание? Сомнения Рэйчел, однако, растаяли в одно мгновенье. Во всем, кроме своих любовных похождений, он был человеком слова. Она справится о багаже в бараке возле пристани, где продавали билеты на пароходы и хранили багаж.

Надеясь, что ее драгоценные вещи не потерялись, Рэйчел надела чистое белье, простую темно-синюю юбку из шуршащего атласа и строгую блузку из небесно-голубого шелка. Она заплела волосы и уложила косу вокруг головы аккуратной короной. Затем, в последний раз оглядев себя перед зеркалом, выпрошенным у мисс Каннингем, девушка покинула комнату.

Когда она вошла, капитан Фразьер сидел за обеденным столом, читая помятый экземпляр «Сиэтл Таймс». Капитан улыбнулся ей, и от Рэйчел не укрылось выражение вежливого интереса в его глазах.

— Доброе утро, мисс Маккиннон, — сказал он.

Ободренная, как всегда, надеждами, которые дарил ей каждый новый день, Рэйчел сделала легкий реверанс и улыбнулась. Она много раз репетировала эту комбинацию наедине сама с собой, но ей никогда еще не представлялось возможности проделать ее в чьем-либо присутствии.

Капитан Фразьер выглядел очарованным.

— Только не говорите мне, что намерены опуститься до мира простых тружеников, Рэйчел.

Сделав вид, будто не заметила, что он позволил себе вольность, назвав ее по имени, Рэйчел подсела к столу и ожидавшей ее яичнице с поджаренными тостами.

— Я должна работать, капитан Фразьер, — беспечно ответила она. — У меня нет выбора.

— Чепуха! — возразил он, и в глазах его заплясала улыбка. — Вам нужен муж. Богатый муж.

Рэйчел вдруг опять охватило ощущение бесконечного одиночества, терзавшее ее всю эту бесконечную ночь. Ей совершенно расхотелось есть, и она вскочила со стула, не притронувшись к завтраку, схватила сумочку и шляпку и заторопилась к двери.

Но сильная загорелая рука капитана Фразьера остановила ее:

— Рэйчел, простите меня. Я не хотел вас расстраивать.

Ее голос дрожал, хотя она и пыталась говорить спокойно. Она заставила себя взглянуть в синие, как море, глаза капитана.

— Вы не расстроили меня...

— Глупости. Я действительно расстроил вас этим бестактным замечанием насчет того, что вам нужен муж. Это была непростительная грубость с моей стороны, и я прошу меня извинить.

Рэйчел вскинула голову и выдавила из себя слабую улыбку:

— Вы просто хотите взять на себя вину за мои дурные манеры. Мне не следовало так выскакивать из-за стола: это было глупо. А теперь простите, мне сегодня предстоит много дел.

Капитан предложил Рэйчел руку:

— Тогда позвольте мне...

Рэйчел вопросительно подняла бровь и чуть подалась назад.

— Позволить вам что? — насторожилась она.

Капитан оглушительно расхохотался:

— Рэйчел, Рэйчел! Я только было решил, что вы, должно быть, получили образование в какой-нибудь престижной школе на Востоке и вдруг вы задаете мне подобный вопрос!

Рэйчел взглянула на его покрывшееся морщинками от смеха лицо с подозрением:

— Вы что, смеетесь надо мной?

Дуглас Фразьер взял себя в руки:

— Нет, моя дорогая, ни в коем случае. Но скажите мне: если вы на самом деле дочь лесоруба, как клятвенно заверила меня мисс Каннингем, почему у вас такая правильная речь?

Оскорбленная в своей беспредельной гордости, Рэйчел вспыхнула:

— Во-первых, капитан, нет ничего постыдного в том, что я — дочь лесоруба! Во-вторых, если я говорю правильно, так это оттого, что я хорошо умею читать!

— Понятно,— серьезно проговорил капитан, но глаза его по-прежнему смеялись.— Я вел себя как зануда. Я еще раз прошу простить меня.

Рэйчел уже стало стыдно за свою несдержанность.

— Мне действительно пора идти...

— Как и мне,— капитан Фразьер слегка поклонился.— Мой экипаж здесь, Рэйчел. Разрешите мне сопровождать вас в вашем путешествии в мир коммерции и развлечений.

Рэйчел засмеялась и одновременно прикинула, уж не проверяет ли он, знает ли она такие сложные слова, как «коммерция».

Не следовало соглашаться на эту поездку в экипаже капитана — это было неприлично. Но ее туфли так жали, даже сейчас, когда она просто стояла на месте! Рэйчел представила, как будет ковылять в них вниз по склону, и призадумалась.

— Я с большим удовольствием проедусь в вашем экипаже, капитан,— с достоинством ответила она после паузы.

Капитан довольно ухмыльнулся, в его голубых глазах сверкнули огоньки, и он галантно протянул руку Рэйчел.

— Итак, в путь,— объявил он.

— Это значит, что мы едем прямо сейчас? — уточнила Рэйчел, принимая предложенную руку.

Его ухмылка переросла в добродушный смех.

— Конечно,— подтвердил он.

Утро выдалось ясное, и вишня в саду мисс Каннингем была, словно сиянием, окутана облаком розовых цветов. Вдали, как сапфир с проблесками золота и серебра, сверкали воды залива Эллиот.

Экипаж капитана Фразьера, вероятно взятый напрокат, тоже выглядел великолепно. Он блестел на солнце и был запряжен четверкой угольно-черных лошадей.

Настроение Рэйчел заметно улучшилось, когда прекрасный экипаж, подпрыгивая, покатил по неровным улицам Сиэтла к району порта, и девушка позволила себе отдаться приятным ощущениям, зная, что вечер принесет с собой менее радостные эмоции.

В это утро шум города скорее веселил, чем смущал ее. В конце концов, она скоро купит себе новые туфли — и, может быть, какую-нибудь книгу. Но первым делом, даже до того, как открыть счет в банке, ей нужно было выяснить, прибыли ли ее чемоданы.

Они оказались на месте. Рэйчел испытала радостное облегчение, но одновременно в ней зашевелились остатки печали, преследовавшей ее всю ночь. Она отогнала от себя образ Гриффина Флетчера, несущего эти чемоданы на борт парохода, и улыбнулась капитану Фразьеру, предложившему, чтобы его кучер доставил объемистые чемоданы к дому мисс Каннингем.

Она поблагодарила Фразьера. Осмелев, капитан взял ее руки в свои:

— Теперь все в порядке?

Рэйчел кивнула, с удовольствием думая о деньгах, лежащих в ее сумочке, о лайковых туфлях, которые скоро купит, о работе, которую обязательно найдет.

— Хорошо, — учтиво сказал капитан. Затем он повернулся и зашагал прочь вдоль набережной.

Рэйчел нашла туфли, о которых мечтала, в магазине на Фронт-стрит и с гордостью приобрела их. Когда она пошла в них по деревянному тротуару, ей показалось, будто ее ступни ласкают чьи-то нежные руки, и это наполнило девушку уверенностью, что предстоящий день принесет ей удачу.

Рэйчел поместила большую часть своих денег в Коммерческий банк, сочтя ею название добрым знаком. Она улыбнулась, вспомнив свою резкую исповедь капитану Фразьеру в коридоре пансиона.

Из банка Рэйчел отправилась в большой универсальный магазин, где купила роман, ароматное мыло и упаковку шпилек для волос. В последний момент она добавила к своим приобретениям писчую бумагу, перо и чернила. Возможно, через какое-то время она напишет Джонасу, должным образом поблагодарит его за то, что он проявил такую щедрость, подарив ей столько чудесной одежды, и извинится за свое исчезновение с пикника. Она напишет и Молли, решила девушка, потому что Молли, в каком-то смысле, была ей другом.

Поиски работы, как выяснилось, были куда менее приятным занятием, чем хождение за покупками. По правде говоря, они оказались абсолютно безнадежными.

В том самом банке, где ее встретили с распростертыми объятиями в качестве клиентки, она получила решительный отказ, так как не умела печатать на машинке. На фабрике по производству матрасов ее сочли слишком хрупкой, чтобы выполнять столь грубую работу. В захудалой чайной, где, как гласило объявление, требовалась официантка, владелец прямо заявил ей, что им требуется менее красивая девушка, которая не вызывала бы раздражения у посетительниц.

К полудню Рэйчел пришла в полное отчаяние. Оказалось, что она не умела делать ничего стоящего, и хотя она была достаточно образованна, формально ее образование ограничивалось восемью годами школы. Она выучила буквы в одной школе, цифры — в другой, а когда в ее распоряжении, благодаря доброте директора школы, на время оказался ящик старых, пахнущих плесенью книжек, она научилась складывать отдельные буквы в слова. Зная значение некоторых слов, она догадалась и о смысле остальных.

Но у нее не было никакой определенной профессии.

Рэйчел стояла посреди тротуара, готовая расплакаться, когда ей вдруг пришло в голову, что с ее стороны было очень легкомысленным считать, будто она сразу же сможет найти себе работу.

— Рэйчел?

Она подняла голову и увидела улыбающееся участливое лицо капитана Фразьера.

— Дуглас! — воскликнула девушка; обрадованная его появлением, она забыла, что капитан вовсе не давал ей разрешения называть его по имени.

Фразьер взял ее под руку и, ловко лавируя в потоке прохожих, завел в уютный, чистенький ресторанчик.

— Я испытал огромное облегчение, — весело сказал он, когда они сели за столик, накрытый пестрой скатертью. — Я боялся, что вы будете звать меня капитаном до конца моих дней. Но вы как будто хмуритесь — означает ли это, что вы не нашли работу?

Рэйчел удрученно кивнула:

— Кажется, я уже везде спрашивала. Им либо требуется, чтобы я умела печатать, либо чтобы я была сильнее и выше ростом. А в чайной на Мэрион-стрит им понадобилось, чтобы я была уродиной!

Дуглас сочувственно усмехнулся и накрыл ее руки своей, останавливая нервные движения ее пальцев.

— Какую работу вы хотели бы выполнять, Рэйчел?

Подали кофе, и Рэйчел добавила в свою чашку изрядные порции сливок и сахара.

— Любую.

Лицо Дугласа выразило некоторое сомнение:

— Вряд ли совсем *любую*...

Щеки Рэйчел вспыхнули.

— Ну, — ответила она. — Любую, в которой нет ничего дурного и которая бы мне подошла.

И снова лазурные глаза капитана улыбнулись ей.

— Многие занятия не подойдут вам, Рэйчел, просто потому, что для вас они слишком унизительны. Вы созданы, чтобы стать хозяйкой красивого дома и матерью детей достойного человека.

На этот раз засмеялась Рэйчел. Но в своем воображении она увидела Джонаса Уилкса, расстилающего одеяло на пикнике и улыбающегося ей. Это воспоминание подействовало на нее отрезвляюще.

— Я, как вы сказали сегодня утром, всего лишь дочь лесоруба.

В его смеющихся глазах за внешней веселостью проглядывало нечто вполне серьезное.

— Многие богатые мужчины были бы счастливы жениться на такой девушке, как вы, Рэйчел, и я могу представить вас некоторым из них.

Что-то в этих словах насторожило ее.

— Я не смогла бы выйти замуж за человека, которого не люблю, — запинаясь, выговорила она после долгого неловкого молчания.

Подбородок Дугласа почти неуловимо напрятся.

— Любовь, — сказал он, выговаривая это слово почти брезгливо, — это то, о чем пишут в глупых романах. Мы живем в суровом реальном мире, Рэйчел.

Да, реальный мир суров. В своей жизни Рэйчел редко видела что-либо, кроме суровой реальности. Но любовь существовала и вне книжных страниц, и девушка убедилась в этом на собственном горьком опыте.

Рэйчел вдруг вспомнила ту девушку в Орегоне, которая была соблазнена сыном лавочника и забеременела. Господи, неужели и у нее внутри сейчас растет дитя Гриффина Флетчера? Если это так, то реальная жизнь Рэйчел из «суровой» превратится в совершенно невыносимую, причем очень скоро. Ее-то соблазнитель не возьмет замуж, как ту удачливую толстушку из Орегона.

— Рэйчел? — голос Дугласа резко вернул ее к реальности. — Вы так побледнели — о чем вы думаете?

А Рэйчел охватила паника, и ей пришлось сделать усилие, чтобы сдержать слезы.

— Все в порядке, Дуглас. Я просто немного растеряна, вот и все. *«И, возможно, немного беременна».*

Он протянул руку и осторожно дотронулся до ее лица.

— Если это так важно для вас, я поговорю кое с кем из моих друзей. У меня есть несколько знакомых торговцев.

Надежда, зародившаяся было в сердце Рэйчел, тут же сменилась смущением.

— Это неудобно,— огорченно сказала она.

— Неудобно? Когда друг помогает другу? Что же в этом неудобного?

— Я буду обязана вам,— пояснила Рэйчел.

Дуглас рассмеялся:

— Да, моя дорогая, будете. И это дает мне право настаивать на том, чтобы вы разрешили мне пригласить вас поужинать и повести в Оперный театр.

Рэйчел широко распахнула глаза:

— В Оперный театр? И что мы будем смотреть?

Дуглас оглядел ее с легкой усмешкой:

— Кто знает, что можно посмотреть в этом городе? Возможно, дрессированного медведя или лесоруба, исполняющего соло на пиле.

После секундной паузы Рэйчел поняла, что капитан дразнит ее, и засмеялась.

— Уверяю вас, сэр,— лукаво произнесла она,— что Сиэтл видел и куда более странные представления.

В картинном приветствии Дуглас поднял свою чашку с кофе.

— Я нисколько не сомневаюсь в этом, моя дорогая,— согласился он и, подозвав официанта, заказал обед.

Сразу же после обеда они отправились в один из магазинов. Рэйчел была представлена хозяину — знакомому Дугласа — и осталась рассматривать ленты и рулоны разноцветных тканей, а мужчины удалились в заднюю комнату.

Через пять минут Рэйчел получила работу. Она была принята продавщицей в галантерейный отдел и должна была торговать нитками, пуговицами и другими швейными принадлежностями.

Ей следовало бы больше радоваться этому, но девушка подозревала, что Дуглас каким-то образом заставил ее нанимателя взять ее на работу. Это вызвало у Рэйчел неприятное ощущение, но она не могла позволить себе отказаться от вакансии и с благодарностью согласилась.

Мистер Тернбулл, человек с вялым, безвольным подбородком и пробором, точно посередине разделяющим редкие каштановые волосы, велел ей явиться на работу на следующее утро к восьми часам.

Вернувшись в дом мисс Каннингем, в умиротворяющей тишине своей комнаты, Рэйчел подавила свои опасения и достала бумагу и перо. «Дорогая Молли, — начала она своим закругленным мелким почерком. — Сегодня я нашла работу...»

К тому моменту, когда она подписалась и сунула письмо в голубой конверт, оно было достаточно пухлым. Рэйчел никогда раньше не писала писем, и мысль о том, что придется расстаться с ним, огорчало ее.

Однако надеясь, что, в конце концов, когда-нибудь получит ответ, она адресовала письмо просто: «Миссис Молли Брэйди, Провиденс, Вашингтон» и положила его в сумочку. Сегодня вечером, по дороге на Скид Роуд, она зайдет в офис пароходной компании и попросит, чтобы письмо было отправлено следующим рейсом «Стэйтхуда».

Уже на полпути с холма Рэйчел вспомнила о своем обещании поужинать с капитаном и посмотреть представление в театре. Почти минуту она простояла в молчаливом раздумье, глядя то вверх на дом мисс Каннингем, то вниз на гавань.

В конце концов Рэйчел выбрала гавань и Скид Роуд. Пока она не разберется в загадочном и внезапном исчезновении отца, ей не будет покоя. Дуглас обязательно поймет ее, когда она ему все объяснит.

«Стэйтхуд» находился в порту, его бортовые огни бросали золотистые отблески на почерневшую в сумерках воду залива, огромные гребные лопасти были неподвижны. Капитана — седого пожилого мужчину с озорными, как у ее отца, глазами — Рэйчел обнаружила в сарайчике на берегу. Он был в расстегнутом кителе, а его шляпа, от долгой носки утратившая форму, покоилась на заваленном бумагами столе.

Рэйчел отдала капитану письмо, заплатила за его отправку и собралась уходить. Ей еще предстояла рискованная экспедиция на Скид Роуд, а уже начало темнеть.

Спохватившись, она остановилась в дверях.

— Капитан, — застенчиво спросила она, — скажите, вы знаете фамилии всех ваших пассажиров?

Пожилой моряк улыбнулся:

— Не всех, иначе я знал бы и вашу. Ведь я точно помню, что вчера вы были у нас на борту.

Ободренная его дружелюбием, Рэйчел описала Зэру Маккиннона и спросила, не помнит ли он такого пассажира.

К ее разочарованию, — хотя и не к удивлению, — капитан не вспомнил ни имени, ни самого человека. Однако он пообещал быть начеку и сообщить Рэйчел, если до него долетят какие-нибудь слухи о Маккинноне. Рэйчел поблагодарила и решительно зашагала в сторону Скид Роуд.

Вдоль тонущих во мраке причалов с шорохом носились корабельные крысы, темными громадами возвышались бочки и ящики. Впереди виднелись огни, слышались смех и разудалая музыка, обычная для этой пользующейся дурной славой части города.

Каблучки новых туфель Рэйчел одиноко и звонко постукивали по дощатому тротуару, и пару раз то ли моряки, то ли лесорубы останавливались, пяля глаза на девушку. Она прибавила шаг, стараясь держаться подальше от тени, которую отбрасывали стены складов, тянущихся вдоль берега.

Первый салун располагался в лачуге, стены которой были сколочены столь небрежно, что сквозь них полосками пробивался свет. Посыпанный опилками пол начинался почти у самой полосы прибоя. Вонь гниющих водорослей и дохлых креветок смешивалась с запахом пота, дешевого виски, сигарного дыма и одеколона того сорта, что продаются в склянках емкостью в кварту.

Рэйчел пришлось собрать всю свою решимость, чтобы толкнуть двойные двери и войти внутрь.

ГЛАВА 16

Опилки на полу отсырели от просачивающейся снаружи морской воды и были заплеваны темным табачным соком. Рэйчел подумала о своих новых туфельках и ужаснулась про себя.

Затем она, вздохнув, напомнила себе, что ей надо найти отца. Если ему просто надоела обременяющая его взрослая дочь, Рэйчел не станет ему навязываться, поскольку у нее теперь своя, независимая от отца жизнь; к тому же Рэйчел определенно не имела желания тащиться за ним в какой-нибудь еще поселок лесорубов. Тем не менее Рэйчел хотелось честного и достойного расставания — и объяснения. После всех этих лет его грубоватой нежности и неустанной заботы девушке казалось достаточно странным, что он оставил ее не сказав ни слова.

Обведя беглым взглядом помещение, Рэйчел сразу же убедилась, что здесь она не найдет Эзру Маккиннона, но вокруг были люди — люди, которые могли знать, где он сейчас работает.

Рэйчел уже собралась подойти к группе здоровенных лесорубов, когда чья-то худая, довольно грязная рука схватила ее за локоть. Девушка остановилась и, оглянувшись, увидела рядом с собой пухлую блондинку в неряшливом желтом платье, явно недружелюбно рассматривающую ее.

— Дорогуша, — начала женщина, поправляя другой рукой неестественно тугие кудряшки. — Если здесь твой муж, не стоит закатывать ему скандал на глазах у всех.

Когда дело доходит до этого, у мужчины может взыграть гордость.

Рэйчел вскинула подбородок:

— Я пришла сюда, чтобы спросить о человеке по имени Эзра Маккиннон. Вы его знаете?

Блондинка прищурила накрашенные глаза:

— А если и знаю, то что?

Подстегнутая раздражением, а также вонью и шумом салуна, Рэйчел резко проговорила:

— Он мой отец. И мне очень важно его найти.

Проститутка некоторое время изучала свои бледные руки с неровными ногтями.

— Эзра не был на Скид Роуд с тех пор, как Джонас Уилкс нанял его на работу в Провиденс — если бы он здесь был, я бы знала. Он часто говорил мне: «Кэндис, дорогая, ты слишком хороша для такого места, как это. Тебе нужно стать независимой».

Рэйчел с трудом удержалась от того, чтобы не выразить возмущения. При мысли об отце и этой омерзительной женщине, совокупляющихся на какой-нибудь грязной койке, ей стало дурно, но она быстро взяла себя в руки. Она определенно не имела никакого права осуждать кого бы то ни было — во всяком случае, после той волшебной, трагический встречи с Гриффином Флетчером.

— Ваши жизненные планы меня не интересуют, — холодно промолвила она. — Меня интересует мой отец. Если вы его увидите или хоть что-нибудь услышите о нем, пришлите записку в дом Флоры Каннингем, на Сидер-стрит.

Кэндис тряхнула головой и окинула дерзким, подозрительным взглядом строгий дорогой костюм Рэйчел. Вопрос, повисший в воздухе, был так очевиден, что не было нужды высказывать его вслух. *С какой стати мне об этом беспокоиться?*

В этой обстановке Рэйчел чувствовала себя не в своей тарелке, и ее храбрость быстро убывала. Она снова вздернула подбородок.

— Я заплачу вам десять долларов, если вы свяжетесь со мной, — сказала она в ответ на немой вопрос.

И со спокойным достоинством, повернувшись, она вышла наружу, в ночную прохладу.

Обходить остальные салуны в ту же ночь не было смысла: Рэйчел инстинктивно чувствовала, что Кэндис сказала правду. Кроме того, она все время ощущала на себе любопытные оценивающие взгляды завсегдатаев салуна. Останься она здесь подольше, наверняка один или даже несколько из них начали бы к ней приставать, и избавиться от них было бы нелегко.

Рэйчел двинулась назад вдоль берега, держась в стороне от темных фигур, рыщущих во мраке, там, куда не доставал робкий, дрожащий свет керосиновых уличных фонарей. Глупо было отправляться на Скид Роуд в одиночку, тем более поздним вечером. Даже сделав этот разумный вывод, она знала, что еще вернется сюда.

Гриффин Флетчер проснулся в своей постели с тяжестью и пульсирующей болью в голове, мучимый приступами тошноты. Молли стояла рядом, и ее зеленые глаза выражали крайнее неодобрение.

— Наконец-то вы очнулись, Гриффин Флетчер. Целый день пропал зря.

Гриффин застонал:

— Какой нынче день?

Молли наклонилась и поставила на ночной столик поднос.

— Среда,— язвительно сообщила она.— Двадцать девятое мая тысяча восемьсот восемьдесят...

Гриффин хрипло выругался и с усилием принял сидячее положение.

— Господи, Молли,— огрызнулся он.— Я знаю, какой сейчас год!

— Неужто? — парировала Молли.— Это уже коечто. Благодарите Бога за то, что вы никому не понадобились, Гриффин Флетчер.

Гриффин взглянул на поднос с завтраком — яичница, картошка, рис и свиная колбаса — и снова отвернулся. Даже вполне обоснованное презрение его экономки было куда более приятным зрелищем, чем еда.

— Может быть, я не так необходим этому городу, как нам с тобой хотелось бы думать, Молли.

Молли Брэйди выпрямилась во весь свой отнюдь не впечатляющий рост.

— Может, и нет,— коротко ответила она и с негодующим видом, шурша накрахмаленными юбками, удалилась из спальни, захлопнув за собой дверь с такой силой, что затуманенная болью голова Гриффина чуть не лопнула.

Аромат кофе заставил его с опаской еще раз заглянуть на поднос. Он потянулся за дымящейся кружкой и стал медленно пить, вспоминая историю своего грехопадения.

Рэйчел уехала — он стойко воспринял эту горькую правду, хотя мысль о ней по-прежнему вызывала острое, терзающее душу страдание. Если бы только он не обидел ее так, не дав уехать в уверенности, что он воспользовался ею без любви...

Потому что любовь была — такая любовь, какой Гриффину Флетчеру еще не доводилось испытывать. Почти с первого момента, когда он увидел ее, сжавшуюся от страха в ванне у Джонаса, он полюбил эту девушку; но лишь теперь он нашел в себе силы не отрицать этого чувства и признаться в нем самому себе.

Вероятно, ему суждено всю жизнь испытывать непреодолимую потребность в ней. Но привозить ее обратно, как бы ему ни хотелось этого, было жестоко: здесь ей грозила неминуемая опасность стать жертвой страсти Джонаса.

Гриффин допил кофе, оттолкнул от себя кружку и выбрался из постели. Как всегда, ему предстояло совершить обход больных.

Он быстро оделся, лишь на мгновенье задержавшись перед окном. Собирался дождь, небо потемнело, и в воздухе, даже при закрытых окнах, ощущалась тяжесть и неподвижность. Джонасова гора возвышалась на фоне неба и в надвигающемся сумраке выглядела зловещей.

Стряхнув с себя смутное беспокойство, Гриффин вышел из спальни и спустился по черной лестнице в кухню. Там он принял пиджак, шляпу и медицинскую сумку из рук угрюмой, молчаливой Молли и вышел.

В стойле его ждал взнузданный конь Темпест. Доктор вывел жеребца наружу и ловко вскочил ему на спину.

— Билли? — позвал он без особого энтузиазма, собираясь поблагодарить паренька за то, что тот догадался о планах хозяина сегодня поехать верхом, а не в коляске. — Эй, Билли!

Ответа не последовало. Гриффин пожал плечами и поднял воротник, защищаясь от утренней мороси. Возможно, паренек сейчас где-нибудь в лесу играет в странные одинокие игры, подсказанные его слабым рассудком.

В это утро Гриффина радовала также стоявшая в лесу мертвая тишина, но по причинам более практического свойства он мог сэкономить время, поехав по узкой лесной тропинке, а не по главной дороге, хотя и на ней он вряд ли мог кого-нибудь встретить. Он нуждался в нескольких минутах одиночества, чтобы сосредоточиться и предстать перед своими пациентами таким, каким они ожидали его увидеть.

Конь Гриффина нетерпеливо заржал, когда они обогнули скрытый в зарослях пруд, который любил исследовать Билли, и приблизились к двум огромным валунам. Гриффин улыбнулся, вспомнив, что внутри этих валунов парнишке чудились стражники, и он был убежден, будто они охраняют тропинку. Но они возвышались по обе стороны от нее, и в узкую щель между ними едва мог протиснуться всадник.

На Гриффина напали в тот момент, когда он выехал из проема между валунами на маленькую тенистую поляну. Он выругался, сшибленный на влажную, устланную листвой землю.

Оглушенный, Гриффин поднялся на колени. И тут же получил мощный удар ружейным прикладом сбоку по голове. От удара в глазах у него потемнело, голова загудела. Гриффин снова приподнялся с земли, чувствуя, как на шею капает дождь.

Сколько их? Зрение его утратило ясность, но по движущимся теням он догадался, что его окружили человек шесть или семь.

— Осторожнее с его ногами,— распорядился спокойный, холодный голос.

Гриффин покачнулся. В центр его грудной клетки с размаху опустился сапог, возвращая его в прежнее положение. Почувствовав вкус крови во рту, Гриффин выругался.

— Именно так ты разделался с Маккинноном, Джонас? — прохрипел он.

Несколько рук вцепились в руки Гриффина, подняли его на ноги, и продолжали держать. В его глазах стоял густой серый туман, и ноги не подчинялись приказам, которые он им отдавал. Он скорее почувствовал, чем увидел, приближение Джонаса, но разглядел блеск вороненого ружейного дула.

— Доброе утро, Гриффин,— приветливо сказал Джонас.

Невыносимая боль в голове и груди на какое-то мгновение лишила Гриффина дара речи. У него вырвался лишь яростный стон. Где-то за его спиной, бряцая уздечкой, танцевал и ржал взбудораженный Темпест.

Что-то тяжелое — возможно, приклад ружья Джонаса,— врезалось ему в лицо. Боль пронзила голову Гриффина, и у него снова подогнулись колени.

— Поставьте его на ноги! — прошипел Джонас.

Гриффин пытался вырваться из рук мучителей, тянувших его вверх, но его попытки были тщетными. Он боролся с подступившей к горлу тошнотой.

Ярость Джонаса обрушилась на него, подобная невидимой стене, и тут же последовал удар кулаком. Но Гриффин уже не чувствовал боли, не чувствовал ничего. Он засмеялся, и слова его, наконец, полились наружу потоком:

— Ну и ублюдок ты, Джонас. Но ты опоздал — черт возьми, как же ты опоздал!

— Отпустите его, — раздался голос Джонаса откуда-то из дрожащей пустоты.

Колени Гриффина подогнулись, но пока он падал к нему частично вернулось зрение, и когда рука Джонаса вцепилась ему в волосы, закидывая голову назад, ярость переполнила его.

Джонас наклонился, чтобы улыбнуться в избитое лицо Гриффина.

— Я найду ее, Гриффин — это я тебе обещаю. Сиэтл не настолько велик, чтобы она могла скрыться. Но Рэйчел — это отдельный разговор. Эта маленькая встреча — расплата за то, что ты сделал со мной неделю назад.

Гриффин вскинул терзаемую болью и будто налитую свинцом руку, чтобы сбить у себя с головы руку Джонаса. Произнесенное им ругательство утонуло в шуме дождя.

Джонас выпрямился, удовлетворенно улыбаясь.

— А теперь, дорогой друг, у меня есть для тебя одна цитата. «Что посеешь, то и пожнешь».

Через мгновенье сапог Джонаса врезался Гриффину в пах. Жуткая боль, взорвавшись, отозвалась в каждой клеточке тела. Он упал, теряя сознание, лицом в грязь.

Когда плохие люди ускакали, Билли выбрался из своего укрытия в густых зарослях и стал подбираться к неподвижному телу доктора Флетчера. Опустившись на колени, он вытер слезы, выступившие у него от страха, и прошептал:

— Доктор?

Гриффин застонал и пошевелился на мокрой земле.

Билли стянул с себя куртку, свернул ее и слабыми, трясущимися руками подложил под голову Гриффина вместо подушки. Что делать дальше, он не знал.

— Л-лошадь, — пробормотал раненый. Дождевая вода смешивалась с кровью, поблескивающей в его темных волосах, и стекала по лицу.

Билли лихорадочно огляделся в поисках жеребца.

Когда он свистнул, скакун выбрался из подлеска, уздечка волочилась за ним по грязи. Билли стал осторожно приближаться к коню, пытаясь успокоить его ласковыми словами. Схваченный под уздцы возле самых удил, Темпест заартачился и с испуганным ржанием попятился.

— Тихо, мальчик,— шептал Билли.— Успокойся, плохие люди ушли.

Обернувшись, Билли увидел, как Гриффин попытался подняться на четвереньки и снова упал. Парень был потрясен этим зрелищем, собственной беспомощностью и страхом.

— Я пойду приведу маму или Филда,— захныкал он.— Я могу привести Филда...

Гриффин покачал окровавленной, мокрой от дождя головой и опять попробовал подняться.

— Нет. Помоги мне встать.

Билли подчинился, и, поднимая доктора на ноги, ощутил, как боль Гриффина отзывается в собственном теле.

Гриффин подставил лицо дождю, ощупью нашел луку седла Темпеста и уцепился за нее. Через мгновение, приказав себе превозмочь усиливающуюся боль в груди, он ухватился правой рукой за поводья. Резкими, быстрыми движениями, каждое из которых стоило ему невероятных страданий, он привязал левую руку к луке седла.

— Веди его домой, Билли.

И Гриффин заковылял рядом с конем. Дорога домой была долгой и мучительной, но там была Молли, спокойная и разумная, вышедшая их встречать. От дождя пряди ее медных волос прилипли ко лбу и шее.

— Святые небеса! — ахнула она.— Что случилось?

— Джонас,— прошептал Гриффин, морщась от боли, пока женщина отвязывала его левую руку и подставляла свои плечи под правую.

Гриффин был слишком тяжел для Молли, и она, даже с помощью сына, сумела дотащить его только до кабинета. По настоянию Филда в комнате все было оставлено в прежнем беспорядке, мебель перевернута, и занавески оборваны.

Пока Молли, пошатываясь, поддерживала обмякшее, будто налитое свинцом тело Гриффина, Билли поправлял диван. Затем они вместе свалили на него свою ношу.

Уложив Гриффина и укрыв первым, что попалось под руку — занавеской,— Молли твердым голосом отдала распоряжение:

— Беги и приведи Филда Холлистера, Билли. Ищи его, пока не найдешь, но приведи.

Заплаканный Билли подчинился и заспешил к двери, с состраданием оглядываясь на неподвижную фигуру, распластанную на кожаном диване.

Молли подошла к шкафчику, где хранились медикаменты. Он не пострадал от рук взбешенного доктора, и, как полагала Молли, отнюдь не случайно. Молли достала оттуда бутылку со спиртом, чистую ткань, пластырь и бинт. Все это она осторожно положила на край перевернутого стола и торопливо направилась в кухню за горячей водой.

Только промыв и перевязав раны Гриффина Флетчера, Молли позволила себе расплакаться.

Рэйчел начала свой первый рабочий день в порыве энтузиазма, хотя и чувствовала себя неумелой и бестолковой и доставила немало хлопот мистеру Тернбуллу.

К полудню она продала только кусок атласной ленты и набор перламутровых путовиц. Как бы дружелюбно она ни держалась, покупательниц, казалось, раздражало само ее присутствие, и они постоянно спрашивали о ком-то, кого называли «бедняжкой Мэри».

Не однажды в это утро Рэйчел устремляла взгляд на серую занавешенную дождем бухту и сожалела о своем скоропалительном бегстве из Провиденса. Мечта о превращении салуна, оставшегося после матери, в респектабельный пансион все еще томилась в дальнем уголке ее сердца.

На несколько минут, пока она в одиночестве пила свой полуденный чай в складском помещении за галантерейным отделом, Рэйчел позволила себе вообразить картину, как она покупает билет и возвращается в маленький городок у залива Путет. Конечно, это невозможно — по крайней мере, сейчас. Ей нужно время, чтобы залечить раны, чтобы восстановить свою сломленную гордость. Пока этого не произойдет, она не могла рассчитывать, что сможет постоянно встречать Гриффина Флетчера (а от этого ей никуда не деться) и сохранять при этом чувство собственного достоинства.

Неожиданно, пока она вяло жевала сэндвич с салатом, тайком прихваченный ею утром из кухни мисс Каннингем, перед ее мысленным взором возник образ Джонаса Уилкса. Рэйчел снова стало невыносимо стыдно за то, как она бросила его во время пикника. И как она будет просить у него прощения, если когда-нибудь увидит его снова?

«Простите меня, пожалуйста,— воображала она свои извинения.— *Я не хотела покидать вас таким образом, но, видите ли, мне необходимо было съездить на гору и там потерять свою девственность».*

Рэйчел собралась было рассмеяться, но вместо этого ее глаза наполнились слезами.

Потом она принялась вспоминать вчерашний вечер. Ее вылазка на Скид-роуд оказалась бесплодной, да к тому же еще и опасной. Все время, пока Рэйчел торопливо шла вдоль берега, ей чудился за спиной звук чьих-то шагов, и она уже совершенно обезумела от страха, когда услышала стук колес и рядом с ней остановился экипаж, из которого выскочил не на шутку рассерженный капитан Дуглас Фразьер. Он начал кричать на нее прямо на улице, продолжал кричать в экипаже и во дворе дома мисс Каннингем. Он продолжал сердиться на нее даже сегодня за завтраком.

«Мне явно не везет последнее время»,— мысленно заключила Рэйчел.

* * *

Джонаса Уилкса что-то смутно беспокоило. Он ехал по своим владениям; сзади, сомкнувшись единым строем, ехали его люди, и он слышал ржание их лошадей сквозь шум дождя, но тревога не отпускала его.

В его памяти вновь и вновь раздавались слова Гриффина Флетчера: *«Ты опоздал, черт возьми, как же ты опоздал»*.

А вдруг это правда? Вдруг Рэйчел не осталась в Сиэтле после своего поспешного бегства на пароходе, о котором ему в конце концов рассказала Фон сегодня утром? Если Рэйчел в Сиэтле пересела на другое судно, она для него потеряна, и, возможно, потеряна навсегда.

Джонас выпрямился в седле, по-прежнему чувствуя каждой клеточкой тела удовлетворение от того, что ему удалось поставить Гриффина на колени.

Они подъехали к дверям конюшни, и Джонас, спешиваясь, с холодной расчетливостью прикинул, какой у него запас времени. Сегодня — да, он начнет поиски сегодня.

На пути к дому он всесторонне обдумал проблемы, связанные с Гриффином. Безусловно, Гриффин серьезно пострадал, но вряд ли он будет прикован к постели надолго. Два дня — от силы три, — и он снова будет представлять такую же угрозу, как всегда. И это являлось еще одной причиной, почему Джонасу следовало действовать как можно быстрее.

ГЛАВА 17

Сдавленный, похожий на рыдание стон вырвался из груди Гриффина, когда Филд подхватил его под мышки и поднял в почти вертикальное положение.

— Подержите его так,— прошептала Молли, разрезая на Гриффине заляпанный грязью пиджак и насквозь промокшую от крови рубашку. Отбросив в сторону обрывки одежды, она осторожно обмыла распухшую, в ужасных кровоподтеках грудь Гриффина и начала туго перевязывать ее полосками ткани из разорванной простыни.

Филд с восхищением наблюдал за быстрыми, точными движениями ее рук. Было очевидно, что Молли многому научилась, помогая Гриффину оказывать помощь пациентам, которых часто доставляли к нему в дом в буквальном смысле слова в разобранном виде.

— Молли, вы отличная медсестра,— устало заметил он, когда она закончила свою работу и подала Филду знак вновь уложить друга на диван.

Молли не ответила: она с болью и нежностью смотрела на лицо Гриффина, и, протянув руку, откинула с его лба пряди мокрых волос, в которых уже запеклась кровь. На ее губах читалась беззвучная мольба: *Не умирай*.

— Он не умрет, Молли,— вслух ответил ей Филд.

Было невыносимо смотреть, какие страдания испытывает Гриффин, корчащийся от боли на диване. Молли коснулась его лица, и под ее рукой он успокоился и замер. Женщина подняла взгляд на Филда, и глаза ее напоминали сверкающие на солнце изумруды.

— Это дело рук Джонаса Уилкса.

Филд сунул руки в карманы брюк и вздохнул.

— Я уже догадался,— сказал он. Он не добавил, что, будучи подлым и жестоким, это избиение все же не являлось абсолютно неспровоцированным. Когда же она прекратится, эта бесконечная, бессмысленная жестокость?

В комнате наступило долгое, мучительное молчание, нарушаемое только звуком хриплого, затрудненного дыхания Гриффина. Наконец Молли, с потемневшими от отчаяния глазами, поднялась, расправила узкие прямые плечи и вскинула упрямый подбородок.

— Думаю, нам предстоит трудная ночь. Неплохо бы развести огонь, Филд, а я пойду приготовлю чай.

Обрадованный тем, что представилась возможность сделать что-нибудь полезное, Филд пересек комнату и сунул в камин скомканную газету. Затем, опустившись на колени, достал из медного ведерка тонкие щепки и сложил из них вокруг бумаги — подобие шалашика. В это сооружение он бросил горящую спичку. Когда по щепкам с треском побежали веселые язычки пламени, Филд положил в камин сосновое полено, закрыл глаза и стал горячо молиться, чтобы Гриффин не умер.

За его спиной Гриффин стонал в бреду и выкрикивал что-то бессвязное. Гром, довольно редкое явление в этой местности, прогремел в ночи над крышей дома, и, оторвав взгляд от огня, Филд возвел глаза к небесам.

— Надеюсь, это не значит, что ты ответил «нет»,— пробормотал он.

Через некоторое время вошла Молли с подносом в руках. Филд, подняв с пола маленький столик и два стула, предложил ей сесть и сам опустился на стул напротив нее. Молли, со странно отрешенным взглядом, налила чаю сначала Филду, затем себе. Покончив с этим занятием, она достала из кармана передника бледно-голубой конверт и положила его на стол.

— Я получила письмо от Рэйчел,— сообщила она, и в ее тоне слышалось благоговение.

— Что она пишет? — без особого интереса спросил Филд.

Молли покачала головой, и алые отблески пламени заплясали на ее лице.

— Я не успела его прочесть; я только знаю, что кто-то дал его Билли, когда он искал вас.

Филд отвел взгляд от аккуратного детского и почему-то кажущегося оптимистичным почерка на голубом конверте.

— Она уехала, Молли, — она уехала, и все же это никак не кончится.

И опять Молли устремила взгляд на что-то очень-очень далекое; голова женщины была чуть склонена набок, словно она прислушивалась к какому-то звуку, который был доступен только ее кельтскому слуху.

— Да, Филд, — наконец согласилась она. — Это не кончилось.

Чувствуя нарастающее беспокойство, Филд пил приготовленный Молли бодрящий чай и созерцал живописный разгром, царящий в кабинете Гриффина.

«Как смешно мы, наверное, выглядим, — думал он. — *Двое часовых, распивающих чаи в укрепленном блиндаже. А война еще только начинается».*

Высоко в небе с оглушительным грохотом столкнулись два мощных воздушных фронта. Филд слушал, устремив глаза к потолку. *«Настоящая война, с пушечной пальбой»,* — заметил он про себя.

Для Рэйчел этот день оказался не более радостным, чем утро; напротив, он был даже хуже. Витрины магазина сплошной пеленой застилал дождь, и внутри атмосфера была весьма мрачной.

Незадолго до закрытия магазина в дверь ворвалась миссис Тернбулл. Ее лицо являло собой картину безграничного негодования, объемистые поплиновые юбки, мокрые от дождя и забрызганные по подолу грязью, возмущенно развевались. Маленькие темные глазки бусинками поблескивали на полном лице; она метнула полный подозрительности взгляд в сторону Рэйчел и вплыла в заднюю комнату, где ее муж подсчитывал выручку.

Рэйчел вздохнула. У дамы был не более довольный вид, чем часом раньше, когда она специально зашла в магазин, чтобы познакомиться с «новой продавщицей, работающей теперь вместо бедняжки Мэри».

Голоса Тернбуллов в задней комнате раздавались то громче, то тише, и только одна фраза прозвучала достаточно отчетливо:

— Мне безразлично, что сказал капитан, — ты всегда любил приударить за смазливыми девчонками, — но что она может смыслить в деле?

И вправду, что? Рэйчел устало прикрыла глаза и уцепилась руками за край прилавка. Она не удивилась, когда мистер Тернбулл появился из-за двери, пробормотал, что, к сожалению, она больше не сможет здесь работать и заплатил ей то, что причиталось за один день.

На улице пронзительный мокрый ветер пробрал Рэйчел до костей даже сквозь синий шерстяной плащ. От отчаяния у девушки защипало в горле и к глазам подступили слезы. Она бы так и не заметила стоявший поблизости экипаж, если бы из него не вышел капитан Фразьер и схватил ее за руку, когда она проходила мимо.

— Что, жизнь продавщицы не такова, какой вы себе ее представляли? — неожиданно мягко спросил он, когда Рэйчел опустилась на сиденье напротив него.

Она не решалась говорить — при первом же слове она непременно разразилась бы рыданиями. Вместо этого она устремила неподвижный взгляд на стеганую кожаную крышу экипажа и в который раз пожалела, что покинула Провиденс.

Невозмутимый Дуглас Фразьер вложил ей в руки чистый носовой платок:

— Нет ничего постыдного в слезах, Рэйчел. Говорят, они очищают душу.

Девушка по-прежнему молчала. Никакие слова не были способны выразить ее отчаяние; начни она говорить, с ней бы случилась истерика.

Дуглас грациозно склонился к ней своим могучим телом. Он заботливо, по-братски, обнял ее за плечи, и в его голосе зазвучала теплота, почти нежность.

— Рэйчел, Рэйчел,— произнес он.— Бедная, маленькая, отважная Рэйчел. Когда же вы поймете, что у вас может быть все — *все* — стоит вам только протянуть руку!

Все. Но не Гриффин Флетчер, в ком для нее воплощалось это широкое понятие.

— Как вы ошибаетесь,— прошептала она. И тут, как она и боялась, самообладание покинуло ее. Она не сопротивлялась, когда Дуглас прижал ее голову к своему плечу, давая ей возможность выплакаться.

Она была для него загадкой, эта девушка. Когда она припала к нему, так расстроенная потерей ничтожного, жалкого места в заурядном магазине, он почувствовал одновременно и злость, и нежность.

Рэйчел одевалась и говорила как леди. И тем не менее она бродила в таком месте, как Скид-роуд, да еще после наступления темноты, причем одна, без сопровождения. Неужели она все-таки самая обыкновенная проститутка?

Дуглас вытащил свой носовой платок из ее стиснутых кулачков и стал вытирать им потоки слез, струящиеся по ее лицу. Если даже она и была проституткой, то совершенно очаровательной — даже тогда, когда плакала.

Да, уверил себя Дуглас, Рамиресу она понравится — непосредственная, легковозбудимая натура, склонность к бурным сценам и все такое. Ее фиалковые глаза и нежное соблазнительное тело будут главным козырем в этой сделке.

Колеса экипажа со стуком катились по дощатой мостовой. Рыдания Рэйчел начали стихать, она уже только слабо всхлипывала и шмыгала носом. «Интересно, девственница ли она?» — подумал Фразьер. — «Да, конечно, вне всякого сомнения», — уверил он сам себя.

Рамирес определенно дал понять, что ему нужна девственница.

* * *

Проклиная про себя нескончаемый дождь, Джонас решительно шагал вдоль побережья в сопровождении Маккея и еще одного из своих людей. Впереди виднелись лачуги и палатки Скид-роуд.

Джонас ни минуты не надеялся найти здесь Рэйчел. Но мало что из происходящего в Сиэтле не становилось мгновенно известно всем и каждому в этой имеющей дурную репутацию его части; здесь часто можно было получить весьма важные сведения за стакан виски. Инстинктивно Джонас, в качестве отправной точки своих поисков, избрал салун, где он всего неделю назад,— но какой же долгой она казалась теперь,— встретил и нанял Маккиннона. И когда Джонас увидел шлюху, с которой Маккиннон выпивал в тот вечер, он понял, что удача ему улыбнулась.

Все произошло так просто, что Джонас был почти разочарован: хотя действительно отчаянно стремился найти Рэйчел, ему доставлял удовольствие также и сам процесс преодоления препятствий. Кроме того, он без особой радости услышал, что молодая женщина с фиалковыми глазами, назвавшаяся дочерью Маккиннона, была здесь не далее как вчера вечером, одна, и задавала множество вопросов.

— Я даже знаю, где она живет,— сообщила проститутка с довольной ухмылкой.

Джонас испытал раздражение, облегчение и одновременно был поражен, узнав, что Рэйчел до сих пор надеется найти своего отца.

— Адрес? — требовательно спросил он.

— А что я с этого буду иметь? — парировала женщина.

«Вот сука»,— подумал Джонас, но вытащил бумажник и достал оттуда впечатляющего достоинства купюру.

— Говори.

Она выхватила деньги у него из рук с жадностью, которая в соединении с исходящей от шлюхи вонью едва не вызвала у Джонаса приступ рвоты.

— Она остановилась у Каннингем, на Сидер-стрит.

Джонас круто повернулся, чуть не столкнувшись с Маккеем и вторым своим спутником, которые стояли возле самых дверей салуна и наблюдали за происходящим.

— Найдите мне коляску,— приказал он таким тоном, что их вялые лица мгновенно напряглись, и подручные Джонаса наперегонки бросились выполнять распоряжение.

Короткие, похожие на обрубки пальцы дернули Джонаса за рукав.

— Я могла бы вас поразвлечь, пока вы ждете,— медленно и многозначительно произнесла проститутка, которой он только что заплатил.

Высвободив руку, Джонас с отвращением отряхнул рукав.

— Я скорее согласился бы съесть слизняка,— бросил он сквозь зубы и вышел на улицу, в туман и морось.

Шлюха отпустила ему вслед неприличное словцо и сопроводила его визгливой бранью в адрес всяких разнаряженных господ, которым не понять, что такое настоящая женщина, даже когда она стоит перед ними.

Джонас выслушал эту тираду с удивительным для него спокойствием. Ему была нужна только одна женщина; и уж она-то была «настоящей» — такой же настоящий, как дождь, который лил сейчас ему на голову и затекал за шиворот.

Маккей и его приспешник вернулись с наемной коляской и лошадью в рекордно короткий срок и не могли скрыть своего восторга, когда Джонас разрешил им провести вечер так, как им вздумается. Они едва не убили друг друга в своем стремлении одновременно протиснуться в дверь этого вонючего салуна.

Взбираясь на сиденье коляски и беря в руки поводья. Джонас усмехнулся. Возможно, сегодня вечером этой проститутке удастся-таки заняться своим ремеслом.

Найти Сидер-стрит оказалось легко, как и дом Каннингем. Перед ним, на ветке одной из цветущих вишен, висело внушительных размеров объявление о сдаче внаем комнат.

Джонас остановил коляску позади экипажа, имеющего почти столь же респектабельный вид, как и тот, который он оставил в Провиденсе. Его присутствие обеспокоило Джонаса, хотя он не мог понять почему; но это ощущение было мимолетным, и он тут же забыл о нем. Спрыгнув на землю, Джонас быстро направился по выстланной сосновыми досками дорожке к дому.

Он решительно повернул ручку звонка и замер, сцепив руки за спиной и считая мгновенья в нетерпеливом ожидании. Но в этот день ему явно везло. Когда дверь отворилась, на пороге стояла сама Рэйчел, вытаращив на Джонаса опухшие, красные от слез глаза. Джонаса охватило страстное желание прикоснуться к девушке, но он был слишком осторожен, чтобы вот так, сразу, открыть ей всю глубину своей страсти. Его голос прозвучал обманчиво беззаботно и шутливо:

— Привет, ежик. Пикник был замечательный, жаль, что ты не осталась до конца.

Рэйчел попыталась что-то сказать, но очаровательно смутилась, отчего ее фиалковые глаза потемнели, а тени под ними углубились. И тут случилось невероятное: она слабо вскрикнула и обвила руками шею Джонаса.

Если до этого он еще сколько-нибудь сомневался, что находится у нее в плену, то в этот миг все его сомнения рассеялись. В огне охвативших его эмоций Джонас притянул Рэйчел к себе и крепко сжал в объятиях. Она тут же опомнилась, отстранилась и повела его в дом. Ее прелестный подбородок, смутно вырисовывающийся в полумраке прихожей, чуть подрагивал.

— О Джонас,— прошептала она.— Вы ведь простите меня за то, что я так бросила вас тогда? Я не подумала...

Джонас дотронулся до ее щеки, надеясь, что рука его дрожит меньше, чем голос.

— Вы прощены. Почему вы плакали?

Ее ответ потонул в потоке едва различимых слов и всхлипываний. Она нашла работу и тут же, в этот же день, потеряла ее. Она отчаялась когда-нибудь отыскать отца и уже сомневалась, следовало ли ей вообще приезжать в Сиэтл.

Джонас слушал, нежно глядя в ее исхудавшее лицо, но где-то внутри него шевелилось смутное беспокойство. Основой ее несчастья был Гриффин Флетчер: казалось, его клеймо лежало как на ее лице, так и на каждом обворожительном изгибе ее тела. Если Гриффин еще не успел овладеть ею, причина этого была вовсе не в том, что она этого не захотела.

Джонас нарочно решил придерживаться взятого с самого начала легкомысленного, небрежного тона, который, как он считал, был наиболее уместен в данной ситуации.

— Умойся, ежик, и переоденься. Мы поужинаем в отеле «Сиэтл» и обдумаем планы на завтра.

Нерешительность, возникшая на лице Рэйчел, привела его в исступление.

— В отеле?

Джонас заставил себя улыбнуться:

— В ресторане, ежик, — не в номере для двоих.

Улыбка сверкнула в ее глазах и чуть разрумянила чересчур бледные щеки.

— Я буду готова через несколько минут. А пока познакомьтесь с мисс Каннингем и капитаном Фразьером.

Капитан Фразьер? Это имя пронзило Джонаса как молния, отбросив на задний план все мысли о Гриффине Флетчере. *«Боже милостивый,* — подумал он, чувствуя, как улыбка медленно сползает с его лица. — *Это невозможно!*»

Но это было так. В скромной, опрятной гостиной мисс Каннингем, развалившись в кресле перед потрескивающим в камине огнем, сидел Дуглас Фразьер собственной персоной. Джонас едва удержался от того, чтобы не толкнуть Рэйчел назад, к двери и не приказать ей бежать.

— Дуглас, — вместо этого произнес он, склонив голову в приветствии.

Синие глаза капитана сверкнули в знак того, что он

узнал Джонаса, и под золотисто-рыжими усами появилось некое подобие улыбки.

— Джонас,— изумленно произнес капитан, поднимаясь с кресла.

Рэйчел, собиравшаяся представить их друг другу, выглядела растерянной.

— Так вы знакомы?

— О, разумеется,— улыбнулся капитан.

Джонас слегка подтолкнул ее, шепнув:

— Переодевайтесь — мы опоздаем.

Рэйчел тут же повиновалась, оставив Джонаса Уилкса и Дутласа Фразьера в гостиной в состоянии молчаливой конфронтации. Джонас сглотнул подступивший в горлу ком и молча слушал ритмичное тиканье часов. Наконец Фразьер заговорил.

— Итак, ты тот самый бесчувственный негодяй, который разбил сердце этой девушки,— довольно дружелюбно заметил он.

Эти слова подтвердили опасения Джонаса касательно Рэйчел и Гриффина, но он постарался не видать своей реакции на реплику капитана.

— Она моя, Фразьер. Я собираюсь жениться на ней.

Фразьер поднял брови.

— Неужели? — скептически спросил он.— Зная бурную историю твоей жизни, должен сказать, что я удивлен.

Джонас закрыл глаза. Почему он не заметил «Чайна Дрифтер» в порту, среди других кораблей? Он снова нервно сглотнул и встретился с неподвижными глазами Фразьера.

— А я, зная тебя, Дутлас, предупреждаю — убери от нее руки.

Фразьер засмеялся, но в его позе ощущалась определенная настороженность.

— Она стоит вдвое больше обычного,— сказал он.

— Сколько? — отрывисто спросил Джонас.

Капитан притворился, что колеблется:

— Ну, раз уж я имею дело с тобой, это зависит от некоторых деталей.

— От чего?

— От того, девственница она или нет. Если она невинна, мне заплатят любые деньги.

Про себя Джонас содрогнулся, но был уверен, что выглядит таким же спокойным и беспечным, как Фразьер. Во всяком случае, он надеялся, что это так. Ложь — а он в душе молился, чтобы это действительно было ложью,— прозвучала абсолютно естественно:

— На этот раз тебе не повезло, Фразьер. Она не так невинна, как кажется.

Фразьер наблюдал за ним очень внимательно:

— Я не верю тебе, Уилкс. В любом случае уж это мои клиенты могут очень легко подтвердить или опровергнуть.

Джонас почувствовал, как на него накатила волна тошноты.

— *Сколько?* — повторил он.

Капитан назвал ошеломляющую сумму.

— Утром ты получишь чек,— ответил Джонас, и в комнату, свежая, как морской бриз, впорхнула Рэйчел.— По рукам?

Капитан добродушно улыбнулся:

— По рукам.

Джонас схватил Рэйчел под руку и потащил ее прочь из этого дома с такой скоростью, что девушке с трудом удавалось идти с ним рядом.

— Что же такое вы купили у капитана Фразьера? — спросила Рэйчел, удивленно расширив глаза, когда Джонас помог ей забраться в коляску и сел рядом, взяв в руки вожжи.

Его улыбка казалась приклеенной к лицу.

— Нечто совершенно мне необходимое. Ну, так что тебе заказать на ужин?

Несмотря на все грустные события прошедшего дня и на ощущение какого-то странного недомогания во всем теле, в этот вечер Рэйчел очень приятно провела время. Она едва притронулась к великолепному ужину — свежей треске с рисом и зеленым горошком,— заказанному для нее Джонасом, но зато с удовольствием посмотрела в помещении Оперного театра постановку «Гамлета» в исполнении какой-то заезжей труппы актеров.

Несколько раз во время представления Рэйчел чувствовала на себе взгляд Джонаса и поворачивалась, чтобы посмотреть на него. В зале было очень темно, и девушка не могла разобрать выражения его лица, но поворот головы Джонаса подтверждал, что он действительно наблюдает за ней.

Когда представление закончилось и на стенах театра зажглись газовые светильники, взгляд золотистых глаз Джонаса был направлен в другую сторону. Он торопливо провел Рэйчел по центральному проходу зала и через роскошное фойе, где другие зрители обменивались мнениями о качестве только что просмотренного спектакля.

Гроза снаружи стихала, и западный ветер уносил ее прочь. Подойдя к коляске, Джонас схватил Рэйчел за талию и довольно бесцеремонно посадил на сиденье. Он стоял неподвижно, глядя на нее в упор, в его рыжеватых волосах блестели дождевые капли.

— Эту ночь ты проведешь у меня в отеле.

Сердце чуть не выскочило у Рэйчел из груди.

— Что?

— Джонас обошел коляску с другой стороны, взобрался на место рядом с девушкой и решительно хлестнул лошадь вожжами по спине.

— Ты меня слышала, — сказал он.

Рэйчел окаменела, стиснув руки под синим плащом. Ее охватило ощущение нереальности происходящего, к тому же у нее все сильнее кололо в груди.

— Джонас Уилкс, не смейте везти меня в этот отель!

В тусклом свете керосиновых фонарей, освещавших улицу, его лицо выглядело угрюмым и неподвижным. Вскоре они остановились перед простым двухэтажным деревянным зданием.

— Я закричу, — пригрозила Рэйчел.

Стиснув зубы, Джонас нажал на тормозной рычаг.

— Попробуйте закричать, Рэйчел Маккиннон, и я немедленно отшлепаю вас прямо здесь, на улице!

ГЛАВА 18

Рэйчел знала, что Джонас слов на ветер не бросает, но не собиралась послушно идти за ним в этот отель, словно какая-нибудь уличная девка. Она занесла руку, собираясь дать ему пощечину, но он сжал ее запястье до боли знакомым движением. *«Гриффин»,* — тоскливо заныло что-то внутри нее, в той части ее естества, которая сгорала от наслаждения в нежном, требовательном плену его рук, при его прикосновении к ее обнаженной беззащитной груди...

Зачем опять думать об этом? Рэйчел покраснела, опасаясь, как бы Джонас не прочел ее воспоминания по глазам.

На мгновенье ей показалось, что все-таки прочел.

— Ты больше не вернешься в этот дом, — в ярости заявил он. — Ни сейчас, ни когда-либо потом. Завтра я привезу твои вещи.

Ошеломленная, Рэйчел вытаращила на него глаза. Всего несколько минут назад она считала его своим другом!

— Вы сошли с ума! — наконец прошипела она.

Резким движением он отпустил ее руку, и его желтые глаза сверкнули.

— Пока «Чайна Дрифтер» не покинет порт, Рэйчел, я ни на минуту не выпущу тебя из вида. Лучше смирись с этим, поскольку у тебя все равно нет выбора.

— Я еще могу закричать! — хриплым шепотом напомнила ему Рэйчел. Боль в легких усиливалась, голова казалась ватной, и ей все труднее становилось сосредоточиваться на чем-либо, кроме своего желания поскорее добраться до постели.

Джонас раздраженно вздохнул:

— Здесь, рядом со Скид Роуд, женский крик никого не удивит, Рэйчел. Так ты идешь со мной или нет?

— Не думаю.

Он равнодушно пожал плечами:

— Прекрасно. Возможно, мне следует все же позволить Фразьеру продать тебя одному из его богатых друзей-иностранцев.

Рот Рэйчел открылся сам собой; холодок ужаса возник где-то в низу живота, поднялся к больному горлу. Она не в силах была выжать из себя ни слова.

А Джонас продолжал все с тем же мрачным безразличием:

— Ты вполне подошла бы на роль наложницы при дворе китайского императора. А если тебя не устраивает такая перспектива, то есть немало уединенных ранчо в таких местах, как Мексика, Бразилия, Аргентина...

У Рэйчел закружилась голова. Комплименты капитана Фразьера, которые ей было так приятно выслушивать, теперь приобрели зловещий смысл. *Многие богатые мужчины были бы счастливы жениться на такой девушке, как вы, Рэйчел, и я могу представить вас некоторым из них.*

«Нет, это все глупости,— подумала она.— Конечно, Дуглас не способен на подобные вещи!» Рэйчел сунула руки под мягкие складки плаща на коленях, но пальцы все равно мерзли.

— Я не уверена, что вы руководствуетесь более возвышенными побуждениями, Джонас Уилкс,— сказала она.

Вдруг, совершенно неожиданно, Джонас расхохотался. Жесткое, упрямое лицо его немного смягчилось.

— Ежик, если быть абсолютно честным, то больше всего на свете мне хочется отнести тебя в мою комнату и наброситься на тебя самым бесстыдным образом.— Он на мгновенье отвел глаза, потом снова взглянул на девушку. За усмешкой в его глазах мелькнуло другое, мучительное чувство.— Когда ты станешь моей, Рэйчел,— а это непременно случится,— ты будешь готова к этому.

Рэйчел была шокирована откровенностью его заявления:

— Это неслыханно!

Он снова рассмеялся и выпрыгнул из коляски. Через мгновенье он уже стоял с той стороны, где сидела Рэйчел, и смотрел на нее.

— Пойдемте же, моя дорогая Рэйчел,— дружелюбно произнес он.

Рэйчел вздрогнула, но не двинулась с места, неподвижно уставившись на керосиновый фонарь над дорогой. Она решила было закричать, но тут же передумала. У нее болело горло, легким не хватало воздуха, и ни в ком из проходящих мимо мужчин нельзя было заподозрить ничего, даже отдаленно напоминающего рыцарские чувства.

Спокойный голос Джонаса чуть отдавал издевкой:

— У тебя две секунды, ежик. И не забывай — если ты не примешь правильного решения, тебе потом придется целый месяц сидеть на подушках.

Она нехотя повернулась на сиденье:

— Вы обещаете, что не...

Джонас поднял руку в торжественной клятве:

— Обещаю, ежик.

И может, это было неосмотрительно, но Рэйчел поверила ему.

— Ладно,— сказала она.

Джонас взял ее за талию и снял с сиденья. Девушка вся дрожала от страха, огорчения и пронизывающего ночного ветра.

Жестом собственника и покровителя Джонас обнял Рэйчел за талию и ввел в скромно обставленный холл отеля. Единственный оказавшийся в наличии служащий, тощий, похожий на студента парень, встретил Джонаса почти подобострастной улыбкой:

— Мистер Уилкс!

Рэйчел показалось, будто она вдруг превратилась в невидимку. Парень, вроде бы, ее вообще не заметил.

Джонас самодовольно улыбнулся:

— Добрый вечер, Херберт. Как дела в университете?

Херберт просиял:

— Прекрасно, сэр. Просто прекрасно.

— Хорошо. Надеюсь, моя комната свободна?

— Как всегда, мистер Уилкс, — ответил клерк, протягивая бронзовый ключ.

— Хорошо, — повторил Джонас. После чего, таща за собой Рэйчел, пересек маленький, опрятный холл и зашагал вверх по деревянной лестнице.

— Почему они все время держат для вас комнату? — поинтересовалась обуреваемая множеством сомнений Рэйчел, когда Джонас отпер массивную дверь и толкнул ее внутрь.

Он улыбнулся:

— Все очень просто, ежик. Это моя собственность.

— Комната?

— Отель.

Рэйчел покраснела. Одно дело — поверить Джонасу, сидя в коляске на улице, и совсем другое — стоя на пороге его комнаты. Господи, ну почему же она не попыталась закричать или просто убежать?

— Зачем вы это делаете? Вы были добры ко мне только для того, чтобы заманить сюда?

Прижав указательный палец к ее губам, Джонас заставил ее замолчать:

— Тихо. Я привел тебя сюда, потому что не хочу, чтобы тебя силой увезли на «Дрифтере». Я не собираюсь заставлять тебя ложиться со мной в постель — по крайней мере, сейчас.

Рэйчел очень устала и к тому же была больна. Неужели она могла так ошибиться в капитане Фразьере? Он казался ей таким джентльменом!

А Джонас Уилкс? Кто он — подлец и негодяй, каким его считают Молли и Гриффин, или благородный спаситель?

«Скорее всего, и то, и другое», — с горькой иронией подумала Рэйчел.

В комнате было пугающе темно, пока Джонас не чиркнул спичкой и не зажег несколько керосиновых ламп. Их мягкий, спокойно льющийся свет заставил Рэйчел отпустить дверной косяк, за который она держалась, и войти в помещение.

Комната не выглядела роскошной; как и холл, она была скромно обставлена, что казалась почти спартанской. Здесь имелся платяной шкаф — его дверца была приоткрыла, и Рэйчел увидела рукава пиджаков и рубашек, штанины брюк и край кожаного чемодана. В одном углу, возле окна, стоял письменный стол; в другом — маленький круглый столик, окруженный стульями с прямыми спинками.

Кровать, однако, была огромной, и ее тяжелая, украшенная причудливой резьбой спинка была выполнена из какой-то темной, тяжелой на вид древесины. Отведя глаза от кровати, Рэйчел поймала на себе взгляд Джонаса. Он уже снял промокший от дождя пиджак и стоял возле полированного бюро, держа в одной руке графин с какой-то янтарной жидкостью, а в другой — стакан.

— Ты так невероятно красива! — сказал он.

Взгляд Рэйчел невольно снова упал на постель.

— Пожалуйста, Джонас... отвезите меня обратно к мисс Каннингем, прямо сейчас.

— Нет.

— Если вы этого не сделаете, я подниму такой шум, что ваша репутация будет погублена навсегда.

Джонас тихо засмеялся и поднял стакан в насмешливо-приветственном жесте.

— Будь моей гостьей. А репутация моя давно погублена, так что хуже она не станет.

Голова Рэйчел раскалывалась от боли, все тело обмякло от усталости. Тихий всхлип вырвался из ее груди, эхом отозвавшись в полутемной комнате. Чувствуя себя совершенно разбитой, она подошла к кровати и тяжело опустилась на ее край. Она не видела Джонаса, но услышала звон стекла о стекло и стук каблуков его сапог под деревянному полу. Когда Рэйчел подняла затянутые пеленой слез глаза, он стоял рядом, протягивая ей хрустальный бокал.

— Это поможет тебе заснуть, — мягким, ободряющим голосом проговорил он.

Дрожа, Рэйчел взяла бокал:

— Вы обещали...

Он присел возле нее на корточки и заглянул в глаза.

— Я помню, милая, — сказал он. — И я сдержу слово. Ты будешь спать в постели, а я на полу.

Спокойный, размеренный ритм речи Джонаса оказывал гипнотическое действие, и она выпила сладкое согревающее содержимое бокала. Она не помнила, что было потом.

Гриффин пошевелился, и его грудь и пах тут же пронзила острая, невыносимая боль. К горлу подступила тошнота. Он открыл глаза, преодолевая вызванное этим головокружение, и провел мысленный медосмотр своего организма. Треснувшие ребра — по его подсчетам, четыре — и возможно, перелом. В остальном все было в порядке.

— Гриффин?

Судя по звуку голоса, Филд стоял где-то за его спиной.

— Черт возьми, Филд, подойди сюда, чтобы мне было тебя видно.

Лицо друга, напряженное и невероятно усталое, склонилось над Гриффином.

— Как ты себя чувствуешь?

— Как в аду, — хриплым шепотом ответил Гриффин. — Достань мне из шкафа шприц и морфий.

Его раздражало то, с какой неохотой Филд воспринял его просьбу.

— Ты думаешь, это разумно, Гриффин? Я имею в виду, может, тебе не стоит...

Гриффин выругался:

— Проклятье, Филд, кто здесь врач — я или ты?

Филд, однако, все еще колебался:

— Это прекратит боль?

Гриффин засмеялся, и это оказалось больно. Очень больно.

— Нет, это не прекратит боль. Просто мне станет так хорошо, что будет на нее наплевать.

Филд принес требуемое из врачебного шкафчика, но лицо у него было испуганное.

— Что дальше?

— Теперь наполни эту дурацкую штуковину и вспрысни состав мне в руку.

Филд побледнел, глядя на шприц и ампулу, лежащие у него на ладони.

Слава Богу, внезапно рядом возникла Молли, с взлохмаченными волосами и опухшими от бессонной ночи глазами.

— Дайте это мне! — нетерпеливо велела она. Филд повиновался с заметным облегчением.

Гриффин с улыбкой наблюдал за тем, как Молли наполнила шприц и поднесла его к пробивающемуся в окно тусклому предутреннему свету. Она выдавила из шприца несколько капель жидкости, на случай попадания внутрь воздушных пузырьков, протерла Гриффину кожу на внутренней стороне предплечья спиртом и впрыснула лекарство.

Через несколько минут морфий начал действовать. Мучительная боль схлынула, став слабой и пульсирующей. Но что-то было не так: у Гриффина появилось неприятное ощущение, будто он находится вне своего тела и теряет над ним всякий, даже слабый, контроль. Он еще ни разу не пользовался морфием, и, когда наркотик обрушился на него всей своей мощью, поклялся ни за что не пользоваться им впредь. Внутри него начали рушиться преграды — такие необходимые преграды! Одному Богу известно, что он может сказать или сделать за следующие несколько часов.

Какое-то время он спал — или думал, что спит. В одно мгновенье он лежал на диване в своем кабинете, в следующее стоял высоко на горе, в лесу, наблюдая, как огромное дерево падает, раздавливая его отца. Рядом стояла Афина; потом черты ее стали расплываться и на ее месте оказалась Рэйчел.

Крики отдавались в груди Гриффина, словно эхо в глубокой пещере. Он не знал, слышны ли они людям вокруг, или это всего лишь безмолвный вопль его души.

Рэйчел проснулась в огромной кровати — встревоженная и абсолютно голая. К ее величайшему облегчению, Джонас спал не рядом с ней, а, как и обещал, на полу.

У нее мелькнула было мысль о бегстве; но даже краткая оценка ситуации убедила Рэйчел в том, что это невозможно. Джонас, завернувшийся в теплое ворсистое покрывало, лежал прямо перед дверью. Была ли эта мера предпринята для того, чтобы не дать уйти Рэйчел, или чтобы не дать войти капитану Фразьеру, оставалось только гадать.

В открытое окно вливался поток солнечного, чистого после дождя воздуха, но у девушки не было желания прыгать на землю с высоты второго этажа.

Рэйчел казалось странным ее вялое, болезненное состояние и отрешенное. Она натянула одеяло до подбородка и повернулась на бок. И в этот момент Рэйчел ощутила резкую боль в нижней части правого легкого. Медленно, стараясь не делать резких движений, она опять перекатилась на спину, но пронзительная, дергающая боль не исчезла. В комнате вдруг стало слишком жарко, а потом, почти мгновенно, слишком холодно. Рэйчел чихнула, и этот непроизвольный акт оказался столь мучительным, что она застонала.

Джонас стоял возле ее постели, без рубашки, еще окончательно не проснувшийся и обеспокоенный. Его голос звучал сначала словно у самого уха Рэйчел, потом стал едва слышен:

— Рэйчел... что такое... отдыхай... я приведу врача... просто отдыхай.

Тьма чередовалась со светом, жар — с холодом, краткие мгновения с вечностью. Это был мир противоположностей.

Рэйчел опять услышала голос Джонаса и еще один, который она не узнавала.

— Дождь,— гудел незнакомый голос.— Состояние критическое... переутомление... плеврит...

Вокруг была темнота. Рэйчел скользила вниз по гладкой ледяной горе. Только сознание того, что внизу простирается бесконечность, заставляло Рэйчел цепляться за склон, ведущий в пропасть, и удерживаться на нем из последних сил.

Джонас был в отчаянии. Когда доктор ушел, он принялся лихорадочно метаться взад-вперед по маленькой комнате. Дыхание Рэйчел превратилось в терзающий душу Джонаса хрип, лицо и руки были горячими на ощупь. Она могла умереть.

Вдруг, если он оставит ее одну — совсем ненадолго, только чтобы отнести чек Фразьеру,— она умрет в его отсутствие?

Панический страх охватил Джонаса при этой мысли, и он остановился посреди комнаты, пытаясь побороть его. И все же ему необходимо было уйти. Что бы ни случилось, надо встретиться с Фразьером и отдать деньги. В противном случае, даже если Рэйчел выживет, ее ожидает такая судьба, которая хуже смерти.

Джонас распахнул дверь в коридор и закричал:

— Херберт!

В ответ по ступенькам застучали шаги, но это был отнюдь не ночной клерк. Вместо него появилась грузная, усталая на вид женщина с растрепанными седыми волосами.

— По утрам мой Херберт в колледже, мистер Уилкс! — пролепетала она.

Джонас на мгновение прикрыл глаза, сожалея, что рядом нет невозмутимой миссис Хаммонд, чье присутствие действовало на него столь успокаивающе. Затем он протянул женщине ключ от комнаты и рявкнул:

— Оставайтесь в этой комнате, пока я не вернусь. Закройте дверь и никого не впускайте. Вы поняли? *Никого!*

Мать Херберта выглядела растерянной.

— Но как же я узнаю, что это вы, когда вы вернетесь? — жалобно спросила она.

Джонас уже устремился мимо нее в сторону лестницы.

— Внизу есть другой ключ — я воспользуюсь им.

Холл был пуст. Промчавшись по нему, Джонас выскочил наружу, в теплоту летнего дня. Он взглянул на залив и чуть не ослеп от серебряного сияния солнца на сапфировой воде.

Оказавшись во внушительном помещении своего банка, Джонас настрочил платежное поручение на выписку чека. Сумма так поразила робкого клерка, что поднялся переполох. Джонас так разорался, что все банковские служащие удрали со своих рабочих мест, и продолжал орать, пока президент банка не вышел из своего кабинета, чтобы самолично уладить дело. Все эти проволочки доводили Джонаса до исступления. Наконец, когда ему стало совершенно невтерпежь выполнить бесчисленные проверки и перепроверки, подсчеты и пересчеты, он гаркнул:

— Чтобы все было готово через пять минут! — и выбежал на улицу.

Здание телеграфа располагалось по соседству, и Джонас продиктовал две телеграммы — обе были адресованы в Провиденс.

Первая была очень короткой:

ХАММОНД. ПРИЕЗЖАЙТЕ НЕМЕДЛЕННО
ОТЕЛЬ. ДЖОНАС.

Вторая, давшаяся Джонасу ценой огромных моральных усилий, была лишь немного длиннее:

ГРИФФИН. ЧАЙНА ДРИФТЕР В ПОРТУ.
ТОРОПИСЬ Д. У.

Когда Джонас снова ворвался в банк, чек был готов. Он выхватил его из рук клерка и во второй раз стремительно вылетел наружу.

Джонас к этому времени порядком устал; заставив себя остановиться, он вспомнил, что забыл взять напрокат коляску и лошадь на извозчичьем дворе. Но на улице было полно стоявших на привязи лошадей, и он позаимствовал одну из них. Не обращая внимания на возмущенные вопли владельца, он пришпорил перепуганного пегого жеребца и пустил его галопом. Через несколько минут, прискакав к дому мисс Каннингем, он привязал украденную лошадь к частоколу и понесся по дорожке к дверям. С трудом переводя дыхание, Джонас повернул ручку звонка.

Дверь отворилась почти мгновенно, и в проеме возникла массивная фигура капитана Фразьера. Облаченный во фрак, с любезной улыбкой на физиономии, он выглядел истинным джентльменом.

Опираясь одной рукой о косяк, Джонас другой вытащил из кармана пиджака чек и протянул его Фразьеру.

— Так ты даешь слово? — произнес он хриплым, задыхающимся шепотом.

Фразьер взял чек и исследовал его быстрым, жадным взглядом.

— Даю, — после долгого молчания ответил он.

Джонас развернулся, прошел, пошатываясь, по деревянной дорожке и тяжело забрался в седло.

Обратный путь вниз по холму казался бесконечным, и у Джонаса было достаточно времени, чтобы пожалеть о многом из того, что он сделал. Вчера вечером он мог бы быть добрее к Рэйчел, вместо того чтобы дразнить ее недомолвками, заставляя сомневаться в том, сдержит ли он свое обещание не прикасаться к ней. И уж конечно он мог выбрать более подходящее время для расправы над Гриффином Флетчером.

Джонас обогнал конку, звук ее колокольчика испугал жеребца, и он попятился. Однако Джонас легко заставил животное слушаться и снова пустил его рысью.

Но даже на своей предельной скорости конь был слишком тихоходен. *«В следующий раз кради беговую лошадь»,* — посоветовал себе Джонас. В квартале от своего отеля он чуть не столкнулся с повозкой. Вскоре, бросив загнанную лошадь там, где он ее взял, Джонас помчался в отель.

Он уже начал подниматься по лестнице, когда до его ушей донеслись громкие женские причитания. Охваченный паникой, он на мгновенье прислонился к стене; в душе его не осталось ничего, кроме ярости, смешанной со страхом.

Он оторвался от стены и пулей влетел на лестничную площадку и дальше, в коридор. Дверь его комнаты была распахнута настежь, и крики матери Херберта стали слышнее.

«Господи, — взмолился Джонас. — *Только не дай ей умереть! Пожалуйста, прошу тебя, только не дай ей умереть!»*

На пороге Джонас застыл. Кровать была пуста.

— Где она? — спросил он, не сознавая, кричит или говорит шепотом.

Зареванная женщина медленно поднялась с пола. На лбу у нее зияла глубокая рана, рукав поношенного ситцевого платья был разорван, обнажив пухлое плечо.

Джонасу понадобилось все его самообладание, чтобы не схватить ее и со всего размаху не швырнуть снова на пол. Он закрыл глаза, привалился к дверному косяку и прошептал:

— Что случилось?

ГЛАВА 19

Было жарко. Невыносимо жарко.

Рэйчел открыла глаза. В пустоте над ней появилась китаянка. Глаза ее были опущены. Рэйчел почувствовала у своих губ деревянную ложку.

— Пить, — убеждала ее китаянка.

«Господи, значит это правда — все, что говорил Джонас, — с ужасом подумала Рэйчел. — *Дуглас привез меня в Китай!»* Она застонала, отворачиваясь от сидящей возле нее женщины.

— Пожалуйста, пить, — умоляла женщина. — Делать сильным.

Рэйчел не хотелось быть сильной. Ей хотелось умереть.

Но женщина оказалась очень настойчивой:

— Пить.

Рэйчел выпила, ощутив на языке вкус какого-то незнакомого напитка на травах. Но как она могла оказаться в Китае? Путешествие туда занимает много времени, даже на самом быстроходном корабле, а кажется, будто только вчера Джонас угощал ее ужином и водил на спектакль, — и потом заставил провести ночь в его комнате в отеле.

Но она ведь тогда заболела. Возможно, они были в плавании, пока в ней происходила эта странная борьба на самом краю сознания. Может быть, она была без памяти много месяцев! Ощущение какого-то движения Рэйчел действительно помнила, но смутно. Нет, то движение было тряское, с толчками. Корабли плавно скользят по воде, плавно, конечно, если не попадают в шторм.

Она выпила еще немного травяного чая.

— Где я?

— Сиэтл, — прозвучал равнодушный ответ.

Сиэтл. Достань у нее сил, Рэйчел издала бы вопль радости. Когда ее стало клонить в целительный сон, девушка поддалась ему безо всякого сопротивления. На этот раз ее не ожидала борьба в темноте.

С выражением необъяснимого, интуитивного страха в глазах Молли Брэйди стояла в прохладном помещении магазина с корзинкой для покупок в руке, неподвижно глядя на сложенную телеграмму. Во рту у нее пересохло от волнения, когда она, наконец, распечатала телеграмму, адресованную доктору Флетчеру.

ГРИФФИН. ЧАЙНА ДРИФТЕР В ПОРТУ.
ТОРОПИСЬ. Д. У.

Молли остолбенела. *Д. У.* — разумеется, Джонас Уилкс. И этот нахал еще срочно вызывает Гриффина, хотя лучше кого-либо другого знает, как трудно — и даже опасно — тому сейчас путешествовать!

Выйдя из магазина, при свете дня Молли еще раз перечитала телеграмму и была озадачена. Почему Гриффина должно интересовать наличие в порту какого-то корабля?

Высоко над головой, в небесной лазури, чайки продолжали выкрикивать свои нескончаемые пронзительные жалобы. Но Молли не обращала на них никакого внимания; она медленно, в задумчивости переходила улицу.

«Чайна Дрифтер». Почему это название все же вызывало у нее смутную тревогу?

Она брела сквозь палаточный городок, лишь смутно слыша дружеские приветствия женщин, которые, воспользовавшись хорошей погодой, стирали одежду и одеяла. Молли рассеянно улыбалась и время от времени произносила «доброе утро», не обращаясь ни к кому в отдельности. Когда-то она сама жила в палаточном городке, и ей не хотелось, чтобы окружающие думали, будто она теперь считает себя лучше других только потому, что работает у доктора.

По дороге через лес, расположенный между палаточным городком и домом доктора, Молли вдруг остановилась и глубоко задумалась.

Главным источником доходов Гриффина были акции в корабельной компании. Если бы Гриффин жил на свои заработки врача, Бог свидетель, ему бы пришлось голодать.

Молли вздохнула. Может, «Чайна Дрифтер» — один из этих судов? Но если это так, то зачем Джонасу Уилксу, при их вражде с Гриффином, беспокоить себя и телеграфировать, что корабль стоит в порту? Ведь суда, приносившие доход Гриффину, постоянно приходили и уходили, доставляя различные грузы в Сиэтл и неизменно увозя лес.

От внезапного предчувствия у Молли засосало под ложечкой. Это ловушка. Джонас пытается обманом вызвать Гриффина в Сиэтл, где с ним может произойти любой несчастный случай.

Успокаивающий, пахнущий морем ветерок зашелестел в верхушках деревьев. От нечего делать Молли стала теребить отстающий кусочек коры земляничного дерева. Гриффин уже начал поправляться — устрашающие последствия инъекции морфия прошли,— но ему по-прежнему было трудно и больно двигаться. Если что-то в этом странном послании вытащит его из постели и заставит отправиться в эту сумасшедшую поездку в Сиэтл, результаты могут быть самыми плачевными.

Молли страстно хотелось скомкать ненавистную телеграмму в бумажный шарик и забросить подальше в лес, где та будет лежать до тех пор, пока не сгниет, но она знала, что не сможет этого сделать. Ведь существовало такое понятие, как честность, и у Молли этого качества было больше, чем ей требовалось. Расправив плечи, она приподняла одной рукой юбки и зашагала домой.

Реакция Гриффина оказалась именно такой, какой Молли опасалась. Прочитав телеграмму, он побледнел, и его лицо словно окаменело.

— Фразьер, — прошептал он, и в его устах это имя прозвучало как ругательство.

Молли стояла рядом, ломая руки и глядя, как Гриффин смял бумажный лист в комок и в гневе швырнул его об стену.

— Гриффин, это какая-то ловушка — неужели вы не видите, что это ловушка?

Но Гриффин уже сел в кровати и яростно схватился правой рукой за край укрывавшего его одеяла.

— Молли, выйди отсюда, если не хочешь смотреть, как я одеваюсь.

Молли повернулась и вышла из комнаты, но осталась стоять в коридоре рядом с дверью. Было невыносимо слышать, как Гриффин борется с самим собой; он выдвигал ящики комода, роясь в поисках одежды, и из-за двери доносились сдавленные стоны и ругательства.

— Молли! — позвал он через несколько минут.

Молли торопливо вбежала в комнату и увидела своего хозяина, побелевшего от боли и вцепившегося в край бюро. Он каким-то образом умудрился влезть в брюки и сапоги, но рубашка болталась на нем незастегнутая, открывая тугую повязку, стягивающую его грудную клетку.

— Застегни эту проклятую рубашку! — рявкнул он, опустив край бюро.

Молли знала, что хозяин не потерпит проявлений жалости с ее стороны, и скрыла ее под маской неодобрения и непоколебимого благоразумия. Застегивая пуговицы своими ловкими, умелыми пальцами, она бормотала:

— Бога ради, Гриффин, как вы предполагаете совершить такую поездку? Вы даже не в состоянии застегнуть собственную рубашку! Парохода не будет еще несколько часов, а верхом ехать вы не сможете!

Когда Молли осмелилась взглянуть Гриффину в лицо, его темные глаза сверкали.

— Джонас имел все основания послать мне эту телеграмму, Молли. Если это то, о чем я думаю, я должен ехать.

— С каких это пор вы заодно с Джонасом?

— С тех самых пор, как «Чайна Дрифтер» стал на якорь в Сиэтле,— на ходу бросил Гриффин, метнулся к выходу из спальни и стал ощупью пробираться вдоль темного коридора к лестнице.

Молли шла рядом, стараясь не показывать виду, что готова подхватить Гриффина, если он начнет падать.

— Что же может быть настолько важным, чтобы вы так рисковали из-за этого?

— Рэйчел,— ответил он. И через несколько мгновений уже стоял у подножия лестницы, держась для равновесия за балясину перил. В его лице не было ни кровинки, и Молли видела, каких усилий Гриффину стоило даже просто удержаться на ногах.

— Да прислушайтесь же вы к голосу разума! — закричала она, и в ее голосе смешались любовь и страх.— Это может убить вас!

Его взгляд, исполненный ужасного отчаяния, был абсолютно непреклонен.

— Я лучше умру,— прохрипел он,— чем позволю Дугласу Фразьеру собственноручно доставить Рэйчел одному из тех негодяев, с которыми он имеет дело!

Молли открыла рот, но слова не шли у нее из горла. Гриффин тем временем, цепляясь руками за мебель, рывками продвигался в сторону кухни. Молли удалось лишь выдавить из себя:

— Он продает *людей?*

— Точнее говоря, женщин,— ответил Гриффин, роясь в буфете, где хранил деньги.— Никому еще не удавалось это доказать, но как только Фразьер оказывается поблизости, молодые леди вдруг начинают таинственным образом исчезать. Он действует умно — возможно, он уговаривает их, и они соглашаются уехать добровольно.

— А потом?

Гриффин сунул деньги в карман брюк, и его глаза блеснули яростью.

— А потом они обнаруживают, что стали личной собственностью какого-нибудь богатого старого развратника в Сантьяго, Гонконге или Мексике.

К горлу Молли подступила тошнота. Женщина мягко коснулась рукава Гриффина — тот уже открывал заднюю дверь.

— Бог в помощь, Гриффин Флетчер, — прошептала она.

Он легонько поцеловал Молли в лоб, ободряюще сжал ее плечи, повернулся, спустился по лестнице и заковылял в сторону конюшни.

Молли стояла у окна, когда через несколько секунд он вышел из конюшни вместе с Билли и конем Темпестом. Перебрасываясь словами, которых Молли не могла слышать, она запрягли лошадь в коляску. Молли закрыла глаза, на ее глазах показались слезы. А в сердце родилась пламенная молитва.

— Что случилось? — повторил Джонас, поражаясь собственному терпению.

Мать Херберта все еще всхлипывала и заламывала руки.

— У них был ключ... Я думала, это вы... один из них ударил меня...

Глубоко вздохнув, Джонас заставил себя говорить в спокойном тоне:

— Сколько их было — и как они выглядели?

Лицо женщины было скорбным, рана на ее лбу слегка кровоточила.

— Их было четверо, мистер Уилкс, — рослые, сильные мужчины с загорелыми лицами. Они ворвались сюда, схватили девушку, и я сказала себе: «Марлис, ты ничего не сможешь сделать, кроме как закричать». Я закричала, и один из них вернулся и ударил меня!

Ярость пульсировала в венах у Джонаса, застилала кровавой пеленой глаза. Его провели — Фразьер получил и его деньги, и Рэйчел тоже. Сейчас он уже, наверное, на борту «Дрифтера», и умирает со смеху при мысли, как ловко обманул его.

К тому же Рэйчел больна — тяжело и опасно.

Джонас старался не представлять себе возможных последствий всего этого, иначе впал бы в бешеную и бесполезную панику. Нет, он должен что-то придумать. Он обернулся и долго смотрел на дверь напротив своего номера. Окна этой комнаты выходили на улицу и бо́льшую часть залива.

Он прокрался по коридору, будто выслеживая кого-то, и подергал дверь. Она была заперта. Джонас отступил на шаг, занес левую ногу и ударил. Замок поддался с оглушительным треском, и дверь, скрипя петлями, распахнулась. Подбежав к окну, он отдернул занавески и осмотрел тихие, безмятежные воды гавани. Невероятно, но «Чайна Дрифтер» все еще стоял на якоре, и его белые паруса неподвижно висели в теплом, безветренном воздухе.

Из легких Джонаса вырвался хриплый, торжествующий вопль: корабль был заштилен!

Но ведь существуют буксирные суда, напомнил он себе. «Дрифтер» могут вывести из бухты на буксире, через пролив Хуан-де-Фука. За ним простирался открытый океан, где наверняка легко выйти на ветер. Как только Фразьер доберется до океана, не останется никакой надежды задержать его.

Джонас спокойно вышел из отеля и зашагал в сторону Скид-роуд.

Страдая от боли, временами впадая в полубессознательное состояние, Гриффин добрался по суше до Кингстона. Там он оставил лошадь и повозку и уговорил шкипера маленького рыболовецкого суденышка отвезти его на юг, в Сиэтл.

Плата за проезд оказалась высокой, и Гриффин не знал, что воняло больше — отходы от разделки рыбы или сам шкипер. Но все это не имело для него значения. Гриффин стоял у поручней на носу, волевым усилием подавляя боль и испытывая беспредельную благодарность к паровому двигателю за его трудолюбивое пофыркивание.

Было уже темно, когда судно, наконец, с пыхтением вошло в залив Эллиот, но керосиновые уличные фонари вдоль Фронт-стрит отбрасывали на воду золотистые световые кляксы. Гриффин неотрывно вглядывался во мрак, и ему показалось, что он различает знакомый плавный силуэт «Мерримэйкера» — судна, контрольным пакетом акций которого он владел.

— Пожалуйста, пусть это будет «Мерримэйкер», — прошептал он, обращаясь к любым высшим силам, которые только могли его слышать.

Затем, едва рыболовецкое судно причалило, Гриффин угрюмо распрощался со шкипером и, перескочив через борт, очутился на качающейся под ногами скрипучей пристани. Как только его ноги коснулись твердой поверхности, резкая боль тут же пронзила пах и вырвалась в грудной клетке. Гриффин пошатнулся, но удержал равновесие и медленно двинулся к берегу. За его спиной рыболовецкое судно уже отплыло обратно, в сторону залива.

Чтобы отвлечь внимание от жгучей боли, Гриффин сосредоточился на стуке каблуков своих сапог, на шуме разбивающегося о сваи прибоя, на знакомых запахах смолы, опилок и керосина.

Достигнув идущего вдоль причала деревянного тротуара, Гриффин повернул в сторону огней и разнузданного веселья Скид-роуд. Визгливый смех какой-то проститутки эхом отражался от поверхности темной воды, кое-где забрызганной лужицами жиденького света.

Он вспомнил нежный теплый смех Рэйчел и ускорил шаг.

Китаянка опять пыталась накормить ее: Рэйчел чувствовала настойчивые прикосновения деревянной ложки к своим губам. Ей так хотелось спать!

Рядом раздался голос мужчины, резко и быстро заговорившего на непонятном языке; он приподнял ее голову с подушки, и в этот момент Рэйчел открыла глаза. При виде его лица она от удивления разинула рот, и женщина, воспользовавшись этим, немедленно сунула туда ложку.

Рэйчел чуть не поперхнулась напитком и пробормотала:

— Чанг?

Повар из палаточного городка и не посмотрел на нее; вместо этого он стал ругать женщину, сидевшую по другую сторону лежанки Рэйчел. Бедняжка задрожала, опустила глаза и засеменила прочь, исчезнув за занавеской из позвякивающих бусин.

Чанг вздохнул, и его взгляд застыл, остановившись на чем-то над самой головой Рэйчел.

— Мисси в большой беда, — сказал он.

Хотя силы Рэйчел восстанавливались с каждой минутой, она все еще была очень слаба.

— Чанг, ты должен помочь мне. Если бы ты нашел мистера Уилкса...

Худое лицо Чанга окаменело.

— Не найти Уилкса! — отрезал он. — Он сказать Чанг уходи, не приходи назад!

От отчаяния глаза Рэйчел наполнились слезами.

— Это ведь по моей вине ты потерял работу? Это из-за того, что мы тогда поспорили в столовой.

Казалось, китайца удивили ее слова, но он ничего не ответил.

Рэйчел ощупью нашла его руку и вцепилась в нее.

— Чанг, умоляю, — не дай капитану Фразьеру продать меня, пожалуйста. Меня сделают рабыней в чужой стране.

Чанг равнодушно пожал плечами, но в его глазах мелькнула тень печали, говорящей о том, что он слишком хорошо знает, что значит быть чужестранцем и рабом.

— Если Чанг говорит, капитан бить — может убить.

— Нет! Мистер Уилкс защитит тебя — и твою жену! Я знаю, я уверена.

Китаец заколебался. После мучительно долгого молчания он спросил:

— Мисси женщина Уилкса?

Рэйчел почувствовала ком в горле, но это не помешало ей произнести спасительную ложь:

— Да!

Чанг опять задумался. Он все еще думал, когда Рэйчел снова соскользнула под бархатное покрывало сна.

В начале Скид Роуд Гриффин остановился. Он был уверен, что Джонас находится где-то поблизости. Но где? Чтобы обыскать каждый салун, потребуется целая ночь, а Гриффин не обладал таким запасом времени.

Он достал из внутреннего кармана пиджака сигару и спичку, чиркнул спичкой по подошве правого сапога и глубоко втянул в себя дым. Мимо прошмыгнула проститутка, оглянулась на Гриффина и остановилась.

— Привет, красавчик,— протянула она; лицо ее оставалось в тени.— Ты выглядишь одиноким.

Гриффин старался, чтобы свет фонаря не упал на его разбитое лицо: это отпугнет бедную девушку, и он не успеет узнать от нее то, что ему нужно.

— Я здесь по делу,— отозвался он лишенным всяких эмоций голосом.

— Я тоже!— хихикнула девушка.— Чем Хлоя может помочь тебе, милый?

Гриффин извлек из брючного кармана купюру и, даже не посмотрев на нее, протянул проститутке:

— У меня к тебе несколько вопросов, Хлоя. На сегодня это все.

Хлоя, лица которой по-прежнему не было видно, выхватила бумажку у него из рук:

— Хлоя любит легкие деньги, красавчик. Спрашивай.

— Ты не знаешь, «Чайна Дрифтер» все еще в порту?

Хлоя снова захихикала. Ее смех звучал скрипуче и неестественно, в нем слышалось скрытое отчаяние.

— В порту, в порту, милый. Мне тоже будет жаль,

когда он отплывет: в команде полно любителей поразвлечься.

— Не сомневаюсь, — спокойно заметил Гриффин. — У меня к тебе еще один вопрос: ты знаешь человека по имени Джонас Уилкс?

— Конечно, милый: кто на Скид-роуд не знает Джонаса Уилкса?

— Ты видела его сегодня вечером?

— Он в «Шанхае», угощает выпивкой каждого, кто подсаживается к нему за столик.

— Спасибо, — сказал Гриффин, поворачиваясь и направляясь в сторону игорного дома и салуна «Шанхай».

Вслед ему в темноте раздался настойчивый голос Хлои:

— Эй, красавчик, не торопись...

— В другой раз, — бросил через плечо Гриффин.

Через пять минут он обнаружил Джонаса именно там, где, по словам Хлои, тот обретался, — пытающегося напоить до чертиков целую ораву морячков.

При виде Гриффина он вскочил на ноги. Его лицо, осанка, нервные движения рук — все выдавало чудовищное напряжение.

— Наконец-то ты приехал! — закричал он.

Гриффин вздохнул:

— Где мы сможем поговорить?

Джонас швырнул на стол внушительную купюру, оставляя своих новоиспеченных друзей пьянствовать на полную катушку.

— Снаружи. Черт, ты неважно выглядишь.

Гриффин ядовито усмехнулся:

— Да. Меня переехал поезд.

Демонстрируя безупречные манеры, Джонас распахнул одну створку двери, пропуская Гриффина вперед.

— Просто ужасно, Грифф. Ты обычно так хорошо выглядишь — по крайней мере, прилично.

Гриффин толкнул вторую створку и, придерживая ее, упрямо не двигался с места.

— После тебя, Джонас. Я суеверен.

— Суеверен? — нахмурился Джонас.

Гриффин кивнул:

— Когда я поворачиваюсь к тебе спиной, это, как правило, плохая примета.

Джонас грубо расхохотался.

— Это верно, — сказал он. — Верно. — И вышел из салуна в теплую звездную ночь спиной к своему кузену.

ГЛАВА 20

Они двинулись вдоль побережья, и ни один из них не заговорил, пока Скид-роуд не осталась далеко позади.

— Она у него, — наконец сказал Джонас боязливым, почти жалобным голосом. — Рэйчел у Фразьера.

Гриффин сам удивлялся своему спокойствию. Даже постоянная боль в паху и в ребрах начала стихать, как будто ему удалось вытеснить ее на другой уровень сознания, отложить на потом.

— Ты был в полиции?

Джонас стоял, облокотясь о деревянные перила и глядя на призрачные силуэты кораблей в гавани.

— Конечно, — резко бросил он.

— И что?

— Они обыскали «Дрифтер». Рэйчел там нет.

Гриффин пробормотал проклятье.

— Джонас, ты уверен, что она у Фразьера? Откуда ты знаешь, что она не ушла сама?

После краткого молчания Джонас начал рассказывать. Пока он говорил, Гриффин с трудом удерживался от того, чтобы не схватить его за горло и не задушить.

— Я приехал в город, чтобы найти Рэйчел. Она остановилась в пансионе на Сидер-стрит, и кого, ты думаешь, она мне представила? Своего соседа по пансиону — капитана Фразьера. Я сразу понял, что у него на уме, и когда я предложил ему деньги, он их взял. Как идиот, я целую ночь продержал Рэйчел в моей комнате в отеле — я должен был догадаться, что произойдет.

У Гриффина пересохло во рту, он до боли сжал кулаки.

— И что произошло?

— Я не спал с ней, если ты об этом спрашиваешь. Но утром, пока я относил деньги Фразьеру, его люди ворвались в комнату и забрали ее. Боже мой, Гриффин, если бы я только отвез ее назад в Провиденс...

— Но ты этого не сделал.

В приступе бешеного отчаяния Джонас сжал кулаки и стукнул ими по деревянному ограждению, которое отделяло тротуар от залива.

— Гриффин — это еще не все.

Гриффин вздохнул:

— О Боже!

— Она... она больна. Я думаю, это из-за дождя — или из-за всего того, что ей пришлось пережить, — я не знаю. Я нашел врача, и он сказал, что у нее плеврит. Как я уже сказал, когда я вернулся, она исчезла.

— Ты оставил ее одну? — Эти слова были произнесены шепотом.

Джонас покачал головой:

— Конечно нет. Я нашел женщину, которая оставалась возле нее, пока я отсутствовал. Но справиться с ней головорезам Фразьера, мягко говоря, не составило труда. Гриффин, что нам делать?

Несколько минут Гриффин пытался привести в порядок свои запутанные мысли и чувства. Все сводилось к одному печальному факту: если они не найдут Рэйчел до того, как Фразьер тронется в путь, ей лучше будет умереть, даже если она выживет после плеврита.

— Собери своих людей, Джонас, и позаботься о том, чтобы никто не всходил на борт и не спускался с борта «Дрифтера» без твоего ведома. Если никого из твоих... людей нет поблизости, думаю, я смогу убедить помочь нам команду «Мерримэйкера».

— А ты?

— Я собираюсь выяснить, где Фразьер прячет женщин. Если ее нет на борту «Дрифтера», она должна находиться где-то поблизости. Я думаю, что Фразьер двинется в сторону океана перед самым рассветом.

Джонас мрачно кивнул:

— Он хитер, Гриффин. Он может догадаться, что мы будем следить за «Дрифтером».

— Он знает об этом.

— Тебе не кажется, что он может использовать другой корабль? Он может уплыть, пока мы будем наблюдать за «Дрифтером».

Гриффин энергично покачал головой!

— Он негодяй, Джонас. Я не знаю ни одного капитана, который захотел бы с ним выпить, не говоря уж о том, чтобы стать сообщником в таком деле. В любом случае, следи за всем, что вызовет у тебя хоть малейшее подозрение.

На этом мужчины простились: Джонас остался где был,— в виду величественного «Чайна Дрифтера»; Гриффин заторопился обратно на Скид Роуд.

На поиски капитана «Мерримэйкера» потребовалось более часа, но в конце концов Гриффин нашел его. Остановившись возле убогой хижины позади одного из салунов, он прошептал:

— Линсдэй, вылезай оттуда!

Послышался звук быстро собираемой одежды.

— Черт побери, кто это? — загремел Малаки Линсдэй, капитан клипера «Мерримэйкер».

— Это Гриффин. Вытряхивайся.

Скрипучая деревянная дверь хижины отворилась, и в проеме возник мускулистый, средних лет мужчина.

— Проклятье! — вместо приветствия произнес он. — Это ты! Какого черта ты отрываешь от развлечений человека, который два месяца был в море?

В темноте за спиной полуголого моряка плаксивый женский голос разразился непристойной бранью.

— Мне нужна твоя помощь,— просто сказал Гриффин.

Натягивая рубашку, Малаки витиевато выругался:

— Разрази тебя гром, Флетчер, здесь у меня лучшая

девчонка, какую можно отыскать в этом проклятом месте. Если ты вытащил меня из-за какой-то чепухи...

Гриффин сам поразился предельной искренности своего ответа.

— Фразьер забрал женщину, которую я люблю,— проговорил он, чиркнув спичкой по обветшалой стене хижины и зажигая вторую сигару.

Пламя спички осветило лицо Малаки, на котором оставило след каждое мгновение его долгой нелегкой жизни.

— А я-то думал, шериф графства Сан-Матео отстранил этого вонючего хорька от дел еще два года назад, когда он пытался продать дочь того банкира из Сан-Франциско.

Гриффин глубоко затянулся сигарным дымом:

— Значит, ты не заметил «Дрифтера» на якоре в гавани? Похоже у тебя с глазами стало плоховато, Малаки.

Издевка явно задела старого моряка за живое.

— Я вижу, ты все такой же языкастый наглец, каким был всегда,— ощетинился он.— Видно, старый Майк мало тебя порол.

— Так ты видел корабль или нет? — оборвал его Гриффин.

— Да, я видел корабль! — прогремел Малаки.— Только я считал, что там новый капитан. Значит, ты говоришь, надо найти Фразьера и разбить ему физиономию?

Гриффин вздохнул:

— Выходи побыстрее, ладно? Я не могу ждать всю ночь!

Под пронзительные и несколько слишком красноречивые протесты проститутки Малаки Линсдэй закончил процесс одевания, напялил старую фуражку и следом за Гриффином вышел из грязного прохода между лачугами на Скид-роуд.

Не прошло и двадцати минут, как к пристани стали подтягиваться матросы с «Мерримэйкера» — полупьяные и полные решимости сразиться с командой «Чайна Дрифтера».

Малаки все больше нравилась перспектива предстоящей потасовки:

— Что, если нам просто захватить «Дрифтер» и подождать на борту?

Джонасу эта идея явно оказалась по душе, но Гриффин уже с тревогой всматривался в темноту, туда, где на склонах холма раскинулся Сиэтл.

— Я хочу проверить, не собирается ли он везти ее по суше в Такому или еще куда-нибудь. Малаки, ты знаешь Фразьера. Где он прятал свой «товар», когда прокручивал дела в Сан-Франциско?

Малаки на минуту задумался, почесывая заросший щетиной подбородок огромной мускулистой рукой.

— Скорее всего, в китайском квартале.

— Ясно, — сказал Гриффин и повернулся, намереваясь уходить. — Будем надеяться, что у этого ублюдка постоянные привычки.

Дугласу Фразьеру было не по себе, и он уже начинал сомневаться, стоило ли из-за одной темпераментной молодой женщины, какой бы очаровательной она ни была, идти на такой риск. Со скрипом подпрыгивая на неровностях грязной дороги, экипаж въехал в китайский квартал. Фразьер ощутил тоску по плавной качке палубы под ногами.

Стиснув зубы и пытаясь подавить раздражение, он вспомнил ту ночь, когда обнаружил Рэйчел, одиноко бредущую по Скид-роуд. Это продолжало его беспокоить — порядочные молодые девушки избегают подобных мест. В раздумье Дуглас прикрыл глаза и запрокинул голову. Девственница ли она, или Уилкс тогда сказал правду? Рамирес за считанные минуты пребывания с ней наедине определит, невинна она или нет. И он не заплатит обещанную цену, если сделка его не устроит.

Дуглас вздохнул. Можно сначала распорядиться, чтобы Чанг Су осмотрела ее и выяснила истинное положение дел.

Экипаж с дребезжанием остановился, и Дуглас выпрыгнул наружу, наслаждаясь бодрящей прохладой ночного воздуха. Но сомнения по-прежнему не оставляли его в покое. Рэйчел провела ночь в постели Джонаса Уилкса. К восторгу тех, кого он послал за ней, она была совершенно голой.

Дуглас Фразьер чертыхнулся. Может, следовало взять чек Уилкса и соблюсти условия сделки? Может, это было бы более разумно? В конце концов, невинность ясноглазой нимфы была под большим вопросом. К тому же она была больна и могла вообще не перенести путешествия.

Он с раздражением постучал в дверь хижины. В нос ему ударила вонь тухлой рыбы и отбросов; он удивлялся, как эти желтые черти могут жить в подобных условиях. Но они так равнодушны ко всему...

Что-то просвистело в воздухе, и затылок Фразьера пронзила резкая боль. Колени его подогнулись, и он со стоном ударился головой о деревянный порог.

Чанг Во оттащил капитана с порога в тень; Фразьер был тяжелым, и это занятие отняло несколько драгоценных минут. Потом китаец опустился на колени и связал руки капитана за спиной.

Оставался кучер. Он ничего не слышал, но мог что-то заподозрить, если капитан не появится в условленное время. Обдумывая это обстоятельство, Чанг нашел платок Фразьера и, свернув в комок, протолкнул этот кляп между зубов капитана поглубже в глотку.

Этот человек был похож на огромного рыжего льва. Когда он очнется, веревки недолго смогут сдерживать его: ярость придаст ему сил.

Чанг прокрался обратно в хижину, где лежала Су, расстроенная и перепуганная.

— Ты убил? — прошептала она, поднимая глаза на брата. — Ты убил морского льва?

Чанг потряс головой, недовольный ее испугом, но слишком хорошо понимая его обоснованность.

— Мисси готова?

— Она много болеть. Не ходить.

Чант зашел слишком далеко, чтобы теперь повернуть назад. Он ударил Фразьера, который сейчас, возможно, уже начал шевелиться там, в темноте.

— Мы несем, — сказал он.

Подхватив вялую от слабости девушку с двух сторон, они тихонько выбрались через единственную дверь и крадучись двинулись но ночной улице, стараясь держаться в тени, когда шли мимо капитанского экипажа.

Бесчестным образом добыв коляску и лошадь, Гриффин поехал вверх по холму в сторону китайского квартала. Состоящее из покосившихся лачуг и населенное беднотой, это место определенно не вызывало чувства гражданской гордости.

В свое время, когда надо было строить железные дороги, этих тихих, скромных желтокожих людей встречали здесь с распростертыми объятьями. Их ценили за способность выполнять тяжелейшую работу по четырнадцать часов подряд, работать старательно и без жалоб, за то, что они, со свойственной им сговорчивостью, соглашались закладывать динамит на таких опасных участках, куда другие идти отказывались.

И все это за чашку риса и ничтожную плату.

Гриффину вспомнились злобные выступления против китайцев в середине десятилетия. Как только дороги были проложены, рабочих мест стало меньше. Конкуренция становилась все более жесткой, и готовность желтых работать за мизерную плату больше не превозносили — ее презирали.

Гриффин сплюнул. Такова благодарная человеческая натура. «Вы исполнили свою роль. Убирайтесь домой».

Когда он завернул за угол и выехал на другую улицу, сердце его вдруг сжалось неприятным предчувствием. В свете луны он увидел экипаж и обезумевшего от ярости человека — белого человека, судя по тембру голоса и характеру речи.

Инстинктивно Гриффин затормозил, надеясь, что в суматохе появление его коляски прошло незамеченным.

Фразьер. Этот орущий маньяк — Фразьер. Гриффин затаил дыхание.

— Говорю вам, не было никакого экипажа! — гнусила темная фигура на козлах. — Эти китаезы, наверное, пешком проскользнули мимо меня в темноте.

От злобы и паники Фразьера начало пошатывать.

— А я тебе говорю, что ты врешь, Хадсон! Сколько тебе заплатил Уилкс?

— Капитан, клянусь, здесь никого не было!

Фразьер грозно двинулся к экипажу и вскочил на козлы, сбросив дрожащего кучера на землю. Хадсон трусливо пополз в спасительную густую тень пихтовой рощицы.

Лунный свет был ярким. Если бы Фразьер обернулся в сторону Гриффина, то непременно увидел бы его и понял, что противник его настиг. Но гигант был слишком поглощен какими-то своими планами.

Возвышаясь на козлах подобно горе, Фразьер нагнулся, взял в руки поводья и снова выпрямился. Гриффин наблюдал со смесью ненависти и восхищения, как капитан справился с упряжкой испуганных лошадей и красивым, свободным движением развернул фаэтон.

Все существо Гриффина жаждало крови Фразьера; однако доктор в ожидании замер на сиденье коляски. Пережив самую длинную минуту своей жизни, он легонько стегнул поводьями по спине лошади и двинулся вслед за фаэтоном на безопасном расстоянии.

Очень скоро стало ясно, что Фразьер направляется обратно к побережью, возможно, предполагая удрать. Какими бы ни были его намерения, искать Рэйчел капитан, похоже, не собирался.

Гриффин ощутил смесь облегчения и отчаяния. Где теперь Рэйчел? Жива ли она?

Набежавшее облачко скрыло луну, окутав все вокруг

мраком, потом оно проплыло, и она снова засияла. Перед коляской возникло маленькое существо с косичкой и начало бешено размахивать руками:

— Доктор Флетчер? Доктор Флетчер!

Гриффин остановил лошадь и стал всматриваться в темноту. Серебристый лунный луч осветил беспокойное лицо китайца.

— Чанг?

Тот энергично закивал.

— Вы брать мисси! — умоляюще прошептал он, исчез в темноте и появился снова с Рэйчел, зажатой между ним и хрупкой испуганной китаянкой.

Рэйчел! Гриффин так стремительно соскочил с коляски, что от соприкосновения ног с землей все его израненное тело содрогнулось от боли, голова закружилась. Он глубоко вздохнул и поднял бесчувственную Рэйчел на руки.

Девушка зашевелилась, из горла ее вырвался сдавленный звук:

— Нет...

Гриффин закрыл глаза и прикоснулся лбом к ее лбу. Он не мог выдавить из себя ни слова утешения или ободрения.

Чанг обеспокоенно подергал его за рукав:

— Мисси сказать Чанг получить работу назад. Скажи мистер Уилкс: Чанг снова работать.

Гриффин открыл глаза:

— Если он не возьмет тебя, это сделаю я. Но лучше никому не попадайся на глаза, пока «Дрифтер» не уплывет.

— Негде Чанг прятаться! — запротестовал китаец тонким от испуга голосом.

Гриффин осторожно положил Рэйчел на сиденье коляски, вытащил из кармана скомканные банкноты и протянул Чангу все, кроме нескольких долларов!

— Это тебе поможет.

Чанг уставился на деньги, не веря своему счастью.

— Купить лошадь, — наконец выдохнул он. — Купить повозку.

— Приходи ко мне, как только вернешься в Провиденс, — сказал Гриффин, осторожно взбираясь на коляску. — Да, Чанг: спасибо тебе.

В следующее мгновение, перешептываясь на ходу, Чанг и женщина исчезли в темноте.

Гриффин приподнял Рэйчел, сел, затем снова опустил девушку так, чтобы ее голова лежала у него на коленях. Ее ровное дыхание звучало в ночи подобно музыке. Он проверил ее пульс, прижав пальцы к точке под правым ухом, и улыбнулся. Ей нужен покой и уход, но она выздоровеет. От осознания этого у Гриффина за спиной будто выросли крылья.

Когда Рэйчел достаточно окрепнет, они поговорят о той ночи в лесном поселке, о ночи, освященной их близостью, и о том, что она на самом деле для него значила. Возможно, Рэйчел не захочет и слышать о нем; она может уехать навсегда или даже, упаси Господи, выйти замуж на Джонаса. И Гриффин поклялся себе, что, как бы она ни поступила, он никогда больше не станет притворяться, будто она ему безразлична.

Понимая, что события нынешней ночи еще не закончились, он оставил Рэйчел в надежных руках своих друзей, доктора и миссис Джон О'Рили, и направил лошадь с коляской в сторону припортового района.

«Фразьер, — думал он, прислушиваясь к звукам разгорающейся всеобщей потасовки. — *Берегись!»*

Драка кипела везде — на берегу, на причалах, даже на борту «Дрифтера». С его палубы в воду летели тела, и со всех сторон раздавались крики и стоны. Гриффин оглядел толпу разбуянившихся матросов и в самом центре увидел Уилкса. Стоя спиной к бочонкам с виски, тот как раз нанес Фразьеру мощный удар под дых. Фразьер даже не шелохнулся.

Гриффин перемахнул через ограду и помчался по пристани, чувствуя все нарастающую силу в ногах.

— С Рэйчел все в порядке, — сказал он, чтобы ободрить Джонаса.

Улыбка, мелькнувшая на лице Джонаса, тут же сменилась гримасой боли, так как кулак капитана врезался ему прямо в живот.

Гриффин прикинул, не дать ли этому поединку закончиться его неизбежным результатом, но все же не смог заставить себя повернуться и уйти. Они с Джонасом выяснят отношения потом, на своей территории.

Будто по своей собственной воле его правая нога описала в воздухе высокую изящную кривую, и удар каблука пришелся Фразьеру точно в висок, заставив капитана упасть на колени. Вся пристань содрогнулась от его падения. Дуглас Фразьер был крепкий мужчина, и хотя, вставая с колен и выпрямляясь во весь рост, он выглядел оглушенным, Гриффин знал, что до победы еще далеко.

Фразьер сделал мощный выпад правой, но Гриффин увернулся, ощутив при этом дикую боль в сломанных ребрах. Он направил каблук сапога в горло Фразьеру и проследил, без особого удовлетворения, как капитан снова свалился на колени, а потом, довольно равнодушно, — как тот опять с трудом поднялся. Теперь капитан разозлился не на шутку и бросился вперед очертя голову. Обеими руками он сдавил горло Гриффина, словно медведь, сжимающий ствол дерева. На мгновение Гриффин потерял равновесие: он не мог ни вздохнуть, ни, тем более, двинуться, чтобы ослабить хватку капитана.

И тут совсем рядом, подзадоривая Гриффина, послышался голос Джонаса:

— Он собирался продать Рэйчел, Гриффин. Фразьер хотел продать ее какому-то богатому подонку на потеху.

Это напоминание как взрыв прогремело в сознании Гриффина, затмив его разум. Когда он снова пришел в себя, Джонас и Малаки вдвоем пытались сдержать его, а Фразьер неподвижно лежал на мокрой шаткой пристани.

Гриффин отряхнул с себя вцепившихся в него людей, развернулся и спотыкаясь побрел к берегу. Уже прибыла полиция, и Малаки встретил их красноречивым рассказом о злодеяниях Фразьера.

Тихонько посмеиваясь над иронией ситуации, Гриффин взобрался в краденую коляску и уехал.

ГЛАВА 21

Рэйчел чувствовала, как теплые солнечные лучи ласково касаются ее лица, будто умоляя ее открыть глаза и обратить на них внимание. В ответ ее ресницы затрепетали, но мысль о том, что она могла увидеть, внушала девушке страх.

Она лежала совершенно неподвижно, ожидая ощутить морскую качку, но ее не было. Значит, она не посреди океана, не на пути к тому, чтобы стать жертвой и бесправной рабой какого-то неизвестного ей мужчины. На глазах у девушки выступили слезы благодарности.

Но она и не в хижине Чанга, поняла Рэйчел, пошевелив руками. Там она лежала на узкой койке, а тут определенно были настоящая кровать и постельное белье из какой-то восхитительной и гладкой ткани, которая при малейшем движении Рэйчел шуршала.

Любопытство пересилило страх, и Рэйчел открыла глаза. Чуть поодаль, в кресле-качалке, сидела женщина; она сосредоточенно трудилась над каким-то вязанием и вполголоса напевала себе под нос что-то очень знакомое. У женщины были светлые волосы, и солнце придавало им розовато-золотистые и серебристые оттенки. Будто почувствовав на себе испытующий взгляд Рэйчел, она подняла глаза от вязания — толстого свитера из красной шерсти. Она выглядела молодо, хотя маленькие, едва заметные морщинки уже прорезались в уголках ее темно-голубых глаз и вокруг крупного рта.

— Доброе утро,— приветливо сказала она.— Меня зовут Джоанна О'Рили, и ты здесь в полной безопасности, так что не бойся.

Рэйчел подумала, что не испугалась бы этой женщины даже если бы, проснувшись, увидела ее стоящей возле кровати с занесенным топором в руках.

— Где...

Джоанна О'Рили поднялась с кресла и бросила вязание на сиденье. Пока она шла по комнате, случилось чудо — она вступила в столб золотого солнечного света, опускающегося сверху вниз, будто колонна. В его мягком сиянии женщина вдруг и сама засияла неописуемой, неземной красотой.

Изумление Рэйчел длилось до тех пор, пока она не подняла глаза и не увидела окно, прорубленное прямо в потолке и по форме напоминающее колесо повозки — круглое и со спицами.

Миссис О'Рили уже стояла возле кровати, держа руку Рэйчел.

— Хочешь сейчас увидеться с Гриффином?— спросила она.

Шелковые простыни, эта полная солнечного сияния комната, а теперь еще и Гриффин? Неужели она видит сон? Рэйчел произнесла этот вопрос вслух.

Миссис О'Рили улыбнулась:

— Нет, Рэйчел, ты не спишь.

Украдкой Рэйчел почесала большим пальцем одной ноги ступню другой — просто так, для проверки. Нет, она определенно находилась в реальном мире.

— Как я... где...

Джоанна О'Рили рассмеялась:

— Мой муж и я — мы друзья Гриффина. Он привез тебя сюда прошлой ночью, после того как закончилась эта кошмарная история с капитаном Фразьером. А теперь — можно я впущу его сюда, пока он не извел нас своим постоянным ворчанием и хождением взад-вперед?

Вспыхнув, Рэйчел кивнула:

— Спасибо вам, миссис О'Рили.

— Джоанна.

— Джоанна,— послушно повторила Рэйчел, испытывая и тревогу, и радость одновременно.

Когда через несколько минут Гриффин появился возле ее кровати, Рэйчел застыла от ужаса. Его лицо покрывали такие синяки и ссадины, что он был непохож на себя, одежда находилась в жутком состоянии. На рубашке не хватало пуговиц, и было видно что его грудь забинтована.

— Гриффин, что случилось?

Его обычная усмешка явилась убедительным подтверждением того, что этот избитый незнакомец — на самом деле Гриффин Флетчер, которому давно необходимо побриться.

— Это неважно, русалочка. Как ты себя чувствуешь?

Только тут Рэйчел осознала, что на ней шелковая ночная рубашка, и ощутила, как теплые солнечные лучики касаются ее груди. Девушка покраснела и натянула одеяло до самого подбородка.

Гриффин рассмеялся и покачал головой:

— С моей стороны тебе ничто не угрожает, хотя это не означает, что я не нахожу тебя чертовски привлекательной.

Рэйчел смутилась. Неужели это тот самый человек, который неделю назад в Провиденсе буквально прогнал ее на борт парохода?

Он сжал рукой резную спинку кровати в ногах у Рэйчел и слегка наклонился вперед. Его движения казались осторожными и напряженными — видно, боль в поврежденных ребрах давала о себе знать.

— Подчиняясь строгому распоряжению нашего доброго доктора О'Рили, я не могу находиться в этой комнате более пяти минут. Когда ты окрепнешь, наберешься сил, мы поговорим — разумеется, с твоего согласия.

Рэйчел умирала от любопытства, но была так слаба, что не смогла ничего возразить. Расслабившись, она откинулась на пышно взбитые подушки.

— Когда я наберусь сил,— повторила она, произнося эти слова как обещание.— Гриффин?

Он криво улыбнулся:

— Что?

— Я не знаю, что произошло, но Джоанна рассказала, что ты привез меня сюда и теперь мне нечего бояться, так как все закончилось. Ведь капитан Фразьер не придет за мной, верно?

В темных глазах Гриффина сверкнуло что-то пугающее — и пропало.

— Нет, русалочка. Он не придет.

Взгляд Рэйчел невольно соскользнул на бинты, стягивающие его грудь, потом вновь поднялся к лицу Гриффина:

— Т-тебе так досталось, когда ты пытался помочь мне?

Он покачал своей великолепной головой, и луч солнца, которое, казалось, наводняло комнату, заиграл в его черных спутанных волосах.

— Нет, во всем виновата Молли Брэйди. Понимаешь, она натерла пол в гостиной, а я пошел и поскользнулся...

Рэйчел захихикала:

— Врун.

Гриффин вздохнул, и глаза его словно бы приласкали Рэйчел — или ей это только почудилось?

— Мои пять минут истекли,— сказал он.— Отдыхай.— И вот уже повернулся, собираясь уйти.

Рэйчел вдруг поняла, как тяжело ей будет, когда он уйдет.

— Гриффин?

Он оглянулся в дверях и состроил гримасу шутливого нетерпения:

— Что?

— Спасибо.

Гриффин лишь кивнул, но так, что Рэйчел показалось, будто он подошел и прикоснулся к ней.

В сиянии этого радостного, ясного дня начала лета все происшедшие за ночь события выглядели совершенно нереальными. Гриффин вздохнул и едва заметно улыбнулся. Рэйчел была в безопасности и поправлялась. Остальное не имело для него никакого значения.

Из конюшни, расположенной за красивым кирпичным домом доктора О'Рили, Гриффин вывел лошадь, которую умыкнул прошлой ночью на Скид-роуд, и впряг ее в украденную же коляску. Он вернет и лошадь, и коляску туда, где взял, встретится с Джонасом и купит что-нибудь для Рэйчел.

Вдали, будто соперничая яркой синевой с безоблачными небесами, переливался на солнце залив Эллиот. Дальше, на западе, во всем своем белоснежном величии возвышались скалистыми уступами горы Олимпик-Маунтинс. И леса́ — сколько их раскинулось вокруг. Гриффин никогда не уставал смотреть на их буйную, ослепительную зелень. Ему пришлось сделать над собой немалое усилие, чтобы переключить внимание на оживленное уличное движение.

Оказавшись на Скид-роуд, Гриффин оставил там лошадь и коляску (он еще раньше позаботился о том, чтобы лошадь была накормлена, напоена и вычищена) и пешком отправился обратно, в сторону маленького отеля, где Джонас останавливался во время каждого приезда в Сиэтл. Он не собирался превращать посещение Джонаса ни в визит вежливости, ни в сведение счетов. В Провиденсе они враждовали постоянно — это вошло в привычку, возможно, еще с тех пор, когда их матери имели неосторожность положить их в одну коляску, — но Сиэтл был нейтральной территорией.

Гриффин стремительно прошагал мимо столика дежурного, на ходу приветственно махнул рукой, поднялся по лестнице и постучал в знакомую дверь:

— Джонас? Это я.

— Открыто, — прозвучал равнодушный ответ.

Гриффин вошел, притворив за собой дверь. Джонас все еще лежал в постели, шторы были задернуты, не давая солнечному свету доступа в комнату. Когда Гриффин отодвинул их, то с изумлением увидел миссис Хаммонд, бывшую няню и нынешнюю экономку Джонаса, которая спала, сидя на жестком стуле с прямой спинкой.

— Какого дьявола...

— Не кричи! — с раздражением прошипел Джонас, не выказывая намерения встать с постели. — Она устала.

Гриффин с сочувственным видом кивнул:

— Ей что, нечем заплатить за отдельную комнату?

Джонас невольно рассмеялся:

— Вот нахал. Она могла выбрать себе любую комнату в гостинице, но ей захотелось сидеть здесь и смотреть на меня.

— О вкусах не спорят, — пожал плечами Гриффин, и, скрестив на груди руки, оперся спиной о бюро.

— Тебе следовало бы выступать в здешнем театре, Гриффин. У тебя просто уморительный вид.

— Они предпочли мне толстуху с татуировкой на груди.

Джонас снова рассмеялся и сел на постели:

— Бога ради, Гриффин, заткнись. Не заводись в такую рань.

Наступило короткое молчание; миссис Хаммонд начала храпеть, и они опять расхохотались. Смех разбудил женщину, и она, покраснев, рассерженно воззрилась на них. Затем, бормоча себе под нос что-то насчет того, что надо принести кофе, миссис Хаммонд удалилась.

Веселье тотчас же испарилось с лица Джонаса.

— Как Рэйчел?

— С ней все будет в порядке.

— Где она?

— У моих друзей, Джонас. Об этом-то я и пришел с тобой поговорить.

Джонас был явно раздражен. Он снова опустился на подушки и уставился в потолок:

— Ну что ж, поговорим.

— Нам нужно на некоторое время оставить ее в покое — нам обоим. Ей нужно время и отдых, Джонас. Я обещаю отступиться от нее, если и ты отступишься.

— Ты знаешь, где она, а я нет. Поэтому у меня есть некоторые сомнения, что ты станешь на практике выполнять то, что проповедуешь, Грифф.

— Но если мы вместе вернемся в Провиденс? Сегодня же вечером.

На некоторое время Джонас задумался, переваривая услышанное.

— Ладно — но при одном условии. Мы должны быть уверены, что Фразьер не сможет подобраться к ней и утащить ее неизвестно куда.

— Принято,— ответил Гриффин и направился к двери.— Встретимся через час в здании суда и поговорим об этом с полицией.

— Я буду там.

Уже открыв дверь, Гриффин остановился.

— Там, где она сейчас, она в полной безопасности, Джонас,— сказал он.

— Я надеюсь,— произнес Джонас с едва заметной угрозой.— Да, Гриффин?

— Что?

— Ничего не изменилось.

— Я знаю,— ответил Гриффин. Затем вышел, плотно прикрыв за собой дверь.

За следующие полчаса Гриффин посетил три разных магазина. В последнем из них, маленьком ювелирном магазинчике, он нашел то, что хотел, заплатил за покупку и поглубже засунул коричневый пакетик в карман рубашки.

Выйдя наружу, Гриффин направился в сторону телеграфа. Теперь ему было очень трудно расставаться с Рэйчел даже на несколько дней. И пока он диктовал телеграмму, сообщавшую Молли, что все в порядке, беспокойство не покидало его. А вдруг Фразьера выпустят из тюрьмы? Он может начать искать Рэйчел хотя бы затем, чтобы отомстить за унижения прошлой ночи.

Через полчаса Джонас и Гриффин встретились возле здания суда. Не сказав друг другу ни слова, они вошли внутрь.

Констебль уверил их, что Фразьер никуда не денется. Он пока не приходил в сознание, но даже когда очнется — и *если* очнется,— его не выпустят на свободу. Нет, сэр, в комнате Фразьера в пансионе, так же как и в его каюте на «Дрифтере», было найдено достаточно доказательств, чтобы продержать его в окружной тюрьме до конца дней.

Гриффин взглянул на Джонаса и понял, что они оба думают об одном и том же.

— Я хочу видеть Фразьера,— заявил Гриффин.

Констебль пожал плечами и повел их вниз, туда, где содержались более сотни узников. Фразьер был помещен в отдельную камеру, и его как раз осматривал врач. Джон О'Рили закрыл саквояж, повернулся и встретился взглядом с Гриффином.

Большего невезения невозможно было представить. Джонас был знаком с О'Рили и знал, что, несмотря на разницу в возрасте, коллег связывает тесная дружба. Гриффин украдкой искоса взглянул на Джонаса и заметил в его глазах самодовольную ухмылку. Было ясно, что он догадался, где находится Рэйчел.

— Как он, док? — спросил полицейский, не замечая повисшего в воздухе напряжения.

Джон нетерпеливо потряс дверь камеры:

— Выпустите меня отсюда, Хорас, и я все вам расскажу.

Хорас поспешно выполнил просьбу и повел всех обратно, вверх по лестнице в тесное служебное помещение, где царил невообразимый беспорядок. Джон О'Рили вытащил из кармана измятого пиджака носовой платок и вытер лоб.

— Фразьер в коме,— наконец сказал он.— Честно говоря, я сомневаюсь, что он сможет протянуть до утра, а не то что предстать перед судом.

Хорас выглядел искренне озабоченным, лицо Джонаса было абсолютно непроницаемо. Гриффин не мог бы с определенностью сказать, что испытывает сам,— разумеется, ненависть, но к ней примешивался и стыд. Каким бы ни был Фразьер, он прежде всего,— человеческое существо, и если умрет, это случится по вине Гриффина.

Доктор О'Рили откашлялся, стараясь не смотреть в сторону Гриффина.

— Хорас, ваши люди ищут другого человека — того, кто избил капитана? Его вы тоже хотите арестовать?

Хорас покачал головой.

— Капитан Линсдэй — шкипер «Мерримэйкера» — утверждает, что драка была спровоцирована. — На тяжелом усатом лице констебля изобразилось любопытство. — Хотел бы я посмотреть на это побоище, Джон. Судя по тому, что мне рассказывали, ни мне, ни вам такого еще видеть не приходилось.

Гриффину сделалось тошно. Не говоря ни слова, он покинул здание суда и остановился, неподвижно глядя на уродливую колокольню церкви по ту сторону улицы.

Наконец ему на плечо легла чья-то рука.

— Гриффин, — начал Джон О'Рили своим ровным, размеренным голосом, который так успокаивал его пациентов. — Ты сделал то, что должен был сделать. Не мучай себя.

— Я врач, — прошептал Гриффин.

— Прежде всего ты мужчина. А мужчины порой теряют голову, Гриффин, — особенно когда дело касается такой очаровательной женщины, как Рэйчел.

Гриффин закрыл глаза, вспоминая:

— Я хотел убить его, Джон.

Вздох Джона выдавал его усталость, его пожилой возраст.

— Думаю, наняв того француза, чтобы научить тебя особой борьбе, старый Майк пытался подготовить тебя к жизненным трудностям, но, по-моему, он оказал тебе этим плохую услугу. И не одну. Но старик был упрям как осел — и он хотел, чтобы ты стал грозой лесов.

Открыв глаза, Гриффин вгляделся в лицо своего друга, друга своего отца:

— Вы сделаете для Фразьера все, что будет в ваших силах?

— Ты знаешь, что сделаю, Гриффин. Но если он умрет, не забывай о том, что ничего этого не случилось бы, не будь Фразьер тем, кто он есть. И подумай о том, стоит ли жизнь этого негодяя жизней всех тех молоденьких девушек, которые не окажутся в плену на его корабле и не отправятся в ад. — Помолчав, Джон добавил: —

Если получится так, что ты лишил жизни одного, Гриффин, подумай о всех жизнях, которые спас.

Гриффин тяжело вздохнул и кивнул головой:

— Я пойду немного посплю. Спасибо, Джон.

О'Рили улыбнулся:

— Поспи. И обязательно поешь что-нибудь.— Затем, увидев приближающегося Джонаса, он помрачнел и зашагал к одной из стоящих на дороге колясок.

Джонас ухмыльнулся:

— В отличие от тебя, мой друг, у меня хватило сообразительности нанять экипаж. Подвезти тебя к дому О'Рили, или ты твердо решил идти пешком?

Гриффин выругался.

— Да, Рэйчел у Джона у Джоанны, черт побери, это так! Но, Джонас, упаси тебя Бог даже близко подойти к ней!

Джонас поднял бровь:

— Так ты не доверяешь мне?

— Какого дьявола я должен тебе доверять?

Джонас с напускным безразличием пожал плечами, но глаза его были серьезны.

— Думаю, не стоит тебя за это осуждать — в нашей с тобой жизни всякое случалось.

— Например, как сейчас. Ты собираешься придерживаться нашего договора или нет?

Джонас повернулся и пошел в сторону потрепанной коляски, запряженной столь же ободранной клячей. Он влез на сиденье, взял в руки поводья, и когда Гриффин уселся рядом, ядовито усмехнулся:

— Я сдержу слово, Гриффин,— но сделаю это для Рэйчел, а не для тебя. Как только она поправится, наш договор теряет силу.

Гриффин откинулся на спинку сиденья и устремил взгляд на дорогу.

— Вполне справедливо,— ответил он.

Никогда в жизни Рэйчел не знала такой роскоши. Но теперь, благодаря бесконечной доброте Джоанны О'Рили, девушка буквально купалась в ней.

Первое чудо явилось в виде чайника, полного ароматного чая, который был на подносе принесен в комнату Рэйчел и оставлен на ее ночном столике. Джоанна посоветовала Рэйчел пить, сколько она захочет, поскольку Джон считает, что больным необходимо потреблять как можно больше жидкости.

Вместе с ленчем явилось второе чудо — груши с корицей. Конечно, Рэйчел иногда случалось есть груши, только что сорванные с дерева и покрытые пятнистой жесткой кожурой. Но эти груши были совершенно особенные: очищенные от кожицы и сваренные, они плавали в сладком, пахнущем корицей соусе рубинового цвета.

Восторг девушки позабавил Джоанну:

— Рэйчел, мне кажется, что ты могла бы питаться одними только грушами и сладким чаем.

— Угу, — ответила Рэйчел, блаженно закрывая глаза и дожевывая последний лакомый кусочек. — Мне теперь в жизни не захочется есть никакие другие груши.

Джоанна засмеялась:

— Какая жалость, ведь у нас полная кладовка мятных груш. Они в изумрудно-зеленом соусе.

Рэйчел растерянно уставилась на нее, широко открыв глаза, и ответный взрыв смеха все еще звучал в комнате, когда в открытых дверях появился Гриффин.

Джоанна метнула в его сторону лукавый взгляд и шутливо произнесла:

— Гриффин, любовь моя, если твои намерения в отношении этой молодой леди достаточно серьезны, неплохо тебе было бы посадить целую рощу грушевых деревьев.

Этот совет поверг его в такое замешательство, что Рэйчел буквально распирало от смеха. Она не выдержала и захихикала.

В комической растерянности Гриффин почесал в затылке и пробормотал:

— Что ж, если вас обеих это так развеселило, я рад.

Джоанна состроила ему гримасу, забрала со столика опустевший поднос из-под ленча и удалилась. С ее уходом затих и смех.

Гриффин присел на краешек кровати, и его лицо вдруг стало бледным и усталым. Не задумываясь Рэйчел протянула руку и нежно погладила его по щеке.

— Что такое? — ласково спросила она.

Голос Гриффина прозвучал хрипло, и хотя он не уклонился от ее прикосновения, но отвел взгляд:

— Рэйчел, сегодня вечером я должен вернуться в Провиденс.

Рука Рэйчел медленно опустилась, она откинулась обратно на подушки:

— Ох!

Указательным пальцем Гриффин слегка приподнял ее подбородок:

— Мои пациенты, Рэйчел. Я должен возвращаться к ним.

Рэйчел кивнула:

— Да.

Он резко поднялся на ноги, и на мгновение ей показалось, что он сердится. Но его слова разрушили это впечатление: они вошли в ее сердце, чтобы остаться в нем навсегда:

— Рэйчел, я люблю тебя.

Рэйчел онемела: ее губы двигались, не произнося ни звука. Безумные, восхитительные ощущения закружились в ней, яркие, как краски в калейдоскопе.

Гриффин нежно прижал палец к ее губам. Затем достал из кармана маленький сверток, вложил ей в руку и сказал:

— Я приеду в конце следующей недели, Рэйчел. Поправляйся.

Он наклонился, коснулся губами ее губ и быстро ушел. Дверь спальни тихо закрылась за ним.

ГЛАВА 22

Рэйчел еще долго смотрела на дверь комнаты, не смея поверить тому, что услышала. Гриффин Флетчер *любит* ее — это невероятно!

Она вспомнила о маленьком пакете, который он дал ей, и дрожащими пальцами вскрыла его. В обертке из коричневой бумаги лежал изящный золотой браслет, с которого свисал один золотой брелок — крошечная, выполненная с удивительной тонкостью пила.

Рэйчел засмеялась, потом заплакала. А потом она надела браслет на запястье и стала любоваться им, повернув руку так, чтобы струящийся в окна свет заиграл на поверхности металла, заставив его гореть как огонь. Гриффин действительно любит ее, и та ночь любви в лагере лесорубов значила для него столько же, сколько и для нее. Подтверждением этого был крохотный золотой брелок.

Рэйчел уснула, а когда пробудилась, в доме было совсем темно. На один ужасный момент она испугалась, что ей лишь приснилось, как Гриффин объяснился ей в любви; но тут девушка вспомнила о брелке, поискала его рукой — он был на месте, свисал с ее запястья. Она провела пальцем по зубцам крошечной пилы.

Рэйчел протянула руку и зажгла лампу у изголовья кровати. У нее остались в памяти слова Гриффина, у нее остался браслет; сам Гриффин уехал. Ей казалось, что его отсутствие эхом отдается по всему дому О'Рили подобно звуку огромного печального колокола.

Неделя. Он обещал вернуться через неделю. Рэйчел вытерла слезы, которые выступили на ресницах, и когда

Джоанна внесла на подносе ужин, Рэйчел заставила себя весело улыбаться.

Возможно, ощутив охватившее Рэйчел чувство одиночества, хотя и тщательно скрываемое, Джоанна присела рядом и молча вязала, пока девушка ела. После этого Джоанна достала с полки под окном книгу и начала тихо читать «Сон в летнюю ночь».

Рэйчел задремала, а когда пробудилась от собственных снов, июнь принес с собой лето, и она решила, что изо всех сил будет стараться быстрее поправиться.

Казалось, любовь Гриффина, вместе с этим совершенно особенным браслетом, сотворила какое-то необъяснимое чудо. На следующее утро Рэйчел чувствовала себя настолько лучше, что смогла ненадолго вставать. А через день она поправилась до такой степени, что, немного поворчав, доктор О'Рили разрешил ей отправиться на короткую прогулку в экипаже вместе с Джоанной. Но почти одновременно с огромной радостью эта перспектива вызвала у Рэйчел и отчаяние — у нее не было ничего нового из одежды. Она шепотом призналась в этом Джоанне.

— Не беспокойся об этом, — тут же ответила добрая Джоанна. Открыв двери в дальнем конце спальни, женщина на несколько минут исчезла в чулане. Она появилась оттуда, держа в руках чудесную блузку в бело-розовую полоску и серую шерстяную юбку.

— Надень это, — сказала она, положив этот изящный наряд на кровать Рэйчел.

«Я умру, если они мне окажутся не впору», — подумала девушка и потрогала прелестные вещи, наслаждаясь необыкновенно мягкой на ощупь тканью.

— Они раньше принадлежали Афине, — сказала Джоанна, и в ее темно-голубых глазах появилось выражение грустной отрешенности.

— Афине? — тихо спросила Рэйчел, не уверенная, стоило ли вообще что-то говорить.

Но Джоанна улыбнулась своей доброй улыбкой и с шутливым нетерпением указала на складную ширму рядом с кроватью.

— Афина была... она нашла дочь. Поторапливайся, Рэйчел, пока Джон не изменил своего решения и не запретил тебе сегодня выходить из дома.

Как и та одежда, которую ей отдал Джонас, серая юбка и пестрая блузка Афины оказались Рэйчел идеально впору. И хотя это доставило ей удовольствие, у нее возникло так же смутное ощущение неловкости. В глазах Джоанны появилось такое странное выражение, когда Рэйчел упомянула имя ее дочери! Непонятным было и ее колебание при ответе, словно Джоанна не была уверена, принадлежит ли ее дочь к прошлому или к настоящему. И за всем этим крылось нечто еще, нечто, шевелившееся сейчас где-то в самом дальнем уголке сознания Рэйчел и не поддающееся пока определению.

— Где сейчас Афина? — осмелилась спросить она, когда они с Джоанной спускались вниз по красивой широкой лестнице на первый этаж. *И почему Афина не забрала с собой одежду?*

Джоанна молчала, пока они не вышли в гостиную с мраморным полом. В ее улыбке чувствовалась натянутость, а крохотные морщинки вокруг глаз, казалось, стали глубже.

— Наша дочь в Европе, Рэйчел. Боюсь, жизнь в Сиэтле была для нее недостаточно светской. А сейчас, — Джоанна похлопала Рэйчел по руке, сквозь слабую улыбку в ее глазах проглядывала печаль, — почему бы тебе не подождать вон там, за этими дверьми, пока я спрошу у кухарки, что нужно купить? Из передних окон открывается приятный вид.

Чувствуя сожаление и стыд за свое неуместное любопытство, Рэйчел молча кивнула и вышла сквозь огромные стеклянные двери. Ее немедленно потянуло к окну, потому что за ним виднелась полоска аквамариновой воды.

Затаив дыхание, смотрела она на красоту, открывшуюся ей за прозрачными белыми занавесками. Весь залив Эллиот, сверкающе-синий в ярких солнечных лучах, раскинулся перед ее глазами. Залив бороздили суда всех видов и размеров: быстрые, благородные клипперы и трудолюбивые буксиры, рыболовецкие лодки и пароходы и совсем крошечные пятнышки — должно быть, каноэ и гребные шлюпки. Над всем этим высились грозные, белоснежные вершины Олимпик-Маунтинс. На полоске суши, окаймляющей залив, росли миллионы вечнозеленых деревьев, стоявших так близко друг к другу, что, казалось, между ними не могло поместиться больше ни одно деревце.

Рэйчел на мгновенье зажмурила глаза, охваченная внезапным воспоминанием. Точно такую картину она представляла в то первое хмурое утро в палаточном городке. Как она тогда мечтала навсегда поселиться именно в таком доме, как этот!

Но теперь... о, теперь она отдала бы все, лишь бы опять оказаться в маленьком, неприметном Провиденсе! Лишь бы быть рядом с Гриффином Флетчером.

Она открыла глаза и отвернулась от окна, чтобы рассмотреть комнату, в которой находилась.

Комната была поистине великолепной: сверкающие хрустальные люстры, яркие дорогие ковры, мебель с красивой обивкой. Все здесь казалось громадным по сравнению с обыкновенными комнатами, которые доводилось видеть Рэйчел — в особенности гигантский камин. В изумлении Рэйчел приблизилась к нему, и когда подняла глаза, чтобы проверить, тянется ли он верх до самого потолка, то увидела портрет.

Это было огромное полотно — возможно, в человеческий рост — в раме из позолоченного дерева. Картина изображала прекрасную женщину; Рэйчел не представляла, что простая смертная может быть столь прекрасной: белокурые волосы бледного, почти серебряного оттенка обрамляли озорное, невероятно совершенное лицо. Глаза, огромные и удивительно голубые, казалось, дразнили зрителя, так же как и дерзкая улыбка, чуть изогнувшая нежные губы.

И тут у Рэйчел перехватило дыхание: взгляд ее скользнул на платье женщины... Это было то самое платье из розовой тафты, которое дал ей Джонас, платье, приведшее Гриффина в столь глубокую, бешеную ярость в тот ужасный вечер, когда он так грубо разговаривал с ней, вынудив Рэйчел сбежать из его дома и спрятаться в заведении матери.

Что это значит? В полном изнеможении Рэйчел нащупала кресло и опустилась в него, на секунду прикрыв ладонью глаза. Но портрет, казалось, излучал какую-то магическую силу, заставляя девушку вновь взглянуть на него.

Афина. Конечно, это невероятно красивое создание — дочь Джона и Джоанны.

Рэйчел почудилось, будто в озорных синих глазах, обрамленных густыми ресницами, она заметила вызов — и даже некоторый намек на злобу.

Усилием воли девушка оторвала взор от лица богини и взглянула на золотой браслет на своем запястье. Но, даже сжимая в пальцах миниатюрную пилу, она знала, что Гриффин Флетчер любил эту женщину, Афину,— или ненавидел ее. В любом случае он должен был испытывать к ней поистине сильное чувство, иначе это платье не вызвало бы у него столь бурной реакции.

Джоанна уже стояла рядом с креслом; Рэйчел и не заметила, как та вернулась из кухни.

— Рэйчел, дорогая, ты...— Джоанна подняла глаза на портрет дочери, и голос ее дрогнул.— Ох,— только и произнесла она после долгого, неловкого молчания.

Рэйчел подняла полные влаги глаза на эту женщину, которая была так бесконечно добра к ней.

— Гриффин любил ее, да?— прошептала девушка голосом обиженного ребенка.

Джоанна присела на ручку кресла и ласково коснулась рукой увлажненного слезами лица девушки.

— Да, Рэйчел,— мягко сказала она.— Когда-то Гриффин действительно очень любил Афину. Они даже собирались пожениться.

Под влиянием этих слов Рэйчел на миг даже зажмурилась, потом спросила:

— Что произошло?

На красивом лице Джоанны смешались боль и стыд.

— Я не могу тебе сказать этого, Рэйчел,— это было бы несправедливо, и Гриффин, возможно, никогда не простил бы меня. Ты должна спросить у него самого.

Расстроенная, Рэйчел подняла руку и показала столь дорогой ей браслет:

— Он сказал... он подарил мне это...

Джоанна кивнула, немного успокоив этим Рэйчел, и когда вновь заговорила, в ее голосе прозвучала непоколебимая уверенность:

— Солнышко, если Гриффин Флетчер объяснился тебе в своих чувствах, значит, так оно и есть. В конце концов, они с Афиной расстались два года назад. И могу тебя заверить, что их прощание было отнюдь не романтическим. А теперь — собираемся ли мы прокатиться в экипаже, или мне придется забыть, что у меня важное дело на Пайк-стрит?

У Рэйчел вырвалось что-то среднее между смешком и всхлипом. Она поднялась с кресла и, не взглянув более ни разу на портрет, последовала за Джоанной навстречу сиянию великолепного дня.

Но в этой борьбе ей удалось одержать победу лишь наполовину: хотя глаза не предали Рэйчел и преодолели магическое притяжение образа Афины, зато мысли оказались менее послушными. Все время, пока они ехали вниз по склону и Рэйчел полагалось наслаждаться красивым видом и свежим теплым воздухом, девушка продолжала думать о прекрасной женщине на портрете. Имя очень подходило ей: из всех женщин, когда-либо виденных Рэйчел, она больше всех походила на богиню. Казалось невероятным, чтобы любой мужчина, созданный из плоти и крови и всех сопутствующих этому слабостей, полюбив подобную женщину, потом стал к ней совершенно равнодушен. Рэйчел вздохнула. Гриффин не равнодушен к Афине — в противном случае он не взорвался бы так из-за того платья. Какие воспоминания пробудились в нем при виде этого наряда?

На Пайк-стрит Джоанна на минутку выскочила из экипажа, чтобы зайти в ателье и поговорить с портным. Рэйчел с величайшим удовольствием восприняла эту возможность побыть в одиночестве. Три дня назад в Джонстауне, штат Пенсильвания, воды прорвали плотину и произошло ужасное наводнение. Рэйчел вспоминала об этой трагедии, пытаясь таким образом отвлечь себя от размышлений по поводу Гриффина и Афины.

Когда Джоанна вернулась и кучер помог ей сесть в экипаж, она улыбнулась:

— У тебя такой грустный вид, дорогая, неужели ты все еще думаешь о моей дочери? Она замужем за французским банкиром Андре Бордо и вполне счастлива.

Рэйчел замотала головой и совершенно честно ответила, что думала об ужасных разрушениях в далеком городке в Пенсильвании, унесших столько жизней и причинивших такой материальный ущерб, и о том, с какой внезапностью порой настигает людей беда.

Джоанна грустно кивнула, и Рэйчел знала, что ее сострадание простиралось гораздо дальше простого выражения сочувствия. Миссис О'Рили и ее друзья собирали еду, деньги и одежду для пострадавших с того момента, как весть о бедствии в Джонстауне достигла Сиэтла.

Обе женщины были глубоко погружены в свои мысли, когда экипаж неожиданно и резко остановился. Он слегка покачнулся, когда кучер спрыгнул с козел и подошел к окошку. Его голос был едва слышен из-за траурной музыки духового оркестра.

— Там идет китайская похоронная процессия, миссис О'Рили,— обратился он к Джоанне.— Хотите, чтобы я попытался объехать их?

— Боже мой, конечно нет,— нетерпеливо прошептала Джоанна.— Правильнее всего будет остановиться и подождать.

Кучер заворчал, но влез обратно на свое место и стал успокаивать бьющих копытами лошадей.

— Наклонись вот к этому окну,— велела Джоанна,— и смотри.

Рэйчел не понимала, какой интерес может представлять подобная мрачная процессия для кого-либо, кроме самих участников, но все же наклонилась и выглянула из окошка, как ей было велено.

Печальное шествие возглавлял духовой оркестр. За ним двигались похоронные дроги, украшенные плюмажами из покачивающихся на ветру перьев. Рядом с непроницаемым возничим этой колесницы смерти сидел китаец, который бросал на ветер обрывки белой бумаги. Они взлетали к ярко-голубому небу, будто снежные хлопья, затем медленно скользили вниз, к земле.

— Зачем он это делает? — нахмурившись, спросила Рэйчел.

Джоанна грустно улыбнулась:

— Выглядит странно, правда, — тысячи кусочков бумаги, кружащихся в воздухе? Он пытается обмануть дьявола, Рэйчел: считается, будто злой дух будет так занят, собирая с земли мусор, что потеряет из вида умершего и не найдет до тех пор, пока тот не окажется в безопасности в Небесном Доме.

За катафалком двигалось множество тележек и подвод, битком набитых скорбящими родственниками в темных, похожих на пижамы одеждах и остроконечных соломенных шляпах.

— По пути по Пайк-стрит, в сторону кладбища Лэйквью, они будут много раз поворачивать за угол, — объяснила Джоанна, — это еще один способ обмануть дьявола.

У Рэйчел это вызвало мрачную усмешку:

— Значит, считается, что дьявол очень аккуратен и к тому же может легко заблудиться, — заключила она.

— Да, — согласилась Джоанна, когда показался конец странной процессии.

Последней ехала крытая повозка, наполненная всякого рода пищей: Рэйчел увидела клетки с живыми курами, целую зажаренную свинью и огромные мешки, в которых, вероятно, был рис.

— Это пища для духов?

— Да, — подтвердила Джоанна. — Как и индейцы, китайцы верят, что следует оставлять приношения для тех предков, которые придут встретить усопшего и проводить его к новому дому.

Кучер нетерпеливо ерзал на козлах, отчего сотрясался весь экипаж.

По-моему, это прекрасно — то, как они заботятся об умерших, — заметила Рэйчел.

Джоанна кивнула:

— Да, Рэйчел, это прекрасно. Мне кажется, что китайцы — совершенно удивительный народ. Но здесь, в этой стране, с ними обходятся ужасно. Долгое время они были незаменимы, потому что соглашались работать за такую низкую плату. Но когда железные дороги были построены, китайцы стали помехой для американцев. До сих пор существует закон, по которому им запрещается владеть домами и землей.

Рэйчел очень хорошо помнила бунты, которые вспыхивали в поселках лесорубов и вокруг них в период наивысшего накала страстей вокруг этой проблемы. Когда ей было двенадцать, они проезжали с отцом через Такому, и Рэйчел видела, как китайцев, будто зверей, загоняли в крытые товарные вагоны и увозили. В других местах, таких как Сиэтл, китайцев били и выгоняли из домов. Никто не хотел думать о том, куда деваться этим бессловесным изгоям.

Еще раз Рэйчел остро посочувствовала тем, кто живет между двух культур, не находя своего места ни в одной, тем, кто всю жизнь разбрасывает обрывки бумаги и поворачивает за углы, пытаясь обмануть дьявола.

Экипаж снова тронулся, но вскоре сделал следующую остановку — возле рынка, где Джоанне надо было купить продукты по списку, который дала ей кухарка.

Рэйчел снова осталась одна, но на этот раз она уже не смогла так легко изгнать Гриффина Флетчера из своих мыслей.

Он сказал, что любит ее и дал ей залог своей любви, чтобы она носила его на руке. Как бы невероятно это ни казалось, но он, возможно, даже собирается жениться на ней. И если так случится, сможет ли она рассчитывать на его искреннюю любовь, или же станет для него всего лишь заменой потерянной Афины? В этом случае Рэйчел будет чувствовать себя такой же лишней, как Чанг или Фон Найтхорс, — даже если всю жизнь она будет иметь прочную крышу над головой и полный достаток, у нее не будет настоящего дома.

Рэйчел закрыла глаза, неожиданно испытав как никогда острую тоску по отцу. *«Ох, папа, где ты?»* —

подумала она. И вздрогнула, ощутив, как Джоанна сжала ее дрожащие руки в своих:

— Думаю, на сегодня с тебя достаточно. Я должна отвезти тебя домой и уложить в постель: если у тебя начнется рецидив, Джон меня убьет!

Хотя в ее сердце множество противоречивых чувств сплелись в один болезненный клубок, Рэйчел взглянула на добрую женщину и улыбнулась:

— Почему вы так заботитесь обо мне? Потому что меня привез к вам Гриффин?

Джоанна покачала головой и улыбнулась в ответ:

— Конечно, если бы той ночью Гриффин не привез тебя в наш дом, мы с Джоном, возможно, никогда бы с тобой не познакомились; но теперь, когда тебя узнали, мы тебя очень полюбили.

Рэйчел покраснела и потупила глаза.

— Разве в это так трудно поверить, Рэйчел? — голос Джоанны прозвучал строго. — Что кто-то может полюбить тебя просто так, без принуждения?

Рэйчел не знала, что ответить, и промолчала.

Джоанна добродушно засмеялась:

— Я не собираюсь тебе рассказывать, почему и Джон, и Гриффин, и я считаем тебя такой замечательной. Это может вскружить тебе голову, что совершенно недопустимо, правда?

Но Рэйчел не ответила. Ее пальцы опять нащупали маленький, но такой важный для нее брелок на браслете. Его волшебная сила почему-то ослабела: Рэйчел теперь поневоле все время сравнивала себя с блистательной Афиной.

Афина была прекрасна, наверняка получила образование в престижных школах и, конечно, обладала утонченными манерами. И к тому же она была отчаянно смелой, если решилась жить так далеко от родителей и своей страны. Рэйчел знала, что она сама тоже весьма привлекательна, но ее красоте, безусловно, не хватало божественного совершенства внешности Афины.

Во всем остальном сравнение имело тот же печальный результат: Рэйчел фактически сама занималась своим образованием, и количество пробелов, которые со временем обнаруживались в знаниях, приводили ее в полное отчаяние.

Что касается изысканных манер, то тут, как считала Рэйчел, она была воистину неотесанной деревенщиной, полной невеждой по части таких добродетелей, как умение танцевать, должным образом вести себя за столом и говорить, как подобает истинной леди. Что до смелости — так ее Рэйчел приходилось проявлять, и даже слишком часто, за долгие годы, пока они с отцом странствовали из поселка в поселок. Теперь ей ничего так не хотелось, как обзавестись собственным домом и семьей.

Она как никогда остро ощутила эту потребность, когда экипаж остановился перед большим красивым домом О'Рили. Они были так добры к ней — бесконечно добры, — но она чувствовала себя у них посторонней, так же как была посторонней в пансионе мисс Каннингем, в палаточном городке и в сплошь заставленном книгами кабинете Гриффина. На самом деле — она везде ощущала себя посторонней!

Оставшись одна в отведенной ей очаровательной, залитой солнцем спальне, Рэйчел разделась. На постели лежала свежая ночная рубашка из шелка цвета слоновой кости, отделанная тончайшим кружевом, но Рэйчел была невыносима мысль о том, чтобы надеть ее. Она наверняка тоже принадлежала Афине.

Неожиданно ноги Рэйчел подкосились, и она опустилась на край кровати, сраженная новой ошеломляющей догадкой. Раз то розовое платье из тафты, которое дал ей Джонас, принадлежало Афине, значит, и все остальные вещи, оставленные Рэйчел в пансионе мисс Каннингем, имели то же происхождение. С какой стати одежда Афины оказалась в доме Джонаса, если она была невестой Гриффина?

Рэйчел не могла заставить себя смириться с единственно очевидным ответом на этот вопрос и поэтому выкинула его из головы. Достаточно того, что она оказалась второй в сердце Гриффина и что каждая ниточка в ее одежде раньше принадлежала Афине — как и сам Гриффин.

ГЛАВА 23

У Дугласа Фразьера было такое ощущение, словно его погрузили во что-то черное, постоянно вздрагивающее и густое, как тесто. До него доносилось мало звуков, а те, которые он слышал, доходили в сильно искаженном виде и были неотличимы друг от друга. В течение какого-то промежутка времени ему казалось, что он умер. Однако он чувствовал боль. Ужасную, непрерывную боль. Осознание этого факта привело Дугласа в неописуемый восторг. Значит, он жив.

Звуки становились все отчетливей — он слышал голоса, иногда звук удара металла о металл. И окружавший его темный туман уже не был таким всепроникающим: он все быстрее терял густоту, превращаясь в подобие дымки. Спокойно, целеустремленно Дуглас Фразьер начал борьбу за тот далекий сумеречный свет, который начинал видеть, за возвращение в реальный мир.

Рэйчел Маккиннон проснулась ясным утром с уверенностью, что вот-вот случится нечто ужасное. Четвертое июня. Она посмотрела на дату, навсегда запечатлевая ее в памяти.

Но за окном стояла такая чудесная, солнечная и теплая погода, и Рэйчел чувствовала, что силы возвращаются к ней — как физические, наполняя упругостью мышцы рук и ног, так и душевные. Хотя девушка и сожалела о тихом убежище, которое предоставила ей болезнь, какой-то частью своего существа она больше не желала скрываться от бесконечных побед и поражений, из которых состояла жизнь.

Рэйчел с удовольствием приняла ванну, приготовленную для нее Джоанной и кухаркой в маленькой комнатке на первом этаже; и когда, расчесав и обернув полотенцем мокрые душистые волосы, она села завтракать в солнечной кухне, то обнаружила, что к ней вернулся ее обычный прекрасный аппетит.

Конечно, пока Рэйчел не обзаведется собственным гардеробом, ей придется носить одежду Афины, но теперь девушка отнеслась к этому спокойно. Несмотря на свою молодость, Рэйчел уже научилась с максимальной пользой для себя приспосабливаться к существующему положению вещей и при этом продолжать жить, двигаясь к своей цели.

Позавтракав, она прихватила одну из многочисленных книг Джоанны и выбралась в сад, чтобы просушить волосы на солнце.

Некоторое время Рэйчел размышляла о странном подсознательном ощущении страха, который пронизывал все ее вполне естественные обыденные поступки. Конечно, рассудила девушка, недавние потрясения, перевернувшие ее прежде ничем не примечательную жизнь, могли расстроить нервы кому угодно. Но дело было не только в этом, и, несмотря на ясный погожий день, синь неба над головой и ароматы цветов в саду Джоаннны, Рэйчел не могла отогнать от себя дурных предчувствий.

Вздохнув, она открыла книгу и стала читать научное исследование по истории Англии девятого века. В промежутках между переворачиванием страниц пальцы девушки то и дело ощупывали миниатюрную пилу, свисающую с подаренного Гриффином браслета.

Афина О'Рили Бордо сошла с поезда в Такоме. Это был шумный, крикливый город, и она ненавидела его, но ей казалось, что двадцатимильное плавание на пароходе поможет приготовиться к неизбежным неприятностям, ожидавшим ее в Сиэтле. К тому же Афина тряслась в этом невыносимом поезде почти целую неделю, с того самого момента, как сошла на берег в Нью-Йорке; она решила, что не вынесет больше ни минуты в грохочущем замкнутом пространстве купе.

Давно привыкшая к восхищенному вниманию со стороны работяг и осторожным взглядам китайцев и не обращая на них никакого внимания, Афина распорядилась, чтобы ее чемоданы отнесли на борт парохода «Олимпия», а сама по трапу взошла на палубу.

В глубине души, однако, Афина уже не была так уверена в своей неотразимости и в собственном превосходстве над большинством окружающих ее людей.

Подойдя к поручням по правому борту, она замерла неподвижно, с поднятой головой, и стала ждать. Огромное колесо начало вращаться, с каждым движением поднимая в воздух миллионы радужных брызг. Сиэтл. Афина не могла заставить себя посмотреть в его сторону, хотя «Олимпия» с каждой минутой приближалась к городу.

Что скажут мама́н и папа́, когда она, не сообщив о своем приезде, появится на пороге родительского дома? Вдруг они прогонят ее? Не желая думать о такой возможности, Афина устало прикрыла темно-синие глаза. Они просто обязаны принять ее: у нее не осталось денег, и ей было некуда больше деться.

А Гриффин? Редкие письма матери не оставляли сомнения в том, что он по-прежнему был другом семьи и частым гостем в величественном кирпичном доме, стоящем высоко на холме.

Афина вздохнула. В этом был весь Гриффин. В непостоянном, изменяющемся мире он воплощал в себе наиредчайший его элемент — постоянство. Его поведение было столь же предсказуемо, как движение звезд и планет на небесах. В свое время это качество в нем жутко раздражало Афину, вызывало у нее скуку. Его упрямое нежелание подчиниться воле отца и отделаться от своих надоедливых, вечно ноющих пациентов приводило ее в ярость. Многое из того, чем владел Джонас, могло принадлежать Гриффину, и он отказался от этого ради борьбы с хворями каких-то ничтожных людишек.

Однако с недавних пор это самое его свойство — непобедимая целеустремленность — стало притягивать Афину. Она начала думать о Гриффине с того момента, когда на поверхность стали всплывать первые унизительные свидетельства многочисленных измен Андре.

Афина зажмурилась и в отчаянии стиснула руками поручни. Гриффин никогда, никогда не простит ее. И все же ей надо найти какой-то способ вновь завоевать его.

Понемногу к Афине стала возвращаться свойственная ей самоуверенность — возможно, потому, что без этого качества она просто не могла существовать. Она по-прежнему одна из самых красивых женщин, которых когда-либо видел этот убогий, затерянный на самом краю света, уголок земли, напомнила себе Афина. А Гриффин всегда безгранично, бесконечно нуждался в ней. Несомненно, действуя с умом и снова всколыхнув в нем старое чувство, она сможет одержать победу над его яростной, несгибаемой гордостью.

Афина глубоко вздохнула и открыла глаза. Полагая, что являет собой средоточие всей красоты мира, она не замечала первобытного, буйного очарования земли и моря, деревьев и гор вокруг. Вместо этого она представляла себе праздник, который по ее просьбе устроит мать, свои новые наряды и страсть, которую она сумеет заново разжечь в сердце Гриффина Флетчера.

Утро уже почти перешло в день, когда «Олимпия» пришвартовалась к пристани Сиэтла, и хотя Афина чувствовала себя измотанной долгим путешествием, она была также полна надежд. Она примет ванну, переоденется, может быть, перекусит — и обретет свою обычную ослепительную неотразимость.

На берегу, так же как в Нью-Йорке и Париже, в Лондоне и Риме, светло-серебристые волосы и сверкающая улыбка Афины сослужили ей хорошую службу. Несмотря на небольшую суматоху, она без проблем нашла экипаж и сумела убедить кучера поторопиться.

Уже уверенная в предстоящем теплом приеме, Афина

с нетерпением ожидала встречи со своей ласковой, заботливой матерью, с ворчливым, но безгранично любящим ее отцом. Главной их чертой, как и Гриффина, было постоянство: хотя они, вероятно, по-прежнему недовольны дочерью из-за происшедшего, любовь к ней являлась неотъемлемой частью их натур, которую не мог разрушить даже самый вопиющий скандал.

Устроившись на сиденье экипажа, Афина улыбнулась. Они никогда не изменятся, мама́ и папа́ — они всегда останутся прежними. Джоанна, унаследовавшая солидное состояние, по-прежнему будет заниматься нудной благотворительной деятельностью, не думая о том, что жить в Сан-Франциско или Нью-Йорке было бы намного увлекательнее. Джон, милый старый трудяга, станет по-прежнему лечить неблагодарных, полуграмотных пациентов, не обращая внимания на то, что его усилия редко приводят к каким-либо ощутимым результатам.

Постоянство. Афина снова улыбнулась. Гриффин настолько неизменен, что кажется высеченным из гранита — не сама ли она повторяла это много раз? Если это правда, то в его сердце по-прежнему жива любовь, неудержимая страсть, которую он испытывал к ней, жива, несмотря на его гнев и уязвленную гордость. В конце концов, любовь возникла в его сердце раньше.

Перед внушительным кирпичным домом, — который выглядел маленьким загородным коттеджем по сравнению с парижской виллой, в которой она жила с Андре, — Афина расплатилась с кучером и на мгновение остановилась на улице, любуясь надежной, практичной красотой родительского дома. Поручив кучеру доставить с пристани в целости и сохранности все ее многочисленные картонки и чемоданы и подождав, пока экипаж отъедет, Афина открыла калитку и направилась по дорожке к дому.

Она так и не поняла, что привлекло ее внимание к саду, расположенному вдоль восточной стены дома. Оттуда определенно не доносилось никаких звуков, кроме жужжания пчел и пения птиц. Нет, дело было в каком-то магическом притяжении — в ощущении, которое заставило ее сойти с дорожки, завернуть за угол дома и, пройдя сквозь увитую розовыми примулами беседку, оказаться в уединенном солнечном саду.

В первый же момент вид девушки вызвал в Афине тревогу, и, что еще хуже — необъяснимую боль. Склонившись над книгой, девушка сидела на каменной скамье, поджав под себя ноги. Ее блестящие черные волосы, сверкая на солнце, струились по спине и плечам и обрамляли лицо очаровательными кудрями. Со странным беспокойством Афина отметила, что у нее большие, в густых ресницах, глазах цвета лесных фиалок. Наивное удивление жизнью, сквозившее во всем облике девушки, наверняка покорило немало неосторожных мужских сердец, а ее кожа была столь же безупречна, как у самой Афины, хотя и несколько бледна.

Афина тихо кашлянула, как подобало воспитанной леди, и почему-то заметно приободрилась, когда нимфа подняла взгляд от книги и ее лавандовые глаза расширились от нескрываемого ужаса.

— Афина?

Афина испытала непонятное торжество — словно, приняв вызов, одержала победу в некоей жизненно важной для себя схватке.

— У тебя передо мной преимущество: ты знаешь мое имя, — улыбнулась она, опускаясь на скамью напротив той, на которой сидела девушка.

— Рэйчел, — совершенно смешавшись, пролепетала девушка. — Меня зовут Рэйчел Маккиннон.

Театрально вздохнув, Афина сняла шляпку, и ее мягкие платиновые волосы предстали во всей своей красе. Джонас всегда говорил, что они подобны лунному свету, отраженному в серебряном блюде, не предназначенному для простых смертных. Гриффин, в отличие от него, не был столь поэтичен; Афина и сейчас сомневалась, был ли он вообще способен оценить удивительный оттенок ее волос. Зато девушка явно оценила: ее фиалковые глаза буквально впитывали его; она выглядела потрясенной. И снова, по необъяснимой причине, Афину посетило сладкое чувство с трудом завоеванной победы.

— Ты работаешь у моих родителей? — с небрежным видом осведомилась она, хотя ее снедало глубокое и тревожное любопытство.

Необычайно бледные, почти прозрачные щеки девушки вспыхнули румянцем.

— Я здесь в гостях, — тихо, но с достоинством произнесла Рэйчел.

— Понятно, — отозвалась Афина, с очередным вздохом устраиваясь поудобнее на скамейке и лениво окидывая взглядом нежно-сиреневый утренний туалет девушки. — Это, как мне кажется, мое платье.

Фиалковые глаза, впившиеся в лицо Афины, были полны ярости.

— Правда? Хотите, чтобы я сняла его?

Губы Афины тронула едва заметная, оскорбительно-покровительственная улыбка:

— О, я все равно не стала бы носить его — теперь.

Слезы гордости и гнева сверкнули в невероятно прекрасных глазах, повисли на густых темных ресницах. Но прежде чем Рэйчел успела подыскать достойный ответ, в разговор вступил третий голос, сухой и неодобрительный:

— Афина, ты вела себя совершенно недопустимо. Ты должна немедленно извиниться.

Афина подняла голову удивленная и увидела свою мать, которая стояла у задней калитки и наблюдала за дочерью слишком проницательными, как всегда, глазами.

— Мама́! — воскликнула молодая женщина; губы ее тронула нервная улыбка. Она вскочила со скамейки и обхватила мать обеими руками. — О, маман, Андре так ужасно обошелся со мной! Он показал себя таким бессердечным эгоистом, — лепетала она.

Но даже обнимая мать, Афина ощущала холодок расстояния, всегда сохранявшегося между нею и этой женщиной.

— Бессердечный эгоист, — задумчиво повторила

Джоанна.— Возможно, в этом порочном мире все же существует какая-то справедливость.

Глубоко потрясенная, Афина высвободилась из сдержанных объятий матери.

— Я знаю, что поступила ужасно, мамá,— тихая мольба в ее голосе не была сплошным притворством.— Но ведь ты меня не прогонишь, правда? Андре развелся со мной, у меня нет ни денег, ни друзей...

Взгляд усталых голубых глаз Джоанны, переместившись на Рэйчел, смягчился.

— Мы обсудим твои дела наедине, Афина. И платье Рэйчел принадлежит ей, а не тебе.

У Афины не было выбора, и она покорно кивнула.

После того как Афина с матерью, рука об руку, ушли в дом, Рэйчел еще долго оставалась в саду. Даже дурное предчувствие, томившее девушку, не подготовило ее к столь страшному удару.

Рэйчел больше не могла читать; отодвинув книгу в сторону, она села, подтянула колени к подбородку и позволила создавшейся ситуации во всей ее полноте обрушиться на нее бурным потоком.

Она видела портрет и знала, что Афина прекрасна, но теперь поняла, что художнику не удалось воспроизвести даже малой доли ее красоты и очарования. Он не передал сияния ее кожи, мягкости взора, всего производимого ей незабываемого впечатления.

Вместо восторга, с которым Рэйчел ожидала приезда Гриффина в Сиэтл, теперь, после встречи с женщиной, которая едва не стала его женой, она испытывала невыносимую тоску и страх.

Конечно, существовала возможность, что Афину он больше совсем не интересует, но это было маловероятно. При всех его недостатках, он был не такой мужчина, которого женщина могла полюбить, а потом напрочь забыть.

В полном отчаянии Рэйчел посмотрела на браслет, сверкающий на ее руке. *«Он сказал, что любит меня,—*

твердо напомнила она себе.— *А по убеждению Джоанны, его словам всегда нужно верить.*

Рэйчел откинула голову, закрыла глаза, вспоминая нежность его ласк и неутолимую страсть его любви. Слезы подступили к горлу, она едва сдерживала душившие ее рыдания.

Она была теперь в полной растерянности.

Афина медленно пила чай, наблюдая поверх края чашки за лицом матери. Молодая женщина подробно живописала жуткие мучения своей семейной жизни, без стеснения преувеличивая кое-какие детали, которые, как она надеялась, вызовут у Джоанны сочувствие, и даже пролила несколько горестных слезинок.

— Тебе следовало бы написать нам,— упрекнула ее Джоанна, хотя в глазах у нее мелькнул огонек прежней беззаветной любви.

Афина выдавила из себя трагический вздох.

— Я не видела смысла тревожить тебя, мамá. Вы были далеко — ты и папá очень волновались бы.

Джоанна покачала головой.

— Уж чего тебе всегда хватало, Афина, так это умения постоять за себя.

Уязвленная, Афина резким движением отодвинула от себя чашку с блюдцем и постаралась не дать воли злобным словам, которые буквально вертелись у нее на языке. Ей это удалось лишь частично.

— Маман, кто эта молодая женщина? Почему она живет у нас?

Теплота, прозвучавшая в голосе матери, вызвала у Афины раздражение.

— Рэйчел — девушка Гриффина. И, я думаю, у него по отношению к ней самые серьезные намерения.

Эта новость явилась для Афины шоком; хотя она с первого момента почувствовала антипатию к Рэйчел, ей даже в голову не приходило, что эта наивная глупышка может представлять собой хоть какую-то угрозу.

— Это невозможно, — хриплым шепотом возразила она, и ее щеки неожиданно покрылись краской.

Но Джоанна кивнула:

— Нет, Афина, возможно. И в четверг или в пятницу он вернется сюда за ней — несмотря на возражения Джонаса Уилкса, Гриффин собирается забрать Рэйчел с собой в Провиденс.

Афина почувствовала себя вдвойне оскорбленной.

— С какой стати это интересует Джонаса? — осведомилась она после долгой, мучительной паузы.

Джоанна откинулась в кресле и скрестила руки. Коричневый шелк ее блузки переливался в лучах полуденного солнца, струящихся сквозь окно столовой.

— По словам Гриффина Джонас вообразил, что любит Рэйчел — как будто Джонас Уилкс вообще способен кого-то любить.

Из горла Афины вырвалось нечто нечленораздельное, прежде чем она сумела взять себя в руки.

— Ну тогда все понятно, — ты же знаешь, что Гриффин всегда поступает наперекор желаниям Джонаса. Эти двое — все равно что масло и огонь. Если Гриффин объявил о своих чувствах к этой особе, к Рэйчел, то лишь для того, чтобы подразнить Джонаса!

Джоанна, постукивая ложечкой, размешивала чай с лимоном.

— Ерунда. Чувства Гриффина очевидны, и о них всем известно. И твой отец, и я — мы оба с самого начала поняли, что он обожает Рэйчел.

— Нет, — сказала Афина, яростно мотая головой.

Но Джоанна смерила ее лишенным всякого сострадания взглядом:

— Только не рассказывай мне, будто ты проделала весь путь из Парижа домой только ради того, чтобы охотиться за Гриффином Флетчером. Если это так, тебя ожидает горькое разочарование. Я уверена, что он ненавидит тебя.

Афина все еще хваталась за радужные надежды, которые лелеяла в течение последнего времени, но они вдруг стали зыбкими.

— Мне нужен Гриффин, маман, — сказала она, ощущая, как пульсирующая боль, начавшаяся в затылке, отдается в висках. — И он будет моим.

Джоанна подняла чашку приветственным жестом, граничившим с насмешкой:

— Итак, наша овечка преследует разъяренного тигра. Или наоборот, Афина?

Стиснув руки на коленях, с дрожащей нижней губой, Афина подалась вперед:

— Ты ведь ненавидишь меня, маман, правда? Ты ненавидишь меня за то, что я опозорила твое драгоценное доброе имя!

Без предупреждения рука Джоанны взметнулась вверх и резко хлестнула Афину по лицу. В воцарившемся затем холодном молчании Афину охватило невероятное, головокружительное ошеломление. Никогда еще, даже в самые худшие моменты, мать не позволяла себе ударить ее.

Молодая женщина только начала приходить в себя, когда Джоанна безжалостно продолжала:

— Ты опозорила себя, Афина, — не меня и своего отца, не Гриффина. *Себя*. Далее, ты прекрасно знаешь, что я тебя не ненавижу — ты мой единственный оставшийся в живых ребенок, и, да поможет мне Бог, я очень люблю тебя. Но тебе надлежит помнить, что я, в отличие от некоторых людей, вижу насквозь все твое притворство и жеманное кокетство, Афина.

— Маман!

Но лицо Джоанны оставалось непроницаемо-твердым.

— Не надо, Афина. Рано или поздно нам всем воздастся по заслугам, причем той же монетой. Твое воздаяние может оказаться очень неприятным, моя дорогая, ибо Гриффин Флетчер ничем не заслужил такой жестокости с твоей стороны. Он всего лишь не пошел на поводу у твоего ужасающего своеволия.

— Ты говоришь так, будто почти надеешься, что меня ожидают одни несчастья, — в ужасе прошептала Афина.

— Напротив,— я надеюсь, что все обойдется. Но я не очень-то в этом уверена. Должна признать, что в лице мисс Рэйчел Маккиннон ты встретила соперницу, моя дорогая.

Афина обдумывала это совершенно непостижимое заявление матери, когда появилась сама Рэйчел, выглядевшая маленькой, испуганной и безнадежно простодушной. Ее яркие фиалковые глаза остановились на лице Джоанны:

— Я... я думаю, мне лучше вернуться к мисс Каннингем...

Не успела ее мать произнести ни слова, как Афина плавно поднялась на ноги, вся обратившись в заботу и внимательность, и обворожительно заулыбалась:

— Ну конечно ты никуда не уедешь, Рэйчел! Завтра мой день рождения, и обязательно будет званый вечер. Ты ведь не захочешь пропустить *этого,* правда?

Смущение этого ничтожества было истинным бальзамом для растрепанных чувств Афины. *«О, Гриффин, какой же ты идиот!* — подумала она.— *То, что ты чувствуешь к этой женщине-подростку с фиалковыми глазками — это жалость, а не любовь».*

Джоанна заговорила, внезапно причем очень резким тоном:

— Никакого праздника не будет, Афина.

Праздник состоится — Афина была абсолютно уверена в этом. Никогда, за всю ее жизнь, ни одно ее желание не оставалось неисполненным — и завтрашний праздник не будет исключением из этого правила.

Афина спокойно повернулась и выплыла из комнаты, чтобы начать приготовления. Если гости будут приглашены, матери не останется ничего иного, кроме как любезно принять их.

ГЛАВА 24

За окнами была темнота.

Джонас оторвался от счетов, разбросанных по рабочему столу, и нахмурился. Кружевные занавески на окне вздувались, как паруса, и в какой-то момент ему показалось, то в шуме ночного ветра он услышал свое имя.

Он встал, подошел к окну и с резким стуком опустил раму. Хватит быть таким суеверным, сказал он себе. Он не сделал ничего такого, чего не следовало делать. Но когда за его спиной резко отворилась дверь кабинета, Джонас замер.

На пороге, с обычным своим придурковатым видом, стоял Маккей, очень довольный собой.

— Вам телеграмма — мне ее только что дал хозяин магазина.

Джонас встревожился и внезапно обрадовался даже такой компании, как Маккей. Он протянул руку, взял послание, развернул его и прочел:

5 ИЮНЯ МОЙ ДЕНЬ РОЖДЕНИЯ, ПРИЕЗЖАЙ ОТПРАЗДНУЕМ. АФИНА.

Уверенный в том, что это какая-то ошибка, Джонас вновь пробежал глазами телеграмму. Ошибки не было: Афина в Сиэтле и, судя по всему, готовит какую-то очередную каверзную проделку.

Нащупав кресло, Джонас упал в него в полном оцепенении. Он бы ни за что не поверил, что у нее хватит дерзости вернуться после всего, что произошло. Но какое удачное время она выбрала! Джонас выпрямился в кресле, закинул ноги на стол и засмеялся низким гортанным смехом.

— Принеси бренди, Маккей, — и захвати несколько стаканов. Если я не ошибаюсь, в следующие пять минут к нам нагрянут гости.

Ворча, возможно недовольный возложенной на него обязанностью, Маккей принес требуемое. Кратким кивком головы Джонас отпустил его, заложил руки за голову и стал ждать.

Он ошибся насчет времени, но в остальном оказался прав. Прошло полчаса, когда он услышал звук открываемых входных дверей, а затем, с лестницы — разгневанный топот не одной, а двух пар сапог. Джонас улыбнулся. Значит, Филд Холлистер тоже приглашен. Что ж, это вполне в духе Афины — чем больше, тем веселее.

Появление Гриффина в кабинете сопровождалось таким же аккомпанементом, как и его вторжение в дом — тяжелая дверь с грохотом захлопнулась за его спиной. В правой руке у него была телеграмма, в глазах — бешенство.

— Что, черт побери, происходит? — заорал он.

Филд покраснел от смущения и умиротворяюще положил руку на плечо Гриффина.

— Может, ты все же успокоишься? — прошипел он.

Гриффин стряхнул руку с плеча, не отрывая зловещего взгляда от лица Джонаса.

— Если это один из твоих фокусов, Уилкс, клянусь...

Джонас улыбнулся, убрал руки из-за головы и спокойно сложил их на коленях.

— Я так же удивлен, как и ты, — объявил он. Затем вытащил свою телеграмму, которая, как он подозревал, была точной копией остальных, из кармана рубашки и швырнул ее на стол.

Гриффин поднял бумагу, пробежал по ней взглядом и бросил обратно. Он хрипло выругался сквозь зубы и отвернулся.

— Ты, конечно, едешь? — дружелюбно поинтересовался Джонас. — Думаю, это будет Событие Года.

— Я не верю в это! — прохрипел Гриффин, почти шепотом, который звучал более грозно, чем крик. — Я не верю!

Джонас подпер руками подбородок и сидел, с трудом сдерживая смех.

А как ты, Филд? Оставишь ли свое верное стадо ради ночи интриг?

Филд ответил таким испепеляющим взором, что для полного эффекта не хватало только запаха серы.

Позволив себе осторожно усмехнуться, Джонас продолжил, обращаясь к напряженной спине Гриффина.

— Рэйчел все поймет насчет Афины, — рассудительно заговорил он. — Или ты, нарушив наше соглашение, уже признался в своей бессмертной любви?

Гриффин медленно повернулся, и в глазах его сверкнуло чувство, которое Джонас не решился бы определить.

— Что я сделал или не сделал, тебя не касается, — произнес он со знакомой Джонасу угрожающей монотонностью. — Но если ты приложил к этому руку, я тебя растерзаю!

— Чрезвычайно неприятная перспектива, — бесстрастно отозвался Джонас. — На этот раз я чист.

Теперь уже Филд отвернулся, с видимым усилием сдерживая себя.

Взгляд Гриффина упал на бренди, стоящее на углу стола. Он резко откупорил бутылку и налил двойную порцию в два стакана, один из которых протянул Филду.

Джонаса чрезвычайно позабавило, что пастор пил с непривычной для него жаждой. Но сам Гриффин присел на краешек стола, вертя стакан с нетронутым напитком.

— Что держит тебя здесь, Джонас? Почему ты еще не на пути в Сиэтл, чтобы снова заявить права на свою женщину?

Джонасу очень хотелось улыбнуться, но он не посмел. Ему хотелось смеяться буквально до рези в животе.

— Я же обещал, ты разве забыл?

Гриффин злобно нахмурился:

— Я говорю об Афине, и ты это знаешь.

— Мне не нужна Афина, мне нужна Рэйчел.

По плечам Гриффина пробежала заметная дрожь, отчего бренди в стакане стало плескаться маленькими янтарными волнами.

— Тебе не нужна Афина. Помнится, когда-то ты ее очень домогался.

Джонас пожал плечами:

— Как и ты.

Гриффин осушил стакан одним глотком, и жила у него на шее зловеще напряглась, словно натянутый канат. Когда он взглянул на Джонаса, его черты исказила жутковатая улыбка.

— Я занимался любовью с Рэйчел, — без всякого выражения проговорил он.

Как Гриффин и ожидал, его слова поразили соперника. Джонас почувствовал прилив тошноты и до боли стиснул челюсти.

— Врешь! — прошипел он.

— Гриффин, во имя всего святого... — принялся умолять Филд, забыв свой гнев.

Но ничто не могло остановить Гриффина.

— Она была девственницей, Джонас.

Нет, неправда, что Рэйчел отдалась этому человеку; всем своим существом Джонас отказывался в это верить. Он отчаянно старался контролировать свой голос, движения, эмоции.

— Ты лжешь, ублюдок. Ты лжешь, потому что, вернувшись со своего высокоученого съезда в Сан-Франциско, увидел, что твоя драгоценная Афина барахтается в моей постели!

Гриффин закрыл глаза, отгоняя от себя это воспоминание, но Джонас видел, что оно продолжает преследовать его.

— Заткнись, — выдохнул Гриффин.

Филд торопливо вмешался в разговор, спокойно сказав:

— Перестаньте, вы оба. Вы этим ничего не измените.

Ненависть, словно некое осязаемое, но невидимое вещество, заполнила комнату и, казалось, билась о стены и потолок.

Тишину нарушил вечный миротворец Филд.

— Знаете, есть один способ разрядить ситуацию,— тихо предложил он.— Вы оба должны проигнорировать Афину — сделать вид, будто она не вернулась, будто она вообще не существует. Не ходите на этот праздник.

Гриффин покачал головой:

— Будь я проклят, если не приду и позволю этой волчице растерзать Рэйчел.

Филд был явно раздражен.

— Гриффин, ты много на себя берешь. Возможно, причины, по которым Афина вернулась в Сиэтл, не имеют к тебе, а значит, и к Рэйчел, никакого отношения.

Джонас с большим трудом расслабился:

— Ты тратишь слова попусту, Филд. Наш самоуверенный друг не может даже представить себе, чтобы ее могло заставить вернуться нечто иное, кроме вечной страсти к нему.

Гриффин хмуро взглянул на зажатый в руке стакан и со стуком поставил его на стол. В следующее мгновение он уже перешагнул порог кабинета.

— Увидимся на празднике, Джонас,— бросил он через плечо.

Оказавшись снаружи, в теплой, душной ночи, Гриффин поднял глаза к усеянным звездами небесам и страстно пожелал, чтобы прошел дождь.

Филд бросился к шаткой коновязи и начал резкими, быстрыми движениями разматывать поводья своей лошади.

— Это было великолепно, Гриффин,— прорычал он.— «Я занимался любовью с Рэйчел. Она была девственницей, Джонас».

Гриффин замер, услышав злой укор в голосе друга.

— Хорошо. Я не должен был этого говорить!

Филд вскочил в седло, и лошадь затанцевала под ним, будто разделяя гнев своего хозяина.

— Как ты думаешь, каково будет Рэйчел, когда она услышит это от Джонаса? А она услышит, уж будь уверен!

Гриффину стало больно. Тому, что он сделал, не существовало никакого извинения, и он знал это. За мгновение сладостной мести он предал женщину, которая была ему так же необходима, как воздух.

— Ты знаешь, что я не хотел обидеть ее, Филд.

Лицо Филда в лунном свете было неподвижно; он ждал, пока Гриффин отвязывал Темпеста и осторожно забирался в седло.

— Будь осторожен, Гриффин. Ты знаешь, как ты относился к Афине. Если рискнешь вновь встретиться с ней и поймешь, что ничего не изменилось...

Гриффин сплюнул:

— Я презираю ее.

— Да? — возразил Филд. — Помни, друг мой, что любовь и ненависть порой неотличимы друг от друга. Если ты не можешь предложить Рэйчел всю свою искреннюю преданность и верность, лучше оставь ее.

Примерно минуту они ехали в молчании, прислушиваясь к ритмичному постукиванию копыт по мощеной подъездной аллее, ведущей к дому Джонаса. Но как только миновали ворота и оказались на дороге, досада взяла верх над самообладанием Гриффина.

— Ты лицемер, Филд, — заметил он. — «Искренняя преданность и верность». Это ли ты даешь женщине, которую любишь?

К чести Филда, он даже не выругался.

— Я люблю ее больше жизни, Гриффин, и ты это знаешь.

— Тогда почему ты не объявишь об этом открыто? Почему не женишься на ней?

Филд вздохнул, в его вздохе слышалась безграничная горечь, заставившая Гриффина пожалеть о том, что он вообще коснулся этого предмета.

— Она отказывается выйти за меня замуж. Какой

смысл «объявлять об этом открыто»? Ее жизнь будет разрушена, да и моя тоже.

Всадив каблуки сапог в бока коня, Гриффин пустил его галопом.

— Ты ненормальный! — прокричал он, и ветер подхватил его слова.

Полудикий пони Филда без труда догнал Темпеста.

— Из твоих уст это звучит как похвала! — крикнул священник Гриффину в ответ.

Тот громко расхохотался.

— Так оно и есть, — отозвался он, сдерживая коня и пуская его легким галопом.

Филд последовал его примеру.

— Ты и в самом деле собираешься на эту вечеринку? — спросил он, вглядываясь в освещенное луной лицо Гриффина. — Ты попадешь прямо в ловушку, расставленную Афиной, что бы она ни задумала.

— Не волнуйся, Филд, — беспечно ответил Гриффин. — Я сумею откусить приманку.

— Именно этого я и боюсь.

— Я говорю о Рэйчел.

Филд кивнул:

— Я знаю. А я говорю об Афине. Не надо недооценивать ее, Гриффин. Однажды она уже поставила тебя на колени, и может сделать это снова.

Гриффин раздраженно посмотрел вверх, на великолепные небеса, и сменил тему.

— Как насчет выпить? — предложил он. — Держу пари, если ты зайдешь в заведение Бекки, то произведешь там настоящий фурор.

Филд засмеялся:

— Спасибо, но у меня есть другие дела.

— Как знать, Филд? Может, тебе удалось бы спасти несколько заблудших душ?

Филд покачал головой, снова засмеялся и, не отвечая, пришпорил лошадь. Гриффин свернул к себе, думая, что, возможно, Филду стоило бы заняться спасением души Афины. Если у нее, конечно, таковая имеется.

* * *

Фон Найтхорс неподвижно лежала на запретном ложе в ожидании. Лунный свет, таинственно-пугающий и прекрасный, проникая в окно, серебряными струями омывал ее обнаженное тело.

Она вздохнула, но услышав, как открылась и снова закрылась дверь, затаила дыхание. Его имя, произнесенное хриплым, надрывным шепотом, сорвалось с ее губ.

— Нет, — отозвался мужчина с порога спальни, но голос у него был дрожащий и неровный.

Фон терпеливо похлопала по постели рядом с собой; и, явно после нелегкой борьбы с собой, мужчина подошел и растянулся, не раздеваясь, на одеяле. Он застонал, когда она расстегнула на нем рубашку и скользнула рукой по его сильной и теплой груди.

Приподнявшись на руках и на коленях, Фон медленно провела соском одной груди по его рту. Почувствовав ответное движение его языка, она тихо вскрикнула и в порывисто моляще прижала грудь к его губам. Но мужчина выскользнул из-под нее и сел в темноте, неподвижно наблюдая за ней. Стоя на коленях рядом с ним, Фон ждала.

Казалось, он не двигался целую вечность, но, наконец, протянул руку и указательным пальцем обвел контур груди Фон. По-прежнему оставаясь на коленях, Фон отклонялась назад до тех пор, пока ее плечи не уперлись в шершавую прохладную поверхность стены.

Со стоном он бросился к ней. Он ласкал губами ее шею, ключицы, нежную кожу под сосками. Потом возобновил возбуждающие, дразнящие движения языком, и продолжал их до тех пор, пока ее соски не затвердели, и не заострились от желания. Тогда мужчина стал их целовать, обхватывая горячими губами.

Все тело Фон двигалось в ритме любовного наслаждения. Он припал губами к другой груди, и все началось сначала — покусывание, подергивание, возбуждение. Сосок отвердел, и мужчина ласкал языком только самый его кончик, пока Фон не принялась умолять его хриплым, невнятным шепотом, снова и снова...

Он жадно посасывал ее соски, одновременно лаская пальцами мягкий комочек плоти у нее между ног, то слегка подергивая его, то надавливая, то поглаживая кончиками пальцев. Фон задрожала и вскрикнула, сотрясаясь в неистовстве полноты своего наслаждения. Сжав за плечи, Фон заставила своего возлюбленного опуститься на постель, лишая его последней способности сопротивляться. Она медленно расстегнула на нем брюки. Он извивался и стонал, пока она раздевала его, стоя на коленях меж его колен.

Теперь она сама дразнила и соблазняла его, пока не услышала его хриплую мольбу о завершении. Удовлетворенная тем, что он возбудился достаточно, Фон опустилась на него сверху и мягко направила его внутрь себя. Они двигались в прекрасном и вечном ритме, сначала медленно, потом все быстрее. Второй сокрушительный оргазм потряс все тело Фон в тот миг, когда мужчина тоже вскрикнул, достигнув пика бешеной страсти.

С мокрым от слез лицом Фон легла рядом, водя ладонью по его упругому, мокрому от пота животу.

— Я люблю тебя, — сказала она.

— Нет, — чуть слышно ответил он.

Фон резко поднялась и села на постели.

— Это правда! — вскрикнула она.

Но она видела, что он качает головой.

— Если бы ты любила меня, ты бы вышла за меня замуж, — спокойно, без укора или злобы отозвался он.

Смахивая с лица слезы, она в отчаянии произнесла:

— Если ты женишься на мне, это для тебя будет концом всего!

— Наоборот, это было бы только началом, — непреклонно возразил он. — Я больше не могу этого выносить, Фон. Я больше не в силах скрывать свои истинные чувства. Пусть ты их стыдишься, но я не стыжусь.

С неловкой поспешностью Фон переползла через него и зажгла лампу, стоящую на ночном столике. Глядя ему в лицо, Фон увидела в нем такую же безысходность, какую ощущала сама, и расплакалась.

— Филд, ты не можешь жениться на индианке.

— Почему? Я люблю индианку.

— Тебя выгонят из церкви!

— За что — за то, что я женюсь? Я — протестант, а не католик.

— За то, что ты женишься на *мне*! — закричала она.

Филд отвернулся от нее, и в мягком свете лампы она увидела, как напряглись мышцы на его спине.

— Это не может больше продолжаться, Фон. Наши встречи, вроде этой, твои «визиты» к Джонасу, все это. Выйди за меня замуж, чтобы я вновь был честен перед лицом Божьим.

Расстроенная, Фон, скользнула на колени, запустила пальцы в блестящие каштановые волосы у него на затылке.

— Все будут называть тебя мужем индианки, — прошептала она.

Он снова обернулся к ней:

— Мне наплевать, как «все» меня будут называть, Фон.

— Но наши дети...

— Наши дети будут «полукровками» — ты это хотела сказать?

— Да!

— Фон, разве ты не понимаешь: важно, какого мнения они будут сами о себе, а вовсе не мнение каких-то там безликих «всех»? Мы окружим их такой любовью, что они будут чувствовать себя защищенными от жизненных невзгод, уверенными в собственных силах и желанными в этом мире, что бы ни говорили о них остальные.

Фон погрузилась в долгое молчание, размышляя. Выйти замуж за Филда Холлистера было мечтой ее жизни давно — с первой минуты, когда она увидела его, после того как его родители подобрали ее, голодную и бездомную, на одной из улиц Сиэтла и взяли жить к себе.

Филд в то время едва замечал ее, так как был на десять лет старше, да еще собирался отплыть в далекую страну под названием Шотландия вместе с Гриффином Флетчером. Когда он уехал, сердце Фон было разбито. Месяц за месяцем, год за годом, лежа по ночам в своей маленькой кроватке на чердаке дома, которого теперь уже не существовало, она плакала о нем.

Даже когда он вернулся, уже посвященный в духовный сан, Фон по-прежнему казалась ему ребенком. С присущим ему добродушным юмором Филд терпел ее безграничное обожание, позволял перекладывать с места на место его объемистые религиозные книги и поглощал все те малосъедобные блюда, которые она стряпала для него в духовке на кухне миссис Холлистер.

Иногда он даже брал ее с собой, отправляясь к прихожанам, и она молча сидела и слушала, как он произносит слова утешения и дает советы, и мечтала, чтобы он заметил ее — по-настоящему заметил.

На какое-то время Филд слегка увлекся Руби Шеридан, дочерью судьи, иногда появлялся вместе с ней на вечеринках и в ответ на бесконечные и безжалостные издевательства Гриффина лишь улыбался и покачивал головой.

И Фон поклялась духам, что никогда в жизни больше не сделает ничего дурного, если только произойдет так, что Филд Холлистер полюбит ее, как мужчина любит женщину.

И, как это часто случается, счастье к Фон пришло в результате трагедии, едва не разрушившей всю жизнь Гриффина Флетчера. Сочувствие Филда к несчастью друга было столь велико, что он переживал горе Гриффина как свое собственное.

Вскоре после этого сгорел дом Холлистеров, и родители Филда погибли. Филд и маленькая сирота-индианка, которую его родители втайне обожали, обратились друг к другу за утешением. Постепенно между ними возникла бурная, порывистая любовь.

Теперь настало время окончательного решения. Перед Фон оказалось два выбора, каждый из которых, она знала, мог погубить Филда навсегда. Если она выйдет за него замуж, его будут презирать, может даже отлучат от церкви. Если она этого не сделает, результаты могут оказаться не менее ужасными.

— Я выйду за тебя, Филд Холлистер, — прошептала она.

Филд притянул ее к себе и нежно посмотрел ей в глаза:

— Это будет замечательно, Фон, — вот увидишь.

— Да, — сказала она, стараясь, чтобы ее голос звучал уверенно. А теперь мне лучше уйти, Филд, пока не рассвело.

Но он только сильнее сжал ее в объятьях:

— Нет. Мы поженимся завтра же, в Сиэтле.

Фон улыбнулась и молча обратилась к его Богу с мольбой о милосердии.

В это жаркое и ослепительно солнечное утро Рэйчел была в отчаянии, в таком отчаянии, что выскользнула из дома О'Рили, когда все еще спали, и пустилась в долгий путь вниз по холму. Она должна купить себе новую, *собственную одежду*, пусть даже для этого ей придется потревожить свой драгоценный счет в Коммерческом банке. Надевать вещи Афины было просто невыносимо.

Рэйчел уже приближалась к деловой части города, — и только тут сообразила, что банковская книжка осталась в сумочке, которую она не видела с тех пор, как Джонас увез ее к себе в гостиницу. Девушка безумно перепугалась. Вдруг банк не выдаст ей деньги, поскольку она не сможет доказать, что это действительно ее счет? Она останется без гроша!

Рэйчел бросилась бежать, но когда она, задыхаясь, домчалась до дверей банка, они оказались запертыми. Как выяснилось, это учреждение должно было открыться для посетителей не раньше чем через час.

ГЛАВА 25

Несколько минут Рэйчел нервно мерила шагами деревянный тротуар, раздумывая, что ей делать. Если она начнет барабанить кулаками по матовым стеклянным дверям банка, может быть, кто-нибудь придет и впустит ее? Сердце ее подскочило и заколотилось так, что стало больно дышать. Эти деньги были единственной гарантией ее независимости.

По дощатым улицам Сиэтла уже с громыханием катились повозки с продовольствием, везущие на рынок ранний урожай салата, зеленого горошка и ревеня. Рэйчел подняла глаза к небу и почувствовала странное беспокойство — беспокойство, не связанное ни с потерянной банковской книжкой, ни со страхом перед Афиной, ни с любовью к Гриффину Флетчеру. *«Прошу тебя, Господи,* — молча молилась она. — *Пусть пойдет дождь!»*

Но жаркая неподвижность воздуха исключала всякую вероятность дождя. Рэйчел направилась к набережной и долго стояла там, глядя на мягкое мерцание залива Эллиот.

Несмотря на ранний час, в гавани царило оживление. Неподалеку проходил большой косяк лосося, и к берегу, одна за другой, приставали лодки, полные улова. На причалах их ожидали торговцы, которые, торопливо пересчитывая деньги, тут же расплачивались с рыбаками за свою долю улова.

Некоторое время Рэйчел наблюдала за ними, попрежнему охваченная тревогой, затем медленно двинулась вдоль берега залива. Мокрый песок в полосе прибоя с хлюпаньем оседал под ее лайковыми туфлями, время от времени девушка отшвыривала попавшие под ноги камешки. Крохотные рачки-отшельники, испуганные ее приближением, расползались во все стороны.

Рэйчел остановилась, наблюдая, как чайка выхватила из грязи раковину с моллюском, взмыла вверх и зависла, паря в воздухе. Затем птица сбросила раковину на скалы, разбивая ее, бросилась вниз и стала поедать мягкое серое мясо.

Девушка пошла дальше, чувствуя себя такой же беспомощной и уязвимой, как этот лишенный раковины моллюск. Сами собой ее мысли обратились к предстоящему торжеству.

Несмотря на протесты Джоанны, Афина сделала все по-своему и пригласила десятки гостей. Вполне возможно, что на жилище О'Рили обрушится половина населения Сиэтла, не считая гостей из его окрестностей.

Внезапно Рэйчел замерла на месте, и вокруг ее туфель немедленно образовалась лужица, оставленная набежавшей волной. Гриффин. А вдруг у Афины, учитывая ее дерзкую самоуверенность, хватило нахальства пригласить и его? При этой мысли Рэйчел задрожала. С одной стороны, она страстно желала присутствия Гриффина, с другой — боялась его. Если он появится в доме О'Рили, то вряд ли сможет избежать встречи с Афиной.

С трясущимися коленями Рэйчел отыскала огромный бурый валун и опустилась на него, невидящими глазами глядя на тихие воды залива. Она размышляла о том, кто же такой этот загадочный Андре, у которого хватило духу развестись с такой женщиной? Если он до такой степени смог противостоять ее чарам, то, возможно, каким-то чудом это удастся и Гриффину. При условии, что он захочет этого.

К тому времени, когда Рэйчел собралась с мыслями и побрела обратно в центр города, банк уже открылся. Не вдаваясь в не относящиеся к делу подробности, Рэйчел объяснила симпатичному на вид служащему, что потеряла банковскую книжку. После совещания с другим служащим он присвоил счету Рэйчел новый номер и выдал ей сумму, которую она решила снять со счета.

Сжимая в руке помятые сто долларов, Рэйчел направилась вверх по улице и вошла в магазин дамской одежды и шляп. Поскольку праздник был намечен на этот же вечер, оставалось слишком мало времени, чтобы сшить платье, но, возможно, она сумеет найти здесь что-нибудь готовое.

Внутри все маленькое помещение магазинчика было сплошь завешано платьями, и на какой-то момент Рэйчел растерялась от такого изобилия. Что она понимает в том, как выбирать платья для подобных торжеств? В глубине души у нее начала зарождаться паника. Но когда к ней приблизилась хозяйка магазина, Рэйчел гордо вскинула голову. Она не должна и *не будет* выглядеть на этом празднике деревенской девчонкой, хотя и является ею на самом деле.

Спокойно, с достоинством Рэйчел объяснила, что ей нужен особенный наряд, приличествующий торжественному случаю.

Портниха старалась помочь ей всем, чем могла, и проявляла терпение. Она предлагала Рэйчел платье за платьем и вежливо улыбалась, когда та отвергала их. Одно платье, из черного шелка с высоким гофрированным воротником, выглядело слишком театральным и мрачным. В другом, из сизовато-серого бархата, Рэйчел выглядела будто маленькая девочка, вырядившаяся в материнскую одежду. Но в конце концов то, что нужно, нашлось. Простое изящное платье из мягчайшего абрикосового батиста приоткрывало красивую грудь Рэйчел и подчеркивало ее точеную талию.

После того как была произведена незначительная подгонка по фигуре и сняты мерки для изготовления заказанных ею платьев, юбок и блузок, Рэйчел заплатила за все и, словно завороженная, наблюдала, пока роскошное одеяние укладывали в коробку и затем передали в ее владение.

В другом магазине она купила мягкие бархатные лодочки и кружевную шаль цвета слоновой кости. Завершив, таким образом, свой поход по магазинам, Рэйчел направилась вверх по холму, к дому О'Рили.

Джоанна, встретившая ее у дверей, выглядела обеспокоенной.

— Ох, Рэйчел, где ты была? Я так волновалась!

Рэйчел покраснела от стыда. Она могла бы догадаться, что эта добрая женщина почти сразу заметит ее исчезновение и расстроится.

— Простите... у меня появились некоторые неотложные дела...

Джоанна глубоко вздохнула и повела Рэйчел через столовую, где уже шли приготовления к празднику, в кухню. Тут повариха, ворча, хлопотала над огромной миской с белым тестом.

Рэйчел опустилась в кресло и с благодарностью принялась пить чай, предложенный Джоанной.

— Мне очень жаль, Рэйчел,— сказала женщина через некоторое время.— Я имею в виду, из-за этого праздника.

Рэйчел поставила чашку на прозрачное фарфоровое блюдце и улыбнулась:

— Пожалуйста, не волнуйтесь. Это день рождения Афины, и...

В этот момент Афина впорхнула в кухню, облаченная в шелковый пеньюар цвета слоновой кости, расшитый нежно-розовыми цветами; ее мягкие платиновые волосы были еще слегка растрепаны, синие глаза сверкали.

— Это действительно мой день рождения,— мелодичным голосом пропела она, шаловливо опуская палец в миску с тестом.— И у меня такое ощущение, что мне сто лет, а не двадцать пять.

— Тебе двадцать семь,— поправила Джоанна, и, когда улыбнулась Рэйчел, в глазах у нее сверкнул озорной огонек.

Афина передернула плечами, и взгляд ее упал на коробку с платьем, прислоненную сбоку к креслу Рэйчел.

— О, да ты обзавелась каким-то собственным нарядом! — воскликнула она так, словно это было нечто совершенно невероятное. — Что ты купила, Рэйчел? Покажи мне!

Внезапно Рэйчел засомневалась, действительно ли это абрикосовое платье — как раз то, что надо. Возможно, этой женщине оно покажется недостаточно изысканным, даже простоватым. Она густо покраснела:

— Ну...

— Ну не будь такой маленькой глупышкой! — снисходительно пожурила ее Афина, отщипнув еще кусочек теста и поморщившись, когда кухарка шлепнула ее по руке. — Я не стану смеяться над твоим платьем, Рэйчел.

Рэйчел взглянула на Джоанну и увидела в ее мягких голубых глазах улыбку. Девушка медленно подняла красно-белую полосатую коробку к себе на колени и открыла ее. Затем она осторожно кончиками пальцев вытянула из коробки мягкое одеяние цвета рассветного неба.

— Встань, — велела Джоанна. — Мы посмотрим, как оно смотрится в сочетании с твоими чудесными волосами.

У Рэйчел в горле стоял болезненный комок, но она подчинилась.

— О, — восторженно прошептала Джоанна. — О, Рэйчел, оно прелестно.

В голосе Афины прозвучали капризные, раздраженные нотки:

— Тебе не кажется, что оно немного — как бы это сказать — девчоночье?

Но Джоанна просто сияла, глядя на Рэйчел, отметая все ее опасения насчет что, не выглядит ли она смешной.

— Оно просто очаровательно девчоночье, — заявила Джоанна.

— Батист, — пробормотала Афина, трогая ткань чуть дрожащими пальцами. — Да, я думаю, что батист — это как раз то, что подходит девочкам твоего возраста.

Джоанна со стуком опустила чашку на блюдце, выразив таким образом свое благородное негодование.

— Афина, уймись наконец. Никому не придет в голову сомневаться, что Рэйчел — взрослая женщина, а не девчонка.

Теперь Афина, очаровательно наморщив лобик, придирчиво осматривала вырез платья.

— Ты уверена, что тебе стоит так открывать грудь?

Воспоминания вызвали у Рэйчел озорную улыбку. Если она и была в чем-то уверена, так это в том, что Гриффину нравится ее полная грудь.

— Уверена, — сказала она.

Индиговые глаза пытливо изучали ее лицо, и Афина еще больше нахмурилась. Обе женщины инстинктивно поняли друг друга, и Рэйчел не без удовольствия заметила, как очаровательный румянец на щеках Афины заметно поблек.

После полудня начали прибывать подарки. Афина и не думала открывать их, хотя многие из них были нарядно упакованы и красиво перевязаны ленточками. Пока не прибудет посылка с именем Гриффина на карточке, она не притронется к подаркам.

Оказавшись в одиночестве в прохладной сумрачной гостиной, Афина поглубже устроилась в кресле. Гриффин не ответил на ее телеграмму — неужели опять занят своими никчемными пациентами? Она помнила, как он не раз пропускал всевозможные приемы и вечеринки, потому что какой-нибудь рабочий на лесопилке ломал ногу, руку или шею. Она закрыла глаза. Гриффин должен приехать. Просто обязан.

Сквозь раскрытое окно до Афины донесся стук колес подъехавшего экипажа. Быстро пробежав по комнате, она приподняла краешек занавески и осторожно, с лихорадочно бьющимся сердцем, выглянула наружу.

Гриффин Флетчер, без пиджака, стремительно шел по дорожке с таким агрессивным видом, что Афина затаила дыхание — пока ее взгляд не упал на узкий плоский сверток, зажатый в его правой руке.

Она улыбнулась про себя, бросилась в прихожую

и распахнула дверь как раз в тот момент, когда он поднял внушительный кулак, чтобы постучать.

— Гриффин,— тихим, сдавленным голосом произнесла она.

Его темные глаза сверкнули огнем убийственного презрения, и он заговорил тоном, в котором невозможно было не расслышать ярость:

— Так быстро надоел Париж? Или это ты им надоела?

Под чудовищным натиском его гнева Афина чуть склонила голову.

— Если бы мы только могли поговорить...— запинаясь, произнесла она.— Всего н-несколько минут...

— Нет, этого не будет,— отрезал он.

Когда Афина вновь осмелилась взглянуть ему в глаза, они были оскорбительно холодными и безжалостными.

— Гриффин, ну не будь таким упрямым — пожалуйста...

Он стиснул зубы и собрался что-то сказать, но в этот момент на лестнице появилась Рэйчел и понеслась вниз, поддерживая рукой развевающиеся оранжевые юбки.

— Гриффин!

Невероятно, но Гриффин распахнул объятья навстречу этой невоспитанной, скачущей по ступенькам девчонке, и в одно мгновенье гнев, который видела в его лице Афина, сменился выражением нежного нетерпения.

— Привет, русалочка,— ласково сказал он, и Рэйчел, немного поколебавшись, бросилась к нему.

Потрясенная и униженная, Афина отступила на шаг.

Подняв голову, Рэйчел смотрела на Гриффина огромными сияющими глазами, совсем забыв, что ее платье, зажатое между их телами, может помяться.

— Я не думала...— задыхаясь, говорила она.— Я надеялась...

Гриффин засмеялся и провел ладонью по ее вспыхнувшему, сияющему лицу. На одно невыносимое мгновение Афина подумала, что он поцелует это ничтожество прямо здесь и сейчас. Но вместо этого он оглядел тонкую, струящуюся складками ткань платья Рэйчел:

— Что это? Одеяние, сотканное из лучей заката?

Рэйчел неуверенно улыбнулась и что-то прошептала, но Афина была слишком потрясена, чтобы вслушиваться в ее слова. Гриффин снизошел до поэзии? Это было немыслимо! У Афины от бешенства потемнело в глазах — эти двое словно вовсе забыли о ее существовании!

— Ради всего святого, Рэйчел, — воскликнула она, чтобы привлечь их внимание, — неприлично так вешаться мужчине на шею!

Рэйчел чуть побледнела и слегка подалась назад в объятьях Гриффина, но он тут же снова притянул ее к себе. И перевел взгляд с Рэйчел на Афину, испепеляя ее взглядом, полным гневного презрения.

Когда он, наконец, отвернулся, Афина сама не знала, что чувствовать — отчаяние или облегчение. Она вскинула подбородок. Как бы то ни было, при всем его внимании к Рэйчел и презрении к ней, он принес подарок. А это значит, что он просто платит ей за прошлые обиды и все это недоразумение закончится, как только он получит удовлетворение, отомстив за свои страдания.

Но случилось невероятное — он протянул подарок Рэйчел и расплылся в улыбке, став похожим на опьяненного счастьем школьника. Афина подавила крик, готовый вырваться у нее из горла. *«Ублюдок,* — подумала она. — *Ты у меня за это на брюхе будешь ползать!»*

Рэйчел дрожащими руками развернула сверток, и ее лицо просияло при виде нитки драгоценного, переливающегося на свету жемчуга.

— О, Гриффин...

Гриффин, похоже, не замечал ни присутствия Афины, ни ее ярости. С горящими глазами он осторожно застегнул ожерелье у Рэйчел на шее.

Афина круто повернулась на одном каблуке и, ошеломленная, отправилась искать столь необходимого ей сейчас уединения в гостиной. Глядя на портрет, который должен был стать свадебным подарком Гриффину от ее родителей, она заплакала мучительными, горькими слезами. Какое-то время она слышал их голоса — Гриффина и Рэйчел — потом, после большого перерыва — стук закрывшейся парадной двери. Афина вскочила с места, обеими руками схватила расписную вазу, которая, сколько она помнила себя, украшала пианино, и в бешенстве швырнула ее в сторону камина. Звук разбитого стекла звонким эхом разнесся по всему дому.

— Афина? — голос был тихим, но твердым.

Афина зажмурила глаза:

— Уйди, мама́. Пожалуйста, уйди.

— Я предупреждала тебя, — мягко сказала Джоанна.

Афина повернулась, вне себя от горя, злобы и унижения.

— *Он подарил ей жемчуг!* — пронзительно прокричала она.

Джоанна подошла поближе и присела на ручку кресла, сложив руки на груди.

— Какой жемчуг? — спокойно спросила она.

Разочарование Афины было беспредельно горьким. Будто в бреду, она принялась ходить взад-вперед вдоль камина.

Жемчуг матери Г-Гриффина, — прерывисто, сквозь рыдания выговорила она. — Свадебный п-подарок от его отца...

— Понятно.

— Ничего тебе не понятно! Этот жемчуг должен был стать моим! Гриффин должен был стать моим!

В ответе Джоанны слышалась некоторая доля сочувствия:

— Ты напрасно мучаешь себя, дорогая. Чувства Гриффина совершенно определенно изменились, и ты с этим ничего не можешь поделать.

Афина продолжала свои метания по комнате:

— Нет! Если я попрошу у него прощения... скажу, что ошиблась...

— Некоторые ошибки просто невозможно исправить, Афина. Ты потеряла Гриффина — ты очень давно потеряла его. Признай это ради собственной пользы.

Но мысли Афины снова были полны мечтаний, и она цеплялась за них изо всех сил. Гриффин любит ее — он просто пытается ее наказать, причинить ей такую же боль, какую она когда-то причинила ему. Она улыбнулась. У Гриффина есть одна большая слабость, и никто лучше нее не знает, как этим воспользоваться.

— Куда они пошли — я имею в виду Рэйчел и Гриффина? — осведомилась она таким равнодушным тоном, словно только что не билась в истерике.

Джоанна казалась встревоженной — наверное, подумала, что дочь сошла с ума. Помолчав, она ответила:

— Полагаю, на свадьбу. Сегодня женится один из друзей Гриффина.

— Понятно,— добродушно отозвалась Афина. Затем она проплыла мимо потрясенной матери и отправилась в свою комнату на втором этаже. Она решила, что сегодня вечером наденет синее шелковое платье. То самое, которое Андре купил ей и которое произвело такой фурор в Париже.

Фон боялась заходить в церковь, боялась, что при виде нее священник начнет поносить Филда за то, что он выбрал такую жену. Ее глаза наполнились слезами, и она с трудом могла разглядеть Рэйчел.

Но Рэйчел взяла ее за руку.

— В чем дело? — прошептала она.— Разве ты не хочешь выйти замуж за Филда?

Одной рукой Фон смахнула слезы, радуясь, что Гриффин и Филд уже вошли в церковь и не видят, как она плачет.

— А вдруг священник не захочет нас обвенчать, Рэйчел? — шмыгая носом, спросила она.

Рэйчел достала чистый носовой платок:

— Он же дядя Филда! И с какой стати он откажется совершать обряд?

— Посмотри на меня! — яростно прошипела Фон, вытирая лицо платком.

Рэйчел с искренним изумлением осмотрела ее:

— Ты выглядишь просто великолепно — только глаза чуть припухли.

Несмотря на свое настроение и обстоятельства, Фон громко расхохоталась. Бесполезно было объяснять что-либо этой доброй, лишенной всяческих предрассудков и совершенно замечательной глупышке. Она поглубже вздохнула и произнесла:

— Ну все, я готова. Да, Рэйчел!

Рэйчел, уже тянувшая ее за руку к входу в церковь, нахмурилась:

— Что?

— Когда мы вернемся в Провиденс, ты станешь со мной дружить? Думаю, я буду нуждаться в поддержке такой подруги, как ты.

Рэйчел засмеялась, каблучки ее туфель весело застучали по дорожке из сосновых досок, ведущей через церковный двор.

— Я собиралась сказать тебе то же самое, Фон Найтхорс. Просто не могла набраться смелости.

При всей своей простоте, свадьба была столь очаровательно романтичной, что Рэйчел плакала, не стесняясь слез. Филд, со своей необыкновенно прямой осанкой, выглядел особенно гордым. Время от времени восхищенно улыбаясь своей невесте, он повторял слова обета громким, уверенным голосом.

Фон была явно испугана, и Рэйчел все время чувствовала ее страх, видела, как она дрожит. Но когда благообразный седовласый священник произнес заключительные слова, Фон Холлистер радостно вскрикнула и повисла на шее у мужа.

Позже, когда прозвучали поздравления и четверо участников свадебной процессии вышли из церкви, Фон взглянула на Гриффина с видом раздосадованной сестренки.

— Это ты уговорил Филда сделать это? — требовательно спросила она.

Гриффин рассмеялся:

— Кто — я? Я умолял его одуматься!

— Лжец, — ответила Фон. Ее блестящие от слез

глаза смотрели с любовью, уголок рта изогнулся в слабой улыбке.

Гриффин снова рассмеялся. Он обхватил Фон за талию, поднял в воздух и снова поставил на ноги так, что она слегка покачнулась. Наклонившись, он поцеловал ее в лоб.

— Будь счастлива,— глухо произнес он.

— Может, ты отпустишь мою жену? — рявкнул Филд, глаза его сияли счастьем и радостью.

Рэйчел стояла чуть поодаль, наблюдая. Она провела пальцами по прекрасным жемчужинам у себя на шее и ощутила слабую, робкую надежду.

ГЛАВА 26

Со вздохом Гриффин опустился в кожаное кресло, стоящее напротив рабочего стола Джона О'Рили. Он полагал, что этот разговор неизбежен, но все равно ожидал его с тяжелым сердцем. Будет нелегко разделить свои чувства — ненависть к Афине и огромное уважение к Джону, — но он знал, что придется это сделать. Джон не питал никаких иллюзий насчет Афины, но все же был ее отцом и, естественно, любил дочь.

— Если вы собираетесь спросить о моих намерениях, — без обиняков заявил Гриффин, — то никаких намерений у меня нет. Во всяком случае, отношению к Афине.

Гриффин прекрасно понимал причину печали, сквозившей в осанке старого человека, в глубине его мудрых, добрых глаз.

— Ты всегда был очень прямолинейным, Гриффин, — заметил он, усаживаясь в кресло за столом и протягивая руку за трубкой. — Это одно из качеств, которые мне нравятся в тебе больше всего.

Хотя он был рад за Филда и его молодую жену и испытывал нежность от присутствия Рэйчел рядом и, одновременно, сожаление из-за невозможности прикоснуться к ней, Гриффин чувствовал себя усталым. И столкновение с Афиной не оставило его совершенно равнодушным. Он ненавидел себя за то, что до такой степени лишился самоконтроля в ее присутствии.

— Подозреваю, что кое-что вам во мне не нравится.

— Совершенно верно, — отозвался Джон, чиркнув спичкой и поднося ее к своей трубке. Воздух над его головой наполнили клубы ароматного, пахнущего вишней дыма. — Ты упрям, самоуверен, вспыльчив и к тому же настоящий тиран. Ты был бы идеальным мужем для моей дочери.

Гриффин вздохнул:

— Джон...

— Успокойся. Я не собираюсь умолять тебя все простить и забыть — я знаю, что это для тебя невозможно. Думаю, я и сам не смог бы, случись подобное со мной.

— Тогда в чем дело?

— Не надо мстить ей, Гриффин. Не причиняй ей боли.

«Интересно, — подумал Гриффин, — если у меня когда-нибудь появится дочь, смогу ли я любить ее так, как любит этот человек — безгранично». Он надеялся, что сможет.

— Я не буду, Джон.

— По словам Джоанны, когда ты ушел, Афина была вне себя, — настойчиво продолжал Джон.

Гриффин резко поднялся с места и повернулся спиной к другу. Засунув большие пальцы за пояс, он принялся старательно и методично изучать потолок.

— Я очень сожалею, — проговорил он. — С этого момента я буду избегать встреч с ней.

— Это может оказаться не так просто, как ты думаешь, — с горечью ответил Джон О'Рили. — Моя дочь явно решила вернуть тебя назад. Гриффин, невозможно даже представить, что она может натворить, — да повернись же и посмотри на меня.

Медленно, с неохотой Гриффин повернулся.

— Она давно сделала свой выбор, Джон, — спокойно произнес он. — Меня не касается, что она будет делать, если только она оставит в покое Рэйчел.

Старик вздохнул и затянулся дымом из трубки.

— Именно об этом я тебе и говорю, Гриффин, — оба мы, и Джоанна, и я, беспокоимся за Рэйчел. Она абсолютно неискушенное существо, и если Афина всерьез начнет строить против нее какие-нибудь козни, Рэйчел может очень сильно пострадать.

В тишине комнаты, где сами вещи, казалось, излучали спокойствие и достоинство, голос Гриффина прозвучал особенно хрипло:

— В состоянии ли Рэйчел путешествовать?

Джон кивнул головой, как показалось Гриффину.

— Да. Но, как тебе известно, полное выздоровление требует долгого времени. Судя по тому, что рассказала нам с Джоанной эта молодая леди, ей пришлось многое пережить за последние несколько недель. Гриффин, она может просто не пережить слишком больших потрясений.

Гриффин сжал кулаки.

— Продолжайте,— нетерпеливо выдохнул он.

Голос Джона звучал ровно, осторожно:

— Гриффин, разберись хорошенько в собственных чувствах. Не спеши — на это нужно немало времени.

— Время? — крикнул он. — У меня было целых два года, чтобы «хорошенько», разобраться, Джон! Я «разбирался» с той ночи, когда...

— С той ночи, когда ты обнаружил мою дочь в постели другого мужчины. Я знаю об этом, Гриффин. Но и теперь ты не равнодушен к Афине — неужели ты сам не понимаешь этого?

Возразить было нечего. Он жаждал убить ее, но не был к ней равнодушен.

— Я не люблю ее,— сдавленным голосом произнес он.

— Ты должен окончательно убедиться в этом, прежде чем давать Рэйчел какие бы то ни было обещания, Гриффин. Если ты, пусть ненамеренно, причинишь ей боль, это будет верхом жестокости.

Сама мысль об этом потрясла Гриффина до глубины души.

— Я спал с Рэйчел,— признался он, но по совершенно иной причине, чем в разговоре с Джонасом.— Она могла забеременеть.

Во вздохе Джона слышалась бесконечная усталость.

— Гриффин,— наконец произнес он, и в его тоне было одновременно и обвинение, и прощение.

Гриффин опустил голову:

— Самое ужасное, что я вряд ли могу пообещать, что это не повторится.

— Постарайся подождать — будь терпелив. Подобные вопросы часто решаются сами собой.

— Джон, я просто хочу жениться на Рэйчел. Я просто хочу...

— Ты хочешь. Замечательно. Гриффин, — ради тебя и ради Рэйчел, — я надеюсь, что вы действительно поженитесь. Но отбрось в сторону свое сиюминутное желание и подумай, подумай о ней. Если ты не можешь полностью отдать себя Рэйчел, женившись на ней, то обманешь ее.

Но ведь следовало помнить о существовании Джонаса и людей, подобных Фразьеру! Уже не в первый раз Гриффин задумывался, сколько в его бешеной страсти к Рэйчел было истинной любви, сколько — желания отомстить Джонасу. И если разобраться во всем абсолютно честно, то, возможно, он просто использовал эту девушку.

«Помоги мне, Господи, я сам не знаю, — в отчаянии подумал Гриффин. — *Я не знаю».*

Когда он встретился взглядом с Джоном, то в глазах друга прочел понимание. Он отвернулся и вышел из кабинета в коридор.

Ему придется поговорить с Афиной. Пусть это будет стоить ему неимоверных усилий, но он сумеет вести себя с ней спокойно, разумно, может, даже вежливо. Это докажет всем — включая и его самого, — что от его прежних чувств к ней ничего не осталось.

Вместо того чтобы поскорее увезти Рэйчел из этого дома, как подсказывал ему инстинкт, Гриффин останется. Выдержит до конца этот идиотский праздник. Сделает попытку разобраться в своих мыслях и чувствах с точки зрения здравого смысла. Как будто что-то в этом мире имело хоть каплю смысла с того дня, когда он ворвался в дом Джонаса и впервые увидел Рэйчел!

Ощутив прилив решимости, Гриффин расправил плечи и отправился искать женщину, которая в свое время едва не погубила его.

* * *

Удивительно, как быстро рассеялись романтические чары, навеянные свадьбой Холлистеров! Стоя у окна в своей комнате, Рэйчел всматривалась в сияющее голубое небо и снова не могла избавиться от ощущения смутной тревоги.

Снизу раздалось постукивание колес по дороге, и подъехавший экипаж плавно остановился перед воротами дома О'Рили. Иэ экипажа выбрались четверо мужчин, которые имели при себе музыкальные инструменты в кожаных чехлах.

Рэйчел вздрогнула.

Танцы. На праздниках обязательно положено танцевать — будь она поумнее, она бы с самого начала знала это. Сердце испуганно забилось у нее в груди. Если не считать нескольких джиг под пиликанье скрипки в поселках лесорубов, Рэйчел больше никогда в жизни не танцевала. Что ей делать, если Гриффин не захочет уехать до начала этой проклятой вечеринки?

Какой же дурой она будет выглядеть рядом с Афиной, грациозно порхающей по залу и чувствующей себя привычно в объятиях партнеров! Эта дама, конечно, ни разу не собьется с такта, не наступит на подол своего платья...

Но тут Рэйчел словно вновь увидела лицо отца, услышала его яростную отповедь. *Маккинноны никогда не бегут в страхе перед чем-нибудь или кем-нибудь!*

Рэйчел медленно подняла голову. Возможно, она будет выглядеть круглой дурой, возможно, над ней посмеются. Но она постарается — она станет наблюдать за танцующими, запоминать, что они делают, и потом, насколько это у нее получится, будет делать то же самое.

Снедаемая беспокойством и неуверенностью, Рэйчел стояла у окна, переминаясь с ноги на ногу, и жалела, что отличительной чертой Маккиннона не является трусость. Именно тогда она и заметила Гриффина, который, обогнув дом, направился в сторону сада. И она сомкнула веки, не желая знать то, что знала, не желая ни дышать, ни двигаться, ни даже существовать на свете. Но даже с закрытыми глазами она все видела сердцем, видела так ясно, словно сама была там, у калитки сада.

Когда Гриффин окажется в этом, наполненном благоуханием цветов уединенном уголке, он найдет там Афину.

Вцепившись обеими руками в подоконник, Рэйчел усилием воли заставила себя разжать веки. Нет, жизнь не кончится, если Гриффин изменит свое решение. Рэйчел найдет в себе силы продолжать жить так, как жила раньше. Вот только месячные у нее не пришли, когда должны были. Слезы потекли по ее лицу. *«У меня еще есть деньги,* — напомнила она себе. — *У меня еще есть дом матери в Провиденсе...»*

Вслед за первым экипажем появился следующий, запряженный четверкой очень знакомых вороных лошадей. Дверца открылась, появился Джонас Уилкс, такой красивый в своем элегантном костюме, и с улыбкой взглянул вверх, на ее окно.

Импульсивно, не задумываясь о последствиях, Рэйчел принялась дергать раму, пока та не поддалась и со скрипом не поднялась вверх.

— Привет! — закричала девушка, радуясь знакомому человеку, на чье дружелюбное отношение она могла рассчитывать.

Джонас с комичным видом поклонился.

— Ежик! — рассмеялся он. — Ты сейчас упадешь и сломаешь свою прекрасную шейку!

Довольная тем, что ее слез наверняка не видно с такого расстояния, Рэйчел улыбнулась:

— Я не упаду — кажется, я умею летать!

Джонас склонил голову набок:

— Летать? А ты умеешь танцевать, ежик?

Залившись краской, Рэйчел отрицательно помотала головой.

Джонас решил эту проблему моментально.

— В таком случае я научу тебя, — пообещал он.

Не успела Рэйчел ответить, как в поле ее зрения появился Гриффин, мрачный как грозовая туча, с упертыми в бока руками. Очевидно, садовая интрижка ему уже наскучила.

— Что это такое? — резко поинтересовался он. — Сцена на балконе из «Ромео и Джульетты»?

Стоявшая за спиной Гриффина Афина впилась ногтями в ладони. Что же такое было в этом маленьком ничтожестве, из-за чего взрослые мужчины начинали вести себя как последние идиоты? Боже милостивый, у Гриффина такой вид, будто он сейчас полезет драться, а на лице Джонаса застыло выражение глупого обожания. Когда-то причиной их яростной вражды была она сама, с горечью подумала Афина.

Гордо вскинув подбородок, Афина прошла мимо Гриффина, подчеркнуто игнорируя его.

— Привет, Джонас, — поздоровалась она, призвав себе на помощь самую обворожительную улыбку, на какую была способна.

В топазовых глазах Джонаса отразилось лишь признание ее красоты, но ничего более.

— Афина, — произнес он, коснувшись края полей шляпы кончиками пальцев.

Украдкой бросив взгляд в сторону Гриффина, Афина обнаружила, что тот не обращает внимания ни на нее, ни на Джонаса. Подняв глаза, он пристально смотрел на Рэйчел.

— Спускайся сюда! — прокричал он так внезапно, что и Афина и Джонас вздрогнули.

Рэйчел упрямо выставила вперед подбородок и громко ответила:

— И не подумаю, Гриффин Флетчер!

Афина продолжала улыбаться, но губы ее дрожали. Самообладание почти покинуло ее. Она и Джонас могли бы кататься прямо здесь, на траве, в чем мать родила, но Гриффин бы и не заметил.

Зато Джонас, похоже, улавливал каждую деталь происходящего; его тонкие губы были поджаты, а странные золотистые глаза сверлили взглядом широкую спину Гриффина.

Боль охватила Афину с новой силой. Значит, это

все-таки правда — Джонас Уилкс наконец попал в сети любви.

— *Рэйчел,* — начал Гриффин таким голосом, что, будь он обращен к Афине, у нее бы тут же сердце ушло в пятки. — *Сейчас же*!

Рэйчел высунула голову из окна, но только на мгновение.

— Не смей указывать, что мне делать! — завопила она. И тут же, сверкая лакированным носком, в неподвижном, напоенном ароматом сирени воздухе пронеслась туфелька и со свистом пролетела рядом с головой Гриффина. За нею немедленно последовала вторая.

На мгновение Афина невольно почувствовала восхищение этой дочерью лесоруба. Жаль только, что она не прицелилась получше. Афина прикрыла глаза, удивляясь, почему мысль о том, что влюбленные явно в ссоре, не приносит ей облегчения.

Услышав грохот сапог Гриффина по лестнице, Рэйчел замерла. Надо немедленно запереть дверь, решила она; но не успела она заставить себя выйти из столбняка, как в дверях возникла высокая фигура Гриффина. Его лицо было напряжено и побелело от ярости, темные глаза сверкали. Рэйчел уже начала серьезно опасаться за свою жизнь и не поверила собственным ушам, когда Гриффин неожиданно расхохотался. Это был громкий, искренний, раскатистый смех, и едва он стих, сменившись кривой полуулыбкой, Рэйчел с изумлением осознала, что он каким-то образом разрядил атмосферу.

— Я люблю тебя, — сказал он. И тут же, с галантным поклоном, достал из-за спины туфли и протянул ей. — Слава Богу, что ты не смогла поднять бюро.

Мысли вихрем кружились в голове у Рэйчел.

— Если ты любишь меня, Гриффин, — бесстрашно, с достоинством сказала она, — что же вы делали все это время в саду с Афиной?

— Я выяснял, действительно ли люблю тебя. Какое-то время я не был уверен, что́ чувствую — возможно, просто страсть. Или желание отомстить. Поэтому решил, что мне следует встретиться с Афиной один на один и поговорить с ней спокойно, просто для того, чтобы понять, способен ли я на это.

Сердце Рэйчел лихорадочно билось, она задыхалась от волнения.

— И?

— И единственное, что я испытал к ней, — это жалость.

Рэйчел потянулась и взяла туфли, которые Гриффин все еще держал в руке; потом с великим тщанием надела одну из них. Щеки ее мучительно горели от стыда.

— Я не должна была спрашивать тебя, Гриффин. Я не имела права.

Гриффин легонько сжал ее запястья, не давая им двигаться. Рэйчел застыла в неловкой позе: одну туфельку она уже надела, а другую продолжала держать в руке.

— Ты имела на это полное право, — возразил он. — А теперь ответь мне, Рэйчел Маккиннон: любишь ты меня или нет? Ты никогда не говорила мне этого.

Рэйчел засмеялась и, раскинув руки, с размаху бросилась ему на шею и прижалась лицом к его широкой и такой надежной груди:

— Да, да!

Гриффин мягко приподнял ее подбородок указательным пальцем. Изогнувшая его губы кривая усмешка резко контрастировала с темной глубиной желания в глазах.

— Мне надо было сразу согласиться на предложение Бекки, — сказал он.

Рэйчел насупилась:

— Какое еще предложение?

— Она собиралась дать мне тысячу долларов и впридачу свой публичный дом, если я женюсь на тебе. А теперь, если я попрошу тебя выйти за меня замуж и ты согласишься, мне не достанется такой отличный бордель.

Рэйчел снова рассмеялась, хотя у нее тряслись поджилки, а зрение слегка затуманилось.

— Тебе следовало потребовать что-нибудь еще — например, пару лошадей и повозку.

Гриффин нежно заглянул ей в лицо:

— Это что, своего рода завуалированное согласие?

Сжатая в его объятьях, она слегка подалась назад:

— А это было своего рода завуалированное предложение?

Он кивнул с важным и серьезным видом, хотя в глубине его глаз играла улыбка.

— Я принимаю его. Только...

«Только что»? — нахмурился он.

— Я хочу, чтобы ты был уверен в своих чувствах, Гриффин.

— Я уверен.

Но Рэйчел покачала головой и опустила глаза, хотя тут же их подняла: его лицо, как магнит, притягивало ее взгляд.

— До последних дней Афина была далеко — вне твоей досягаемости. Теперь она вернулась, и я хочу через месяц услышать от тебя, что ты будешь чувствовать, зная, что она снова рядом и что ты мог бы уйти к ней, если бы захотел.

Его руки двигались по ее телу, под самой грудью — и ей было так трудно придерживаться принятого решения. Если он еще сильней прижмет ее к себе...

Но Гриффин опустил руки и сделал шаг назад:

— Если ты этого хочешь, Рэйчел, я подожду. Но мне нужно знать одну вещь.

— Что?

— Как ты относишься к Джонасу Уилксу?

Заданный столь прямолинейно вопрос слегка ошарашил девушку; к тому же выражение глаз Гриффина говорило о том, что ее ответ для него чрезвычайно важен. Поэтому Рэйчел постаралась быть честной.

— Иногда Джонас мне нравится, — призналась она. — Он может быть очень добрым, если захочет. Но обычно он ведет себя слишком развязно.

Она не сознавала, что плечи Гриффина окаменели от напряжения, пока он не расслабился.

— Но ты не считаешь, что могла бы полюбить его?

— Гриффин, я люблю *тебя*.

Губы Гриффина дрогнули, в глазах мелькнула тень, но прежде чем он успел добавить что-то еще, в комнату вошла Джоанна с лицом, выражающим добродушный упрек и обеспокоенность.

— Гриффин Флетчер, бесстыдник! Выйди из этой комнаты немедленно, пока я не приказала тебя выпороть. А что касается вас, мисс Рэйчел Маккиннон, — не пора ли вам надеть ваше прекрасное новое платье?

Гриффин ухмыльнулся, с комичным видом скосил глаза в сторону Рэйчел, подыгрывая Джоанне, и послушно покинул комнату.

Через час, когда Рэйчел спустилась вниз, он ожидал ее у подножья лестницы и выглядел так великолепно, что она была просто ошеломлена. Неужели он действительно сказал, что любит ее, сделал ей предложение? Это казалось ей совершенно невероятным. Но, пока она спускалась по лестнице, он не сводил с нее восхищенного взгляда и протянул ей руку.

— Русалочка, — прошептал он с неподвижной улыбкой, придававшей ему забавный вид. — Боюсь, месяц может показаться мне целой вечностью.

Рэйчел покраснела, но ее взгляд скользил по его черному торжественному костюму с искренним восхищением.

— Ты похож на героя-любовника или на игрока из казино, — с восторгом заключила она.

Гриффин громко расхохотался:

— Филд оценит твое замечание. Это же его свадебный наряд — ты разве не узнала?

Рэйчел уставилась на него:

— Гриффин Флетчер, ты не...

Из столовой, превращенной на один вечер в танцевальный зал, донеслись первые звуки оркестра, и Гриффин вкрадчиво улыбнулся:

— Увы, мне пришлось это сделать. Я постучал в дверь его комнаты в гостинице и потребовал свадебный костюм. Филду так не терпелось поскорее от меня отделаться, что он просто вышвырнул его в коридор.

— Тебе повезло, что он не застрелил тебя.

— Застрелит завтра, — с блаженным видом произнес Гриффин.

Смех замер в горле у Рэйчел. Завтра действительно что-то случится — она это чувствовала. Тень набежала на лицо девушки. Она все еще продолжала хмуриться, когда в сопровождении Гриффина оказалась в самом центре огромного празднества, устроенного в честь дня рождения Афины.

ГЛАВА 27

С циничной полуулыбкой Гриффин изучал великолепно украшенную столовую в доме О'Рили:

— Просто потрясающе, каких результатов можно достичь после двадцати четырех часов неустанной каторжной работы, не правда ли?

У самой Рэйчел на душе было не очень-то празднично. Гриффин Флетчер любит ее, он даже хочет жениться на ней. Казалось бы, жизнь должна быть прекрасной — но нет. Надвигалась некая зловещая катастрофа, но даже тонкой интуиции Рэйчел было не под силу определить, какая. Девушка смотрела на разнаряженных мужчин и женщин вокруг и с грустью размышляла, что завтра, возможно, произойдет нечто такое, после чего им долго не захочется танцевать. Но завтрашний день, как всегда, терялся где-то в туманной дали, и не было смысла ради него отказываться от сегодняшнего волшебного вечера. Подняв голову, Рэйчел Маккиннон от всей души присоединилась к общему веселью.

Как она ни волновалась, танцевать оказалось очень легко: ей пришлось только следовать за умелыми движениями Гриффина. Это было очень приятно, и, танцуя вальс за вальсом, чувствуя себя смущенной, восторженной и даже красивой, Рэйчел и думать позабыла о своей прежней неуверенности в завтрашнем дне.

Когда в перерыве между танцами появился Джонас и улыбнулся Рэйчел, что-то в лице Гриффина чуть заметно напряглось. Хотя взгляд золотистых глаз Джонаса был устремлен на Рэйчел, слова его были адресованы Гриффину.

— Проявите воспитанность и потанцуйте с хозяйкой вечера, доктор, — невозмутимо произнес он. — Если вы этого не сделаете, она скоро начнет рвать и метать.

Отведя взгляд от странно притягательных глаз Джонаса, Рэйчел подняла голову и одарила стоящего рядом с ней разгневанного гиганта спокойной улыбкой.

Со мной будет все в порядке, пообещала она, не произнося ни слова.

Темные глаза Гриффина сверкнули, но он прочел то, что было написано у нее во взгляде, и улыбнулся. Однако одна его бровь чуть приподнялась, когда он перевел взгляд на Джонаса. Нечто неуловимое проскочило между двумя мужчинами, и в теплом ароматом воздухе летнего вечера вдруг повеяло холодом. Но тут Гриффин многозначительно сжал руку Рэйчел и отправился на поиски хозяйки.

За явным восхищением, написанным на лице Джонаса, скрывалось что-то, от чего становилось не по себе. Снова заиграла музыка, он обнял Рэйчел за талию, и в его прикосновении ей почудилась какая-то смертельная тоска. Пока они танцевали, он говорил о самых банальных вещах: о погоде, о тигровых лилиях, букет которых украшал стол, отодвинутый на время танцев к стене, о мастерстве музыкантов, играющих приятную мелодию, под которую они кружились.

Рэйчел пыталась внимательно слушать его, но несколько раз ее взгляд искал Гриффина и Афину, танцевавших в дальней части помещения. Как чудесно они выглядели вместе — высокий, прекрасно сложенный, властный Гриффин и Афина, светловолосая, сияющая от радости!

Когда взгляд Рэйчел снова обратился на лицо Джонаса, она заметила в нем что-то такое, что заставило ее вздрогнуть. Была ли то печаль? Или ярость? Она не могла понять.

— Афина так красива, правда? — чуть слышно шепнула она.

— Потрясающе, — ответил Джонас; его голос звучал отрывисто и совершенно утратил свою обыденность. — Берегись, ежик.

Рэйчел почувствовала скрытый вызов, и кровь бросилась ей в лицо.

— Что вы имеете в виду?

В неистовых глазах Джонаса появилось то же самое выражение, которое она заметила несколько мгновений назад.

— Я имею в виду, что ни одно желание Афины не оставалось неисполненным. А ей нужен Гриффин.

Музыка завершилась изящным аккордом, и Рэйчел застыла на месте:

— Джонас...

Но он прижал указательный палец к ее губам, заставив замолчать.

— Это опасная игра, Рэйчел. Очень опасная игра. И помни — когда она закончится, я буду рядом.

Он ушел, а Рэйчел все еще размышляла над тем, что могли означать его слова. На полпути Джонасу встретился Гриффин, и мужчины инстинктивно и привычно обошли друг друга стороной.

Когда Афина увидела приближающегося к ней Джонаса, услышала то, что он шепотом сообщил ей, ее совершенное лицо греческой богини залилось краской. Затем она повернулась, отчего ее синее шелковое платье сверкнуло в луче света, подхватила Джонаса под руку, и оба они исчезли за высокими стеклянными дверями, ведущими в сад.

Опомнившись, Рэйчел поняла, что следит за ними, и, смущенно покраснев, перевела глаза на Гриффина. К счастью, его задержал доктор О'Рили — Гриффин слушал его с пристальным вниманием и не заметил бестактного любопытства Рэйчел.

Когда Гриффин повернулся к ней, в его взгляде она увидела только облегчение и сама немного расслабилась, хотя ее по-прежнему тревожили неясные сомнения из-за внезапного исчезновения Джонаса и Афины. О чем они говорили там, в залитом лунным светом, полном аромата роз саду? Неужели они вместе готовили какой-то заговор? Рэйчел одернула себя. Какой тщеславный вздор приходит ей в голову!

— Почему ты так улыбаешься? — спросила она Гриффина, пытаясь стряхнуть с себя последние остатки сомнений и неловкости.

— Потому что ты так прекрасна, — ответил он. — Потому что танцевать с Афиной было невыносимо скучно. И потому что я недавно узнал, что не убил человека.

Рэйчел нервно сглотнула слюну и потрясенно уставилась на него.

— Не убил человека? — тупо повторила она.

Он смущенно вздохнул, и его могучие плечи поднялись и опустились.

— Не знаю, почему, но я обрадовался, услышав, что Дугласу Фразьеру лучше. Он снова пришел в сознание — так сообщили минуту назад Джону.

— Пришел в сознание? — прошептала Рэйчел. Она не спрашивала никого о судьбе Дугласа Фразьера с той ночи, когда Гриффин каким-то образом спас ее от него, не осмеливалась даже думать о том, по-прежнему ли он представляет опасность или нет. — Гриффин, что ты сделал?

— Я избил его почти до смерти, — бесстрастно ответил он, и по его глазам было видно, как он внутренне напрягся, ожидая ее ответа.

Рэйчел вспомнила Добсона, избитого лесоруба, который мог благодарить Гриффина Флетчера как за нанесенные ему увечья, так и за свое выздоровление. В ее возлюбленном таилась безжалостная, беспредельная жестокость, и осознание этого факта вызвало у нее двойственное чувство. С одной стороны, она оценила его силу; с другой, — ощутила в себе страх перед этой неуправляемой яростью, проглядывающей сквозь его резкую, хотя и благородную манеру поведения.

К своему ужасу, Рэйчел поняла, что он каким-то образом следил за ходом ее мыслей и сумел угадать самую тревожную из них.

— Тебе не следует меня опасаться, русалочка, — отчеканил он холодным, размеренным тоном.

Рэйчел почувствовала себя виноватой.

— Я знаю, Гриффин,— промолвила она; она действительно знала это.

В его глазах — но не на губах — появилась долгожданная улыбка.

— Хотя должен признать, что иногда мне достаточно трудно сдерживать себя. Например, сейчас я бы отдал что угодно, лишь бы остаться с тобой наедине.

Смысл его слов не оставлял сомнений, и Рэйчел чувствовала ту же потребность, что и он. Но месяц был вполне терпимым отрезком времени, и ей не хотелось ни о чем сожалеть, если после этого интервала окажется, что Гриффину нужна Афина, а не она.

— Вы очень прямолинейный человек, Гриффин Флетчер,— произнесла она, в полной мере осознавая, насколько ее взгляд и тело притягивают его.— Но вам все же придется подождать.

Его темные глаза жгли, словно угли, когда он откровенно перевел взгляд на ее грудь и потом снова посмотрел ей в лицо.

— Я уже из вторых уст слышу этот совет,— проворчал он.— А я имею отвратительную привычку — не следовать советам других людей.

Рэйчел чувствовала, как ее щеки медленно становятся пунцовыми; она словно внезапно оказалась совершенно обнаженной перед ним и абсолютно беззащитной — на виду у всех этих людей. К ее глубокому стыду, это ощущение было не таким уж неприятным, и когда Гриффин схватил ее за руку и потащил вон из комнаты в тускло освещенный коридор, она не сопротивлялась. Он склонился и впился губами в ее губы, будто стремясь вобрать в себя, поглотить ее целиком — со всеми ее благими намерениями. Рэйчел задрожала от болезненного безрассудного желания.

Вокруг была теплая, безветренная ночь, ясная от света миллионов звезд. Гриффин вывел Рэйчел из дома, и они пошли вдоль стены, противоположной цветнику, в сторону небольшого яблоневого сада. В сиянии луны и звезд красота яблоневых соцветий казалась особенно трепетной и хрупкой. Скоро, когда наступят теплые летние дни, эти цветы увянут, но сейчас они казались сотканными из розового шелка и облитыми серебром.

В середине этого волшебного сада Гриффин снова поцеловал ее. И в этом поцелуе было столько страсти, столько требовательной, неутоленной жажды, что Рэйчел не смогла сопротивляться. Она чуть не задохнулась от наслаждения, когда его руки принялись ласкать ее едва прикрытую грудь, и соски, ставшие от его прикосновений твердыми и пульсирующими, явственно выступили под тонким абрикосовым батистом платья.

С тихим стоном он прижал ее к грубой коре кривого, покрытого наростами дерева, листва которого тихонько шелестела на ветру, и окинул ее откровенно раздевающим взглядом. Потом его руки медленно двинулись к дерзкому вырезу платья. Она почувствовала, как на нее накатывает волна бешеного, безрассудного восторга, когда он слегка потянул вниз платье и надетую под ним рубашку и обнажил ее грудь. Он наклонил голову, коснулся твердого, выступающего соска самым кончиком языка, и Рэйчел застонала.

— Пожалуйста, — прошептала она.

Но сладостная, безжалостная пытка продолжалась до тех пор, пока не стала почти невыносимой, пока все внутри нее не слилось воедино в бессловесной мольбе о том, чтобы он крепко, всем телом прижался к ней. Но Гриффин по-прежнему только покусывал крошечный бугорок.

Рэйчел охватило безумное нетерпение, она шептала его имя, извиваясь от наслаждения.

— Скажи это, — попросил он, щекоча пульсирующий сосок упругим кончиком языка.

— О-о, — простонала она, терзаемая желанием.

— Скажи же, — повторил он.

— Целуй же, — сдаваясь, прошептала она в сладостном томлении.

Теперь он всем ртом впился в ее грудь, всасывая ее женственную сущность в один истерзанный сосок. Рэйчел раздвинула ноги, и рука его, подняв юбки, начала ласкать ее обтянутые шелком бедра. Его пальцы двинулись вверх, дразня и безжалостно возбуждая ее.

Внезапно он оторвался от ее груди и выпрямился во весь рост, властный и неподвижный.

— Разденься, — приказал он.

Мгновение Рэйчел колебалась, почти ненавидя его за то, как он может управлять ею, подавлять ее решимость, заставлять молить о прикосновении его рук и огненных ласках языка. Она повернулась к нему спиной:

— Я не могу справиться с этими пуговицами.

Движения пальцев Гриффина были неловкими, но он быстро расстегнул пуговицы. Он не сделал ни малейшей попытки стянуть платье у нее с плеч или повернуть ее к себе лицом.

Испытывая какое-то бесстыдное раздражение, Рэйчел повернулась к нему и стала ждать. Но он попрежнему и не думал снимать с нее платье. Его глаза, весь его вид требовал, чтобы Рэйчел сама сделала это, сама обнажила себя перед его взглядом. И она подчинилась. Платье скользнуло, опустившись на мягкую землю у ее ног, будто абрикосовое облачко. Дрожащими руками, вслед за платьем она сбросила сползшую с плеч рубашку и панталоны.

«Я ненавижу тебя за то, что ты способен заставить меня сделать это, Гриффин Флетчер, — подумала она, чувствуя, как ее тело предательски дрожит под его взглядом. — *Но самое странное, что я люблю тебя за это же».*

Она приблизилась к нему, гордая нимфа, облаченная в покрывало лунного света, и быстрым смелым движением расстегнула на нем брюки. Его отвердевшая плоть, его хриплый, первобытный крик дали ей понять, что теперь властвует она. Она повелевает. Рэйчел медленно опустилась на колени и начала возбуждать его столь же методично и изощренно, как прежде делал это он. Но за его спиной не было дерева, и он удерживался от падения, упершись в землю широко расставленными ногами. Его дыхание было хриплым, шумным и прерывалось тихими экстатическими вскриками.

Голова Рэйчел кружилась от желания, от торжества.

— Скажи это, — велела она.

Он застонал, наслаждаясь своим сопротивлением.

— Скажи это, Гриффин.

Он почти выкрикнул требуемое слово.

Это был вопрос чести. Рэйчел продолжала до тех пор, пока он не испустил крик и не застыл в бурном освобождении.

— Ведьма, — прошептал он, опускаясь на колени и прижимая ее руками к мягкой земле.

Магическая власть опять перешла к нему. Закрыв глаза, Рэйчел отдалась его пламенному, нежному возмездию. Страсть то возносила ее к звездам, к самым границам экстаза, то со всей силы бросала обратно на землю — и это повторялось снова и снова. Когда, наконец, неровными, судорожными волнами освобождение пришло и к ней, Рэйчел вскрикнула.

Потом они долго лежали неподвижно, без сил и без слов.

— Нам пора вернуться в дом, — прошептала Рэйчел, как только обрела способность говорить.

Но Гриффин покачал головой, встал на колени и приподнял Рэйчел, помогая ей сесть. Его губы жадно прильнули к ее груди, и пока он целовал ее, Рэйчел поддерживала его, запустив пальцы в его темные спутанные волосы.

Джонас был рад относительному уединению, которое обеспечивала гостиная дома О'Рили. Он раздраженно метался перед камином, под портретом Афины. Она стояла возле закрытых дверей, скрестив руки на груди обворожительного туалета из синего шелка, и неприязненно наблюдала за Джонасом.

— Я ведь предупреждала тебя, что положение серьезное, Джонас, — произнесла Афина. В ее дрожащем голосе слышались злость и оскорбленное достоинство.

Джонас резко остановился и обрушил всю свою беспредельную злость на Афину.

— Только не Рэйчел,— угрожающе прорычал он.

Но Афина сохраняла невозмутимость.

— Возможно, с тобой она и не стала бы. Но я могу тебя заверить, что они сейчас не прогуливаются под луной, обсуждая меблировку гостиной!

Джонасу хотелось умереть. В его воображении проносились чередой ужасающие картины, вызывая в нем отвращение, углубляя его всепоглощающую ярость. Рэйчел с Гриффином. Представить это было невыносимо. Он пойдет на все, но не допустит этого.

— Если ты делаешь наибольшие успехи в лежачем положении, Афина,— тихим, убийственно-оскорбительным тоном сказал он,— это не значит, что Рэйчел такая же.

Афина пожала плечами, и это движение до смешного противоречило яростному блеску в ее синих глазах.

— Думай что хочешь, Джонас. Но я больше не намерена обманывать себя — надо что-то делать, и быстро.

— Например?— огрызнулся Джонас.

Афина подняла золотистую бровь:

— Например? Мы устроим так, что Гриффину придется сделать одно совершенно невыносимое для него открытие — что же еще?

Джонас со всех сторон обдумал эту идею. Как оказалось, ярость в нем еще не окончательно вытеснила разум.

— Нет,— бесстрастно сказал он.

— Почему нет? Ты можешь дождаться, пока она заснет, а потом мы сделаем так, чтобы Гриффин обнаружил тебя рядом с ней...

— Меня от тебя мутит, Афина,— Джонасу и вправду стало тошно.

В ярко-синих глазах сверкнула глубокая обида.

— Как ты, оказывается, благороден, Джонас. Разве ты не помнишь, что в первом подобном случае он едва не сошел с ума?

— На этот раз дело может кончиться еще хуже. Афина, я знаю, что тебе наплевать, но он просто убьет меня на месте. Возможно, ты никогда не видела Гриффина в состоянии сумасшествия, но, могу тебя заверить, это не то зрелище, от которого испытываешь прилив храбрости!

— Ты боишься его!

— Да, черт побери, ты права: я его боюсь!

— Значит, ты хочешь Рэйчел не так сильно, как утверждаешь.

— Я хочу Рэйчел,— сдавленно, грозно прошипел Джонас.— Я *люблю* Рэйчел. И даже если каким-то чудом выживу после исполнения твоего плана, она плюнет мне в лицо!

Теперь Афина стала ходить взад-вперед.

— И все равно мы должны что-то делать, Джонас. Если он женится на ней, мы оба окажемся на бобах.

Джонас заметил на соседнем столике графин виски и плеснул немного себе в стакан. Он проглотил чудесный напиток, отчаянно надеясь на его успокоительное воздействие.

— Он не женится на ней,— произнес он.— Он не получит ее.

Афина смерила его скептическим взглядом. Ее прекрасные черты как будто слегка утратили четкость, платье напоминало движущийся кусочек неба.

— А если это уже случилось, Джонас? Если она уже отдалась Гриффину, это имеет для тебя значение?

— Нет,— сказал Джонас. Но боль, вызванная мыслью об этом, была зверски невыносимой.

Внезапно Афина оказалась рядом с ним, и он снова со всей ясностью увидел ее черты.

— Есть еще один выход, Джонас,— сдавленным шепотом произнесла она.— Мы могли бы утешить друг друга.

Смех, вырвавшийся из горла Джонаса прозвучал болезненно, прерывисто.

— Утешить? — с издевкой повторил он.

Руки Афины, теплые и возбуждающие, коснулись лацканов его пиджака; даже сквозь ткань рубашки он чувствовал исходящий от них жар. Но больше ничего не почувствовал — казалось, он был связан неким своеобразным, безумным обетом верности. Он понял это еще с Фон Найтхорс, и в его планы не входило проверять себя вторично.

— Прежде тебе было хорошо со мной, — напомнила Афина.

Джонас освободился от ее рук и снова наполнил стакан.

— Знаешь что, Афина? Ты мне отвратительна. Весь вечер ты рассказывала мне, как сильно хочешь вновь быть с Гриффином, начать все сначала и так далее, и тому подобное. А сейчас предлагаешь себя мне, словно обычная шлюха со Скид-роуд!

Подаренное французом кольцо сверкнуло на свету. Афина занесла руку, собираясь дать Джонасу пощечину. Но он яростно сжал ее кисть и стал выкручивать, притворяясь, будто разглядывает узор из алмазов и рубинов на кольце.

— Ты ведь играла в эту игру и во Франции, не правда ли, Афина? — осведомился он. — Что ж, я снимаю шляпу перед этим господином Бордо, у которого хватило сил послать тебя подальше!

Округлая, соблазнительная грудь Афины, стесненная тонкой тканью платья, поднималась и опускалась. Джонас ужесточил хватку и с мрачным удовлетворением наблюдал, как женщина откинула назад голову и часто, прерывисто задышала. Она не изменилась. Ее чудовищную страсть разжигали грубые прикосновения Джонаса, а не благовоспитанное ухаживание Гриффина. Джонас серьезно сомневался, спал ли вообще Гриффин хоть раз с этой женщиной.

По-прежнему не ощущая никакого желания, Джонас запустил руку под платье, обхватил пухлую грудь и сдавил ее. Двигая большим пальцем, он довел сосок до полного отвердения. Не открывая глаз, Афина тихо вскрикнула. Было интересно, хотя и не удивительно, что она даже не пыталась сопротивляться. Она просто произнесла имя Джонаса, придав ему интонацию мольбы.

Все еще не чувствуя ответного желания, Джонас разорвал на ней платье, открывая ее грудь взору любого, кто мог в это время случайно войти в гостиную. Он знал, что вероятность этого только подтолкнет Афину к еще более вызывающему поведению.

Она открыла глаза, увидела презрение на его лице и улыбнулась.

— Ты всегда можешь представить, будто я — Рэйчел, — сказала она. Затем протянула руку к его ширинке и стала медленно массировать его.

Но Джонаса возбудили не столько ее действия, сколько ее слова. *Рэйчел.*

Испытывая одновременно ярость и облегчение, он почувствовал, как его мужская природа заявляет о себе, требуя удовлетворения. Он дал этой игре зайти слишком далеко: теперь было поздно поворачивать назад. Он опустился в стоявшее перед камином кресло с полукруглой спинкой и стал ждать. Афина встала перед ним на колени и занялась тем, что у нее всегда получалось лучше всего.

ГЛАВА 28

На следующее утро Рэйчел проснулась поздно и увидела, что комната до краев наполнена ослепительным солнечным светом, а в ногах ее кровати, словно привидение, стоит Афина и с бешенством смотрит ей в лицо.

— Кухарка и мама́ приготовили для тебя ванну,— холодно объявила она. Ее волосы, словно серебряное пламя, сверкали на ярком солнце.

Рэйчел потянулась, и это доставило ей огромное удовольствие.

— Спасибо,— спокойно сказала она.— Ванна — это великолепно.

Синие глаза Афины метнулись в сторону лавины абрикосового батиста, сброшенного прошлой ночью. Платье было перекинуто через спинку ближайшего стула и самим своим видом говорило слишком о многом. Оно было сильно помято, если вообще не испорчено окончательно, и к его складкам прилипли листья и увядшие потемневшие лепестки цветов яблони.

Подбородок Афины едва заметно дрогнул, а пальцы, сжимавшие спинку кровати Рэйчел, побелели.

— Вы с Гриффином — как вы вчера вечером смогли пробраться в дом, не попавшись никому на глаза?

Рэйчел села на постели и слегка зевнула. Смеясь, они прокрались вверх по лестнице, ведущей из кухни, но Рэйчел вовсе не собиралась доверять свои секреты Афине. Это было частью прошедшего вечера, частью волшебства, и потому ее личным делом.

— Не понимаю, о чем вы говорите,— солгала она.

Выражение потемневших синих глаз стало жестким, требовательным.

— Ты прекрасно знаешь, о чем я говорю! Ты можешь дурачить маму с папой, но у меня нет никаких иллюзий насчет твоей безупречной деревенской нравственности. Запомни это, Рэйчел Маккиннон.

Рэйчел чуть покраснела, но не почувствовала стыда. Возможно, заниматься любовью с Гриффином было неблагоразумно, но в этом не было ничего дурного. В этом просто не могло быть ничего дурного.

— Мне очень жаль, что вы не одобряете меня, Афина,— сказала она, откидывая легкое покрывало и грациозно спрыгивая с кровати.— Но сейчас, если вы не возражаете, я хотела бы подготовиться к принятию ванны.

Афина тихо, презрительно хмыкнула:

— Дура. Гриффин использует тебя — ты для него просто забава.

Чувство необъяснимого страха, которое преследовало Рэйчел два дня, вновь вернулось, но оно не было связано ни с Гриффином, ни с тем, что говорила Афина. Однако оно вызвало у Рэйчел тупую, ноющую боль в самом низу затылка. Доставая свежее белье и простую хлопковую блузку и юбку, Рэйчел не обращала внимания на Афину, надеясь, что та уйдет сама.

Но пока она ходила по комнате, Афина следовала за ней, словно готовясь в удобный момент нанести удар. Однако Рэйчел не ощущала страха; наоборот, она подсознательно питала надежду, что эта избалованная надоедливая женщина решится на какой-нибудь угрожающий жест. Приятно было бы подраться с ней, пусть даже самым неподобающим для леди образом.

— Ты думаешь, что он любит тебя? — яростно продолжала Афина.— Думаешь, он собирается жениться на тебе. И вчера ночью, судя по состоянию твоего платья, ты, вероятно, каталась с ним по земле, как какая-нибудь... какая-нибудь потаскушка.

Сжимая в руке щетку для волос, Рэйчел остановилась и с убийственным спокойствием взглянула в лицо Афине.

— Я знаю, что он собирается жениться на мне, — спокойно сказала она. — Он сделал мне предложение.

На лице Афины отразилось смятение, но она быстро взяла себя в руки. Ее прекрасные плечи, открытые платьем из белого шитья, без бретелек и рукавов, напряглись.

— Понятно. А он говорил тебе, Рэйчел, как хвастался тем, что овладел тобой? Он рассказал Джонасу.

Последовало тяжелое молчание, головная боль Рэйчел заметно усилилась.

— Это ложь.

— Хочешь верь, хочешь нет, Рэйчел. Спроси Джонаса.

Рэйчел почувствовала головокружение и тошноту. Она пыталась говорить, оспаривать сказанное Афиной, и не могла.

Афина покраснела от злобного торжества:

— Он хвастался Джонасу, что, когда взял тебя, ты была девственницей.

Рэйчел повернулась и, в поисках опоры, ухватилась за край бюро. В памяти у нее звучал голос Гриффина, она вновь слышала все те ужасные вещи, которые он говорил Филду в день, когда они спустились вниз по склону горы. В тот день, когда она покинула Провиденс, когда Гриффин почти собственноручно отправил ее на пароход.

Я не знал, что она девственница... И мне это удалось...

Она беззвучно помотала головой, но это было совершенно бессмысленно. Правда, уродливая и постыдная, оставалась — Гриффин рассказал Джонасу о той ночи в поселке лесорубов, наверняка рассказал. Иначе откуда Джонас мог получить такие интимные подробности происшедшего?

Лихорадочно ища утешения, Рэйчел сжала в руке прекрасный жемчуг, подаренный Гриффином, и лежащий рядом золотой браслет.

Но Афина стояла тут же и заметила ее движение. Она замечала все и засмеялась тихим злорадным смехом:

— Он дарил тебе подарки? О, Рэйчел, неужели ты думаешь, будто это что-то значило? Ты, наивная глупышка, разве ты не знаешь, что мужчины делают девушкам подобные подарки в награду за оказанные услуги? Это гораздо цивилизованнее, чем просто оставлять деньги после того, как все закончено.

Горячая тошнота сдавила горло Рэйчел, и она закрыла глаза, пытаясь унять боль, пронизывающую каждую частичку ее существа.

Почувствовав свое преимущество, Афина язвительно продолжала:

— Ты ведь не могла поверить, что такой мужчина, как Гриффин, станет всерьез связываться с такой, как ты? Святые небеса! Гриффин — богатый, образованный человек — зачем ему какая-то дочь лесоруба?

Колени Рэйчел дрожали, грозя подогнуться, но она собрала последние силы и устояла на ногах.

— Уйди отсюда, Афина.

Афина легким шагом пересекла комнату, пропев притворно-беззаботным голосом самодовольное «прощай». Как только дверь за ней закрылась, Рэйчел ощупью добралась до кровати и повалилась на нее ничком, слишком потрясенная, чтобы плакать. Она долго лежала неподвижно; все внутри у нее разрывалось от беззвучных криков, которые один за другим раздавались во тьме, окутавшей ее сознание. Как она могла быть настолько глупой, чтобы поверить в любовные объяснения Гриффина, настолько распущенной, чтобы отдаться ему так, как это сделала?

И все это в обмен на несколько обещаний, нитку жемчуга и браслет!

Рэйчел резко поднялась и села, переполненная неудержимым желанием поскорее покинуть этот дом, а вместе с ним свои разбитые мечты. И заодно Гриффина Флетчера с его хвастовством. Если удастся, она навсегда уедет из округа Вашингтон. У нее есть деньги — она может взять их и начать все заново где-нибудь еще, как перед смертью умоляла ее сделать мать.

Ее мать. Рэйчел всем сердцем отвергала то, олицетворением чего являлась ее мать, то, чем, по мнению Гриффина Флетчера, была она сама. *«Он считает меня шлюхой,* — обессиленно подумала она. — *И я не давала ему оснований думать по-другому».*

Усилием воли Рэйчел взяла себя в руки. Внизу ее ждала ванна и, наверное, поздний завтрак. Если она не появится в ближайшее время, Джоанна или кухарка могут отправиться на ее поиски. Мысль о том, что кто-то может увидеть ее в таком состоянии, распростертую на постели, словно сломанная игрушка, была совершенно невыносимой, и Рэйчел, надев один из ярких халатов Афины, бодрым шагом спустилась по задней лестнице в кухню.

Было гораздо больше времени, чем она думала: почти два часа дня. Кухарки нигде не было видно, а Джоанна, скорее всего, находилась в саду, где в это время довольно прохладно. Рэйчел оторвала взгляд от часов на кухонном камине и решительно направилась в комнатку, отведенную для принятия ванн. Она сбросила халат и скользнула в почти остывшую, чуть теплую воду. Ванна уже не казалась ей верхом роскоши и комфорта. Как бы старательно она ни оттирала свою порозовевшую кожу, все равно чувствовала себя грязной.

Пока Рэйчел вытиралась, к ней пришло осознание жуткой, мистическим образом открывшейся перед ней истины. У нее будет ребенок.

Она пыталась спорить сама с собой. Еще слишком рано что-то утверждать, она не ощущала никаких признаков, и вообще, не могло же даже ей до такой степени не повезти. Но убежденность осталась — сейчас, когда Рэйчел собралась навсегда исчезнуть из жизни Гриффина Флетчера, внутри у нее росло его дитя.

Терзаемая подозрениями, она надела на чистое тело халат и отправилась обратно в комнату, которую занимала все это время. Там она стала медленно, тщательно одеваться, но в голове у нее царил полнейший хаос. Рэйчел плакала от жалости к себе, к ребенку, зачатому в лесном поселке.

Где сейчас Гриффин! Удастся ли ей ускользнуть из

дома, не столкнувшись с ним? *«Хоть бы удалось!»* — с мольбой подумала она.

Но Джоанна — Джоанна была так бесконечно добра! Рэйчел не могла уйти, не попрощавшись с ней, но сама мысль о встрече с этой проницательной женщиной наводила на девушку ужас. Лгать Джоанне она была не в силах. В отчаянии Рэйчел отыскала перо и бумагу и наскоро нацарапала короткую прощальную записку со словами благодарности.

Спустя полчаса она оставила записку на столике в холле и вышла через переднюю дверь, не взяв с собой ничего, кроме вышитой бисером сумочки. В светлой, залитой солнцем гостевой комнате дома О'Рили остались еще недавно столь дорогие ей вещи — жемчуг, браслет и абрикосовое платье.

Ритмично постукивая каблучками по дорожке, гордо подняв голову, Рэйчел решительно зашагала к калитке.

Афина стояла на втором этаже, у окна, выходящего на улицу. Она пронаблюдала за тем, как Рэйчел скрылась за углом, и ее губы дрогнули в удивленной улыбке — это оказалось так легко! Кто бы мог подумать, что это окажется так легко?

Поколебавшись, она отошла от окна и по коридору направилась к раскрытой двери комнаты Рэйчел. Жемчуг, как и маленький дурацкий браслет, Афина обнаружила лежащими на столике. Афина сжала обе вещицы в руке, удивленная. До чего же будет забавно швырнуть эти сокровища обратно Гриффину и потом наблюдать, с каким видом он примет известие о том, что Рэйчел ушла!

Она усмехнулась. Джонас будет в восторге!

Афина замерла, услышав стук конских копыт и грохот экипажа, подкатившего к воротам. Она не сможет рассказать Джонасу о том, что сделала, вдруг поняла она, — если Рэйчел сядет на пароход и исчезнет навсегда, он придет в бешенство. А о том, какой могла оказаться его месть, Афина боялась и подумать.

Внизу входная дверь открылась и закрылась снова.

Молодая женщина услышала раскатистый смех отца и ответный хохот ничего не подозревающего Гриффина.

Афина снова улыбнулась. *«У тебя нет причин для веселья, мой дорогой,* — подумала она; украшения, брошенные Рэйчел, грели ее ладонь. — *А вот твоя ярость будет ярким и памятным зрелищем».*

Изобразив на лице легкое недоумение, Афина опустила браслет и жемчуг в карман юбки и помчалась вниз по лестнице. Запыхавшись, она вбежала в кабинет отца, где тот разбирал с Гриффином какой-то очередной нудный случай из практики.

— Рэйчел исчезла! — произнесла она, слегка заламывая руки, чтобы придать происшедшему оттенок трагедии.

Гриффин вскочил с кресла, точно пантера, готовая наброситься на беззащитную жертву и разодрать ее в клочья. Афина с удовлетворением отметила на его лице выражение беспредельного отчаяния.

— Что?! — хрипло вырвалось у него.

В этот момент в голове Афины зашевелились смутные сомнения насчет правильности выбранного ею момента. Возможно, разумнее было бы подожать несколько часов, чтобы Рэйчел уже наверняка не удалось разыскать.

— В-возможно, она просто уехала куда-нибудь с мама́...

Но вид у Гриффина был угрожающий: теперь его не введешь в заблуждение, не собьешь с толку. Не обращая внимания на присутствие ее отца, он схватил Афину за плечи и сильно встряхнул.

— Что ты сказала ей ?— прорычал он.

Афина смогла только покачать головой.

В течение несколько ужасных мгновений Гриффин неподвижно смотрел ей в лицо, потом отшвырнул в сторону и пулей вылетел из кабинета, даже не оглянувшись. Афина вздрогнула, услышав, как захлопнулась входная дверь.

Рэйчел была растеряна, и к тому же у нее болела голова. Казалось, что ее душа и разум, не вынеся страданий, каким-то образом отделились от тела. Где-то резко, тревожно звонили колокола, но она не знала, реальны ли эти звуки. Ничто не казалось реальным — ни трава под ногами, ни корова, пасшаяся в нескольких сотнях футов от нее, ни странная дымка, повисшая в воздухе.

Рэйчел остановилась, раздумывая, в каком направлении идти. Она не заметила, что оказалась в стороне от главной улицы, которая привела бы ее вниз по склону в центр Сиэтла. Там находился банк — Рэйчел нужно было попасть в банк, а потом в пароходную компанию.

Банк. Пароходная компания. Она повторяла в уме эти слова, словно молитву, способную спасти ее душу и направить на путь истинный. Через несколько минут она снова выбралась на дорогу. Мимо — в колясках, верхом, пешком — проносились люди. Некоторые из них устремлялись вниз по склону, как Рэйчел, другие поднимались вверх. Ей показалось странным, что оба потока двигались исключительно целеустремленно.

К хору колоколов присоединялись все новые, заглушая друг друга, их нарастающий гул разносил июньский ветер.

Рэйчел продолжала идти.

Воздух стал горячим, пропитывающий его запах щипал глаза и ноздри. Мужчина с хнычущим ребенком на руках толкнул девушку, чуть не сбив с ног.

«Пожар», — смутно догадалась она.

Но нет. Все это было продолжением утреннего кошмара. Вскинув подбородок, Рэйчел шла дальше.

Перемахнув через ограду дома О'Рили, Гриффин увидел клубы черного дыма, поднимающиеся в безмятежную голубизну неба, и выругался.

Рядом с ним возник Джон с медицинским саквояжем в руке, не спускающий глаз с черного облака, накрывшего центр Сиэтла.

— Пошли, Гриффин, — сказал он. — Мы там понадобимся.

Гриффина не волновало, что он мог кому-то понадобиться: в первый раз за всю его практику ему было наплевать на свой врачебный долг и талант. Пока он не найдет Рэйчел, остальное может подождать. Не обращая внимания на Джона, он пустился бегом. Под звенящую в ушах отдаленную какофонию пожарных колоколов он вбежал в конюшню, набросил уздечку на первую попавшуюся лошадь и вскочил ей на спину.

— Гриффин! — загремел старик, увидев, что его друг пустил жеребца галопом. — Гриффин, стой!

Увидев перед собой забор, огораживающий двор конюшни, Гриффин пришпорил коня и вздохнул с облегчением, когда тот взял препятствие и поскакал по сухой, утоптанной дороге.

Гриффин не знал, как выбрался из мечущейся толпы, перегородившей дорогу, которая вела к деловому району города; он знал только, что не видел Рэйчел ни среди тех, кто взбирался вверх по склону, ни среди тех, кто ковылял вниз. Через несколько минут после того, как он покинул дом О'Рили, он был в центре.

«Понтиус Билдинг», двухэтажное деревянное здание, находилось в самом центре бедствия. Над его крышей с ревом вздымалось пламя, алеющее на фоне голубого неба.

Улицы были запружены людьми: одних захватило жуткое зрелище, другие плакали или стояли на месте, окаменев от страха. В одном квартале несколько мужчин и подростков тянули на себе повозку, в другом — паровой пожарный насос. Но огонь полыхал, будто насмехаясь над ничтожными водяными струями, которые вырывались из шлангов.

Рэйчел, молил судьбу Гриффин, безуспешно шаря глазами по лицам в толпе.

Несколько человек отдирали вагонку, которой были обшиты стены «Понтиус Билдинг» со стороны улицы, открывая бушующее внутри цокольного этажа адское пламя. Гриффин соскочил со спины жеребца и оставил его.

Огонь распространялся, двигаясь в сторону винного магазина. Толпа резко подалась назад, и вслед за стенами стали взлетать в воздух бочки, наполненные виски. Загремели взрывы, и алкоголь, подобно бурлящим озерам из серы, разлился, отчего вспыхнули два ближайших салуна.

Было жарко — невыносимо жарко, и Гриффин почувствовал, как пот льется по его лицу, собирается на груди, бисеринками выступает на шее. Кашляя, он начал продираться сквозь толпу, вглядываясь в каждое лицо. И тут он увидел ее. Спотыкаясь, она шла вниз по деревянному тротуару в нескольких десятках метров от Гриффина, и у нее был такой вид, словно она вообще не замечала пожара.

Гриффин выкрикнул ее имя, стараясь перекрыть голосом колокольный перезвон, панические визги, угрожающий рев огня. Толпа шарахнулась в сторону, и девушка исчезла.

Задыхаясь от дыма, который с каждой минутой становился все плотнее, и от немыслимой жары Гриффин протискивался сквозь людскую массу. *«Умоляю»,* — прошептал он, поднимая глаза к грохочущим, затянутым дымкой небесам. И его молитва была услышана. Он нашел Рэйчел, забившуюся в какой-то закоулок; она прижимала к груди сумочку и пустыми глазами смотрела в пространство. Он схватил ее за плечи, встряхнул:

— Рэйчел!

Она медленно подняла на него взгляд, и от выражения ее лица у него кровь застала в жилах. Похоже было, что она не узнает его. В приступе безумия он снова встряхнул ее, снова произнес ее имя.

Но фиалковые глаза были бессмысленными, погасшими.

— Они закрыли банк, — вдруг произнесла она.

Гриффин крепко прижал ее к себе. Слезы, смешиваясь с потом, текли по его лицу.

— Боже мой, — прошептал он. — О Господи...

Послышались новые взрывы, люди на улице закричали. По деревянным мостовым со стуком ползли повозки, заходились в звоне колокола, но Гриффин Флетчер не шевелился. Он стоял неподвижно, сжимая в объятиях испуганную, оцепеневшую девушку и борясь с ужасом, который не имел к пожару никакого отношения.

И тут неожиданно появился Джонас. Он выглядел спокойным, невозмутимым, как будто просто вышел на прогулку, как будто не существовало опасности, что Сиэтл сгорит до тла. Он молча, с вызовом протянул Гриффину медицинскую сумку. Гриффин еще сильнее стиснул Рэйчел, пытаясь уклониться от сумки и связанной с ней ответственности, от Джонаса, от всего мира.

Голос Джонаса звучал спокойно:

— Отдай мне Рэйчел, Гриффин. Разреши вытащить ее отсюда, пока она не пострадала.

— Нет. — Слово это вырвалось из груди Гриффина будто рыдание.

— Гриффин.

Гриффин покачал головой, продолжая держать Рэйчел.

— Ты давал клятву, — тихо напомнил Джонас.

Гриффин начал приходить в себя, возвращаться ко всему, во что верил. Медленно ослабляя хватку, он отпустил полубессознательную, безмолвную Рэйчел. Джонас осторожно принял девушку у него из рук, точно человек, забирающий мясо из когтей льва.

— Я позабочусь о ней, Гриффин. Клянусь всем, что значили наши матери друг для друга.

На мгновение Гриффин прикрыл глаза, а когда открыл их, Джонас и Рэйчел исчезли.

С сумкой в руке Гриффин вернулся в царившее вокруг дикое безумие. У него не было другого выбора, кроме как довериться Джонасу — просто не было выбора. На время загнанный в дальний угол сознания, врач в нем снова очнулся, вспомнив о долге.

Ветер дул уже с северо-востока. Огонь двигался в сторону еще одного строения, мельницы, и к зданию оперы. Рабочие суетились, качая воду из залива и карабкаясь по дымящейся крыше с мокрыми одеялами.

Гриффин опустился на колени посреди людского потока, чтобы перевязать обожженную руку пожарного.

— Из-за чего началась эта чертовщина? — спросил он, раскрыв сумку и занявшись работой, не требующей размышлений.

Пожарному было больно, но он находился в состоянии какого-то нездорового возбуждения.

— Кто-то пролил клей на плиту, док, — ответил он

и вдруг засмеялся. — И шефа нет. Знаете, где наш шеф, док? Он в Сан-Франциско, изучает новые способы борьбы с огнем.

Гриффин закончил работу.

— Идите домой, — сказал он, снова поднимаясь и обводя воспаленными глазами причалы. На одном из доков установили пожарный насос, но был отлив, и из бухты не удавалось выкачать ничего, кроме слабенькой струйки воды. К тому же шланги оказались слишком короткими.

Качая головой, Гриффин повернулся и увидел, как из пламени пожара в небо взлетела горящая головня. Словно по чьему-то злостному плану, она упала на крышу оперы; занялся огонь. Раздался рев и в ответ вспыхнуло соседнее здание.

Какая-то женщина дергала Гриффина за рукав рубашки:

— Доктор. Сэр, — вы врач? Там мой муж...

Гриффин последовал за ней через все увеличивающуюся толпу и увидел мужчину средних лет, распростертого на земле возле повозки. Кругом стоял такой шум, что даже сквозь стетоскоп он с трудом слышал биение его сердца.

— За дело взялся мэр, — сообщил кто-то.

Гриффин поднялся и повернулся к женщине:

— С вашим мужем будет все в порядке, если вы вывезете его отсюда. Он перевозбужден.

— Он хотел посмотреть...

Терпение Гриффина подходило к концу — он мельком взглянул в сторону повозки:

— Я помогу ему подняться, а вы увозите его отсюда.

Под здание ресторана «Палас» закладывали динамит — в надежде, что это помешает распространению огня. Две лошади, запряженные в повозку, в панике затанцевали, испуганные взрывом, потрясшим едкий, дымный воздух, но женщина, муж которой лежал рядом на сиденьи, успокоила их, заставив подчиниться.

С тупым изумлением Гриффин наблюдал за тем, как огонь перекинулся на развалины ресторана, распространяясь по верфям возле пылающей мельницы.

ГЛАВА 29

Гриффин еще долго бродил в толпе, по мере сил помогая пострадавшим в борьбе с огнем, оказывая врачебную помощь пожарным и зевакам, ставшим жертвами дыма и собственного возбуждения.

Рядом с Гриффином возник парень, который наблюдал за ужасающим спектаклем с широкой ухмылкой на физиономии.

— Вот это да! — вопил он, вытаращив глаза. — Дым такой, что видно от самой Такомы!

— Действительно здорово, — оборвал его Гриффин, ослабевший от жары и беспокойства за Рэйчел. В безопасности ли она? Или, отдав ее в руки Джонасу, он подверг ее опасности более серьезной, чем любой пожар?

— Да, сэр! — продолжал парень, ничуть не обескураженный резкой реакцией Гриффина. — Треск и рев огня слыхать даже с залива. Мы еще не вышли из Комменсмент-Бэй, а уже все было слышно.

Гриффин достал из жилетного кармана часы и посмотрел на них. Четыре часа — и битва проиграна.

Звон разносящих печальные новости церковных колоколов сливался со свистками пароходов вдоль побережья. Непрерывная какофония пожарных колоколов отдавалась в разболевшейся голове Гриффина.

Начало бегство. Коммерсанты вытаскивали наружу свои пожитки и грузили их в фургоны. Некоторые, у которых не было фургонов, тащили в руках кассовые аппараты, другие ковыляли, сгибаясь под тяжестью корзин и тюков. На стоящие вдоль пристаней корабли грузили все товары, которые только могли поместиться, и суда отплывали на более глубокое место, подальше от доков, которые вот-вот должны были загореться.

«*Ад,* — с мрачной ухмылкой подумал Гриффин. — *Кто бы мог подумать, что ад находится прямо здесь, в Сиэтле?*»

Эта мысль вызвала у него новую тревогу. Не попали ли Филд и его молодая жена в это огненное безумие? Гриффин направился в сторону здания суда — отель, в котором остановились Холлистеры, располагался как раз за ним.

В жилом районе люди выносили из домов кровати, ночные горшки, детей, но возле самого здания суда суета была несколько более упорядоченной. Полицейские выводили из подвалов закованных в кандалы узников, а торговцы, входившие в состав суда присяжных; торопились к своим магазинам и лавкам.

Не замедляя шага, Гриффин наблюдал, как молодой человек, забравшись на крышу, начал заливать ее водой из ведер, подаваемых снизу с помощью веревки флагштока.

Когда Гриффин подошел к маленькой гостинице, Фон помогала запыхавшейся хозяйке грузить конторские книги и одеяла в ожидавший на улице фургон.

Гриффин поймал ее за руку:

— Где Филд?

Фон взглянула в сторону огромного костра, в который превратился деловой центр, и ее широко расставленные карие глаза еще больше потемнели от беспокойства.

— Он где-то там.

Страх за судьбу друга сделал голос Гриффина резким:

— Идиот, — нашел время спасать души!

Фон Холлистер, казалось, готова была ударить Гриффина. Вместо этого она закинула в фургон охапку вещей и огрызнулась:

— Он помогает людям, Гриффин. Судя по твоему виду, ты занимался тем же самым.

Гриффин опустил голову, осматривая себя, но сажа, покрывавшая его руки, одежду и, возможно, лицо, не беспокоила его.

— Извини.

Снова раздался грохот — это обрушились крыша и колокольня церкви, стоявшей напротив суда. Огонь перекинулся на два расположенных поблизости оружейных магазина, последовали бесчисленные взрывы боеприпасов, и эта канонада еще более усилила впечатление, будто вокруг идет какая-то ужасная война.

Фон коснулась ладонью его лица.

— Я знаю, что ты не имел в виду ничего плохого, — сказала она; каким-то образом ее голос перекрыл оглушительный грохот.

Гриффин сжал ее руку в своей и прокричал в ответ:

— С тобой все в порядке?

Фон кивнула.

Улицы уже были заполнены повозками и фургонами, и Гриффин пробирался в сторону пожара с трудом. Он вглядывался в то, что должно было быть тысячью лиц, и увидел лишь тысячу разных выражений ужаса.

Битва с огнем перемещалась в сторону Уэслер-Уэй. Кто-то из стоявших рядом сообщил Гриффину, что мэр приказал снести или взорвать все сараи и дома вдоль дороги. Отдирали даже деревянные планки, покрывавшие поверхность дороги.

Но уже наступал вечер, и поднявшийся ветер перенес пламя через образовавшийся проем на Скид Роуд. Гриффин беспомощно наблюдал за тем, как пресловутое вместилище разврата запылало, заставив проституток и содержателей баров обратиться в паническое бегство.

Было еще много случаев перегрева, ожогов и несчастий, вызванных безумием толпы, которая сметала все на своем пути. Было уже почти восемь часов, когда пунцовое солнце медленно закатилось за горы. Небо над головой приобрело адский оттенок: бушующее на земле пламя бросало ослепительные отблески на легкие перистые облачка.

Гриффин работал, забыв о времени, обо всем, кроме

задач, требующих немедленного выполнения. Он не встретил ни Филда, ни Джона О'Рили, но знал, что оба они находятся где-то рядом.

К трем часам ночи пламя пожрало само себя. Вид разрушений был ужасен: все фабрики и пристани, между Юнион-стрит и Джексон-стрит превратились в груду дымящихся головешек, около двадцати пяти городских кварталов лежали в руинах.

Уставший до предела, Гриффин медленно поднимался вверх по холму, к дому О'Рили. Он рвался туда и умом, и сердцем, отчего долгий путь казался еще более невыносимым. Привез ли Джонас Рэйчел к О'Рили?

Гриффин надеялся то на это, то, наоборот, что ее там нет. Там находилась Афина, и он был уверен, что именно она довела Рэйчел до того ужасного, почти невменяемого состояния, в котором он ее нашел.

Он ускорил шаг.

На улицах расположились целые семьи, окруженные грудами пожитков. На каждой лужайке ютилась кучка бездомных, и Гриффин увидел множество навесов, пристроенных к стенам почерневших зданий и к стволам деревьев. Те, кому повезло больше всего, спали в палатках, остальные укрылись в густых зарослях папоротника вдоль обочины дороги.

Стремясь поскорее добраться до цели, Гриффин решил срезать путь и пошел по полю, переступая через тела спящих. Поле представляло собой ухудшенный вариант палаточного городка в Провиденсе, только здесь палатки были сооружены из одеял, веток и даже из одежды. Гриффин петлял меж собранных на скорую руку жилищ и старался не наступить на тех, кто остался совсем без убежища.

Наконец вдали показался знакомый кирпичный дом. Гриффина притягивал свет, горящий в окнах первого этажа, притягивала мысль о Рэйчел, и он пустился бегом.

Как только Гриффин добрался до входной двери, она распахнулась, и он увидел на пороге Джоанну О'Рили, полностью одетую и бледную от волнения и усталости.

— Слава Богу, — произнесла она сквозь рыдания, бросилась ему на шею и вцепилась в него, будто боясь, что он снова исчезнет.

За ее спиной маячила фигура Филда Холлистера, который наподобие какого-то покрытого сажей призрака возвышался в полумраке передней. Он кивнул в знак приветствия, но Гриффин заметил, как дергается жилка на его подбородке.

— Рэйчел здесь? — прохрипел он, только в этот момент осознав, что почти потерял голос.

Джоанна отпустила его и отступила на шаг, кивнув; но теперь она старательно избегала его взгляда.

Филд не испытывал подобных затруднений: его глаза, горящие голубым пламенем, пронизывали Гриффина до самых потаенных глубин души.

— Она в своей комнате.

— Я хочу видеть ее, — прошептал Гриффин и двинулся в обход Джоанны, которая, словно мягкий, дрожащий барьер, преграждала ему путь в дом.

Но Филд, упершись рукой ему в грудь, остановил его.

— Ты достаточно натворил, Гриффин, — напряженным шепотом произнес он.

— Но...

Рука Филда не шевельнулась, но ее давление усилилось.

— Нет, Грифф. С ней Фон — оставь ее в покое.

Гриффин опустил голову. Из горла у него рвались сдавленные рыдания, но была ли их причиной Рэйчел или же ощущение полного изнеможения, он не знал.

Филд и Джоанна с двух сторон схватили его за руки и, будто по молчаливому соглашению, повели в глубь дома. На полу в гостиной и в столовой лежали рядами спящие люди, закутанные в одеяла.

В тому времени, когда они добрались до кухни, Гриффин пришел в себя. Он выпил горячего кофе, который в полном молчании подала Джоанна, потом съел два огромных сэндвича с ветчиной.

Наконец он вновь заговорил по-прежнему хриплым голосом:

— Скажи мне, Филд. Скажи, почему ты не хочешь, чтобы я увиделся с Рэйчел.

Джоанна и Филд обменялись взглядами, и Джоанна молча вышла их кухни.

Почти целую минуту в кухне слышно было только равномерное тиканье старинных часов на каминной полке.

— Ну? — прохрипел, прерывая молчание Гриффин; он налил себе еще одну чашку кофе у плиты и снова сел за стол.

Филд скрестил руки на груди. Его рубашка была изорвана и покрыта пятнами копоти, но лицо и руки были отмыты до обычной сияющей чистоты.

— Помнишь, ты сказал Джонасу, что спал с Рэйчел? Ну так вот, похоже, Джонас рассказал Афине, которая, естественно, не могла удержаться от того, чтобы не сообщить об этом Рэйчел. Сказать, что Рэйчел приняла эту информацию без восторга — значило бы преуменьшить ее реакцию раз в сто.

Гриффин застонал:

— Боже мой, она же не думает...

— А что, по-твоему, она должна думать? — перебил его Филд, и шепот его прокатился по просторной комнате, будто пистолетный выстрел.

Гриффин поднялся на ноги, слегка пошатнулся и ухватился за спинку стула.

— Я расскажу ей... я объясню...

Филд не двинулся с места, но его голубые глаза предостерегающе сверкнули.

— Ты оставишь ее в покое, Гриффин. У нее шок.

— Нет.

— Да, — возразил Филд. — Сядь, пока не упал и не разбил свою глупую физиономию.

Гриффин опустился обратно на стул.

— Если ты хочешь подраться, Филд, это можно устроить.

— В данный момент ты не справишься и с немощной старухой. Пей свой кофе, и мы подыщем место, где ты сможешь поспать.

Боль, усталость — все с новой силой обрушилось на Гриффина, вызвав состояние, чрезвычайно напоминающее опьянение.

— Помнишь, когда мы в последний раз дрались, Филд? Мы были мальчишками и катались в большой грязной луже перед церковью твоего отца. Оба наших родителя просто стояли рядом, ожидая, пока это кончится. Потом они оттащили нас в лес и там выпороли.

Филд закатил глаза, но уголок его губ дрогнул в усмешке.

— Я бы побил тебя, если бы ты не плеснул мне в лицо грязной водой.

— Ерунда! — парировал Гриффин. — Я с самого начала взял верх.

— Кстати, а из-за чего мы дрались?

Гриффин пожал плечами:

— Кто знает?

Филд не смог удержаться от смеха.

— Пей кофе, — велел он.

Гриффин молча подчинился.

Следующим утром он проснулся поздно; солнце светило прямо в лицо, и это заставило Гриффина открыть глаза. В первый момент он растерялся, но, взглянув на свою разорванную, почерневшую от дыма одежду, вспомнил все — пожар, словесную пикировку с Филдом, Рэйчел.

Он сел на кушетке Джона и заслонил рукой глаза от яркого света и мучительной обыденности самой обстановки кабинета. Голова у него болела, в горле саднило, волнами накатывала тошнота.

Словно по какому-то дьявольскому волшебству, перед ним появилась Афина, свежая и оживленная в пестром льняном платье.

— Доброе утро, Гриффин, — пропела она.

Гриффин вскочил на ноги.

— Иди к черту, — рявкнул он, и его едва не вывернуло наизнанку.

Афина явно не намеревалась куда-либо идти.

— Рэйчел уже лучше,— сообщила она.— Она разговаривает с этой особой, с Фон, и все помнит. Абсолютно все. Догадайся, кого она хочет видеть, Гриффин?

Гриффин ничего не ответил, и Афина продолжала, наслаждаясь своим торжеством:

— Джонаса. Единственный человек, которого она хочет видеть, помимо этой индианки и моей мамы,— это Джонас. Она определенно не хочет видеть тебя, Гриффин Флетчер.

Гриффин побрел, пошатываясь, к ночному столику, где какая-то заботливая душа оставила полотенце и таз с теплой водой. Он умылся, вытер лицо и руки и только после этого ответил:

— Я полагаю, мне следует за это благодарить тебя?

Афина улыбнулась, как шаловливый ребенок:

— Да, точно.

Гриффин повесил на шею грязное полотенце.

— Почему?

Она подняла голову, и ее синие глаза сверкнули.

— Потому что я люблю тебя.

Ирония этой ситуации вызвала у Гриффина еще большую тошноту.

— *Потому что ты любишь меня,*— повторил он хриплым, бешеным шепотом.— Ты больна, Афина. А что касается твоей любви, так это честь, без которой я вполне могу обойтись.

— Я имею право бороться за то, чего — или кого — я хочу!

Гриффин медленно, отрицательно покачал головой:

— Я бы не пожелал твоей любви даже Джонасу, Афина. Твоя так называемая любовь способна только убивать и разрушать.

Афина вздрогнула:

— О, Гриффин, не говори так...

— Я еще не закончил,— прорычал он, между тем, как в комнату вошел Джон О'Рили.— Если ты настроила Рэйчел против меня, Афина, я убью тебя собственными руками!

— Господи Боже! — воскликнул старик, когда его дочь круто повернулась и, почти в истерике, бросилась прочь из комнаты. — Гриффин, ты что, с ума сошел?

В безумной ярости Гриффин промчался мимо Джона:

— Я сделаю то, что сказал!

— Гриффин! — прогремел Джон с порога кабинета.

Но Гриффин не остановился, не оглянулся. На середине лестницы перед ним возник непроницаемый Филд Холлистер:

— Ты не должен туда ходить, Гриффин.

— Проклятье, Филд...

Филд скрестил руки на груди:

— Я не шучу, Гриффф. Рэйчел не желает видеть тебя.

— Но ей придется! — заорал Гриффин, охваченный паникой и возмущением. — Прочь с моей дороги!

— Нет, Гриффин. — Филд перевел взгляд горящих решимостью глаз на что-то или кого-то за спиной друга. — Мне очень жаль.

С воплем, будто бешеный бык, Гриффин рванулся и нанес Филду удар в солнечное сплетение — и в то же мгновенье был остановлен множеством рук, обхвативших его сзади.

— Осторожнее с его ногами, — спокойно предупредил Филд.

Гриффин боролся, но, хотя бешенство и ярость затуманили его разум, не захотел, не стал пускать в ход ноги. Не против Филда.

— Будь ты проклят! — рявкнул он.

Невидимые люди схватили его и потащили вниз по лестнице. Прежде чем он успел разглядеть их, кто-то прижал к его лицу кусок ткани. Гриффин безошибочно узнал запах — хлороформ. Он стал яростно отбиваться, но было поздно. На лице склонившегося над ним Филда блеснули слезы — Гриффин мог бы в этом поклясться.

— Прости, Гриффин.

Пересохший язык с трудом ворочался во рту Гриффина. Он сопротивлялся наступающему на него мраку, но тот одолел его, погружая в кошмарный мир пустоты.

* * *

Рэйчел не могла понять, почему с ней так носятся. Теперь, когда отдохнула, она чувствовала себя совершенно нормально — по крайней мере, физически. Эмоционально же она страдала так, что готова была корчиться от боли.

Фон присела на краешек постели и положила на лоб Рэйчел прохладный компресс. Откуда-то издалека доносились крики и шум яростной борьбы. Рэйчел заметила, что Фон закрыла глаза и не открывала их, пока все не стихло.

— Что происходит?

Фон нахмурилась:

— Ничего, Рэйчел. В доме полно людей, только и всего. Должно быть, в эту ночь О'Рили приютили у себя пол-Сиэтла.

Рэйчел выпрямилась, сев на постели:

— Гриффин — там Гриффин.

Сильные смуглые руки жены Филда Холлистера опустили Рэйчел обратно на подушки.

— Может, это и Гриффин, Рэйчел. Но они не причинят ему вреда.

Рэйчел отвернулась, ее глаза наполнились слезами. Почему ее должно беспокоить, причинят ли ему вред или нет, после того, как он обошелся с нею? Но она беспокоилась — и еще как — и это мучило ее.

— Я ненавижу его, — прошептала она.

Рука Фон опустилась на ее руку.

— Ты знаешь, что это неправда, Рэйчел. Потом, когда придет время поговорить об этом, все уладится. А сейчас ты должна отдыхать.

От сдерживаемых рыданий у Рэйчел щипало в горле.

— Он хвастал, что был со мной, Фон...

— Глупости. Я знаю Гриффина Флетчера почти всю жизнь: он не мог так поступить.

— И все же поступил, — в отчаянии настаивала Рэйчел.

Но Фон не сдавалась:

— Тут какое-то недоразумение.

До чего же Рэйчел хотелось поверить в это, но она не могла себя заставить. Она и так слишком долго позволяла мечтам управлять своей жизнью, и вот теперь оказалась в бедственном положении.

— Кажется, у меня будет ребенок,— прошептала она.

— Успокойся, Рэйчел,— отозвалась Фон и начала тихо напевать что-то загадочное на незнакомом Рэйчел языке.

Сон сморил ее, а когда она проснулась, в комнате было очень темно. Рэйчел казалось, что подле ее постели стоит Гриффин Флетчер, что она слышит его хриплый ласковый голос: *Я люблю тебя, Рэйчел Маккиннон. Ты нужна мне.*

Сон обрел еще большую реальность, когда Гриффин наклонился и поцеловал девушку, коснувшись ее лица небритой щекой. Рэйчел почувствовала, как ее глаза наполняются слезами, но она не могла говорить из опасения, что это рассеет чары и вернет ее к реальности, в которой не окажется Гриффина Флетчера.

Она не удивилась, когда он исчез столь же внезапно, как и появился. С людьми из снов подобное часто случается.

Быстро двигаясь в темноте, Гриффин вернулся в кабинет Джона, в котором ему полагалось отбывать заключение.

— Ты просто отличный стражник, Джонас,— заметил он, снова растягиваясь на диване и складывая на груди руки.

Джонас, вздрогнув, проснулся и выпрямился в кресле.

— Что...

— Ничего,— отозвался Гриффин.

Но Джонас больше не хотел спать и явно был склонен поговорить. Он порылся в кармане в поисках спичек и пробормотал, зажигая керосиновую лампу на столе Джона:

— Та давно проснулся?

Гриффин чуть заметно усмехнулся:

— Довольно давно.

Джонас замысловато выругался и налил себе лучшего бренди из запасов Джона.

— Я сдержал слово, — сказал он после долгого молчания.

Сардонически улыбаясь, Гриффин зааплодировал.

— Невелика заслуга, ведь ты знал, что в противном случае я перережу тебе глотку. Впрочем, мне и сейчас ничто не мешает это сделать.

Джонас повернулся к нему спиной, глядя в темноту за окнами.

— Можешь ты хоть на пять минут от меня отвязаться, ублюдок? Иногда я до чертиков устаю от нашей бесконечной борьбы.

Гриффин скрестил обутые в сапоги ноги и сделал вид, будто расслабился.

— Ты ведь змея, Джонас. А змеи не устают — они просто подогревают свою холодную кровь на солнышке.

— Мы двоюродные братья, Гриффин, — настаивал Джонас, не отворачиваясь от окна. — Наши матери были сестрами. Что же случилось между нами?

Характерами не сошлись, — заметил Гриффин и сел на диване. — А может, дело в том, что ты спал с женщиной, зная, что я ее люблю.

Джонас медленно повернулся и взглянул в лицо кузену.

— А теперь ты отплатил мне тем же?

Гриффин вспомнил свое предательство, глупое бахвальство, которое, возможно, стоило ему любви Рэйчел.

— Нет, — ответил он.

На искаженном болью лице Джонаса ясно читалась неодолимая потребность поверить ему. И Гриффин увидел, что кузен проглотил его ложь, предпочтя считать ее правдой.

ГЛАВА 30

К субботнему утру обстановка в доме О'Рили стала значительно спокойнее. Хотя и Джонас, и Гриффин по-прежнему оставались здесь, Рэйчел сознательно избегала их обоих. Зато беженцы вернулись к обугленным руинам, прежде бывшим их жилищами, а Холлистеры отправились в Провиденс, где их ожидала встреча с паствой. Афина была так подавлена, что казалась отсутствующей, даже когда сидела за обеденным столом напротив Рэйчел или проскальзывала мимо нее в коридоре.

Сама Рэйчел тоже не испытывала большой потребности в общении; казалось, ее разум и сердце окружены толстой оболочкой, защищающей от тех жизненных реальностей, с которыми она еще не в состоянии была справиться. Рэйчел не делала попыток стряхнуть с себя это странное оцепенение, понимая, что оно и без того слишком скоро уступит место боли, затаившейся на время где-то глубоко внутри нее.

Полуденную прогулку в экипаже предложила Джоанна, и хотя эта перспектива не вызвала в Рэйчел ни сопротивления, ни особого энтузиазма, она согласилась.

Погода была мягкой; на землю лился приглушенно-рыжий солнечный свет. Лазурное небо украшали причудливым узором перистые облака, и залив сверкал, переливаясь серебром и золотом. В воздухе все еще висела тонкая кисея дыма и витал запах горелого дерева.

Когда экипаж, постукивая колесами, покатился по холму вниз, Рэйчел с болезненной ясностью осознала истинные размеры бедствия. Верфи обуглились и почернели, или же сгорели до тла, а деловой район, за исключением нескольких обглоданных пламенем кирпичных руин, был полностью разрушен. Неужели возможно, чтобы она, как утверждала Джоанна, побывав в самом центре этой огненной катастрофы, ничего не помнила?

Рэйчел затаила дыхание, когда она заговорила, в голосе ее дрожали слезы потрясения:

— О, Джоанна, это похоже на конец света...

В ответ прозвучал спокойный, мудрый голос Джоанны:

— Присмотрись получше, Рэйчел.

Наморщив лоб, Рэйчел снова оглядела груду угрюмых развалин. На этот раз она увидела то, что имела в виду Джоанна — палатки, поднимающиеся среди разрухи и как бы игнорирующие ее, флаги федерации и округа, развевающиеся возле покрытого сажей, но гордо возвышающегося здания суда; улыбки торговцев, продающих свои товары прямо из фургонов или под полотняными навесами.

— Посмотри на Сиэтл,— мягко настаивала Джоанна.— Посмотри, как он вновь поднимается на ноги!

Непонятно почему у Рэйчел сжало горло и одна слезинка крошечной каплей скатилась по лицу. Девушка нетерпеливо смахнула ее.

— Неужели ты побеждена, Рэйчел?— продолжала Джоанна, и в ее словах зазвучал едва уловимый вызов.— Или ты будешь бороться дальше, как Сиэтл?

Сдавленные рыдания рвались из груди девушки, но она не могла оставить этот вызов без внимания. Ладно. Ее деньги исчезли, магазин, где она заказала себе новые платья, исчез, пансион мисс Каннингем, возможно, тоже исчез вместе со всеми вещами, которые она там оставила. Но по-прежнему оставалось принадлежащее ей здание в Провиденсе, и она все еще была девчонкой из лесного палаточного городка, умеющей постоять за себя и приученной самой пробивать себе дорогу в жизни.

Рэйчел подняла подбородок и прямо встретила взгляд Джоанны.

— Я буду бороться, — сказала она.

— Молодец, — ответила Джоанна, и ее глаза, задержавшись на лице Рэйчел, потеплели.

— Я собираюсь вернуться в Провиденс, — объявила девушка, хотя Джоанна больше ни о чем ее не спрашивала. — Да, — немного помолчав, произнесла она, убеждая скорее себя, чем Джоанну. — Да, я возвращаюсь.

Джоанна промолчала: казалось, она была целиком поглощена шумным возрождением, которое ощущалось во всем городе. Однако уголок ее рта изогнула легкая улыбка, и голубые глаза засияли.

И Рэйчел углубилась в собственные мысли, взвешивая факты. Ее деньги улетучились, как и мечта стать женой Гриффина Флетчера. Однако по-прежнему существует прочное здание в Провиденсе — и еще крошечная, сулившая массу хлопот, но бесконечно драгоценная жизнь, зародившаяся внутри нее. Да, жизнь для нее и ребенка будет нелегкой, но и радостной тоже. Уж она, Рэйчел Маккиннон, позаботится об этом, будьте уверены.

В ее голове, сплетаясь, роились сотни сомнений. Через несколько месяцев ее беременность не сможет заметить только слепой, а это означало скандал, особенно в таком городке, как Провиденс. Несомненно, за это время ей придется много раз встречать Гриффина. Неужели он не догадается, что ребенок, которого она носит во чреве, — его собственный. Рэйчел решила отложить эту проблему до того времени, когда столкнется с ней. По всей вероятности, к моменту, когда положение Рэйчел станет очевидным, Гриффин уже будет женат на Афине и полностью позабудет о владелице пансиона Маккиннон.

Поскольку Рэйчел была полностью погружена в эти размышления, даже после того, как экипаж, качнувшись, остановился перед домом О'Рили и она удалилась в сад, чтобы обдумать свои планы, появление Джонаса оказалось для нее полнейшей неожиданностью. Увидев его, она вздрогнула и залилась краской. Как он должен был относиться к ней теперь, когда Гриффин так откровенно хвастал тем, что она отдалась ему?

— Джонас, — выдохнула она, потрясенная.

Он улыбнулся. Он стоял перед ней, заложив руки в карманы, ворот его белой рубашки был расстегнут. Когда он заговорил, Рэйчел поразила в его голосе смесь беззаботности и прямоты:

— Я полагаю, что ваш с Гриффином роман окончен?

Рэйчел покраснела еще гуще; она стиснула руки на коленях, опустила голову.

— Да, — горестно сказала она.

Джонас решительно опустился на каменную скамейку рядом с ней. Он оказался так близко, что Рэйчел чувствовала запах его одеколона, ощущала нарастающую напряженность, исходившую от него.

— Рэйчел, возможно, пока еще слишком рано об этом говорить, но дело в том, что если я не скажу, то сойду с ума. Я люблю тебя — и хочу, чтобы ты стала моей женой.

Казалось, садовая скамейка под ними закачалась; у Рэйчел закружилась голова и жестоко засосало под ложечкой.

— Что? — наконец удалось ей выговорить.

Рукава рубашки Джонаса были закатаны почти до локтей; когда он неожиданно протянул руку и дотронулся до пальцев Рэйчел, она заметила тонкие золотистые волоски на его предплечье, поблескивающие на солнце.

— Ежик, может, все-таки посмотришь на меня? Я тут пытаюсь тебе объясниться, а ты не обращаешь на меня никакого внимания.

У нее не было выбора: еще секунда — и он поднимет руку, возьмет ее за подбородок, заставит взглянуть ему в лицо. Она посмотрела ему в глаза, зная, что ее собственные полны слез.

— О, Джонас... не надо... пожалуйста, не надо...

В глубине его золотистых глаз на миг мелькнула боль.

— Я должен, ежик. Видишь ли, у меня весьма ограниченный выбор — или ты будешь моей, или я сойду с ума.

Не говоря ни слова, Рэйчел покачала головой. Но Джонас прервал это движение, крепко, почти болезненно схватив ее за подбородок. Его пальцы были крепкими и холодными.

— Боже мой, Рэйчел, я знаю, ты любишь Гриффина — ты думаешь о нем. Но тебе бы уже следовало понять, что он все еще принадлежит Афине.

Отчаяние охватило Рэйчел почти так же неудержимо, как накануне пожар охватил Сиэтл. Она подавила невольный стон и кивнула. Джонас отпустил ее подбородок, и ей показалось, что она увидела собственное страдание отраженным в его красивых, правильных чертах.

— Вопреки тому, что ты, возможно, слышала обо мне, я способен стать самым верным мужем, Рэйчел. Я буду любить тебя, оберегать...

Третий голос вмешался совершенно неожиданно, жесткий и угрожающий:

— ...Предам тебя, уничтожу всех и вся, что тебе дорого.

Это он. Сердце Рэйчел судорожно забилось, будто зверь, угодивший в смертельную западню, но девушка не смогла заставить себя взглянуть на Гриффина.

Джонас резко вскочил на ноги; краем глаза Рэйчел заметила, как сжались его кулаки.

А Гриффин продолжал тихо, презрительно:

— Выйди за него, Рэйчел, и ты станешь женой человека, который хладнокровно убил твоего отца.

Все закружилось у Рэйчел перед глазами, тошнота подкатила к горлу.

— Нет! — пронзительно вскрикнула она, хотя какой-то изначальный инстинкт, спрятанный в темных глубинах ее сердца, подсказывал, что это правда. Она вскочила со скамейки, бешено размахивая кулаками и чувствуя, как они молотят по твердой мужской груди.

Джонас выдержал обрушившиеся на него удары и крепко обхватил ее запястья. Когда его лицо снова оказалось в поле зрения Рэйчел, она содрогнулась. Голос Джонаса прогрохотал — будто далекие грозовые облака столкнулись в ночном небе:

— Он лжет, Рэйчел! Неужели я бы вот так разгуливал на свободе, если бы убил человека?

Рэйчел отшатнулась от него, тряся головой, пытаясь вырваться. Она почувствовала приближение Гриффина, его притяжение всем своим существом. Он легко освободил ее от хватки Джонаса, поднял на руки и крепко прижал к себе. Потом повернулся и пошел с ней по направлению к калитке, от ярости лишившись дара речи.

Последовал легкий удар; Рэйчел в ужасе увидела, как лицо Гриффина помертвело, и упала на землю вместе с ним. Она не ушиблась, но Гриффин неподвижно лежал на каменных плитах садовой дорожки, и из его затылка медленно сочилась кровь. Крик застрял у нее в горле, по лицу потекли слезы. Она уткнулась лбом в темные, спутанные волосы Гриффина, уверенная в том, что он умер.

Но в этот миг Джонас грубо дернул ее и рывком поставил на ноги, одной рукой зажав ей рот. Она услышала, как что-то тяжелое, выпав из другой его руки, упало на каменные плиты под ногами. Он говорил, как сумасшедший, хрипло, со срывами:

— Помнишь, что я сказал тебе, Рэйчел? В тот вечер, когда мы пошли в оперу, а потом ко мне в отель? Я сказал, что когда ты станешь моей, ты будешь к этому готова. Теперь, ежик, хочешь ты этого или нет, ты готова!

Страх и горе придали Рэйчел сил: она бешено извивалась в руках Джонаса, кусала пальцы на руке, которая зажимала ее рот, до тех пор, пока не ощутила на губах вкус крови. Он хрипло выругался и так сильно ударил ее, что девушка упала бы, если бы он не подхватил ее.

«Я должна закричать», — тупо подумала Рэйчел, но не могла издать ни звука; если ее разум был способен здраво рассуждать, то тело онемело, будто парализованное. Она не могла оказывать какое бы то ни было сопротивление, пока Джонас тащил ее прочь из сада, через лужайку, а затем к своему экипажу. Когда он в бешенстве втолкнул ее внутрь, она лишилась чувств.

* * *

Первое, что почувствовал Гриффин Флетчер, была мучительная пульсирующая боль в затылке. Он застонал, и его стало мутить.

— Не двигайся! — умоляюще произнес знакомый женский голос. — О, Гриффин, пожалуйста, не двигайся.

Афина. Гриффин чертыхнулся и поднялся на четвереньки, потом на ноги. Знакомый садик закружился перед глазами и подернулся чернотой. Прошло какое-то время, прежде чем его взгляд упал на плоский, забрызганный кровью камень, лежащий в полуметре от него, и он все вспомнил. Гриффин с яростью оторвал от себя руку Афины и, обойдя ее, покачиваясь заковылял в сторону конюшни. Темнота перед глазами начала рассеиваться. К величайшему своему облегчению, Гриффин понял, что день еще в самом разгаре.

Афина выкрикнула его имя, и голос ее звучал пронзительно, почти злобно. Гриффин добрался до конюшни, нашел лошадь, оседлал ее. Только когда он доехал до побережья, то вспомнил, что у Джонаса есть экипаж.

Солнце стояло высоко в небе и палило нещадно. Пот выступил у Гриффина сзади на шее и между лопаток. В яростной синеве небес носились с жалобными криками чайки, мимо, попыхивая дымом из труб, проплывали пароходы, пассажиры которых, разинув рты, указывали на развалины Сиэтла.

Доведенный до бешенства и почти утративший способность соображать, Гриффин соскочил с лошади и зашагал по грязи, перемешанной с углем, которая раньше была деревянной набережной с видом на верфи.

Чья-то рука остановила его:

— Грифф? Какого дьявола...

Гриффин моментально обернулся, готовый к драке, и сдержался лишь в последнее мгновение, когда разглядел лицо стоявшего перед ним человека.

— Малаки, — прошептал он, прикрывая глаза.

— Что стряслось, Гриффин? — спросил капитан

«Мерримэйкера», и его обветренное лицо озабоченно напряглось. — Ты что-то совсем не в себе.

От дикой боли в затылке у Гриффина мутилось в глазах, колени сводила дрожь. Он удержался на ногах и в нескольких скупых словах угрюмо обрисовал положение.

— Куда он увез девушку? — резко спросил Малаки, внимательно вглядываясь в лицо Гриффина. — Если куда-нибудь, где «Мерримэйкер» сможет его настичь, клянусь, он от нас не уйдет.

Гриффин молча кивнул.

Спустя полчаса северный ветер наполнил паруса «Мерримэйкера», и судно отплыло от буксиров, выведших его их бухты на середину залива Пугет. Стоя на корме и крепко держась руками за поручни, Гриффин потерял счет времени. Но он отметил, как они миновали Уэст-Пойнт и Шилшоул-Бэй, Кингстон и Пойнт-Ноу-Пойнт. Солнце уже опускалось за пики Олимпик-Маунтинс, когда «Мерримэйкер» обогнул мыс Фаулвезер-Блаф и устремился в устье канала.

Гавань Провиденса была глубокой, но наступил отлив, так что «Мерримэйкер» бросил якорь почти в четверти мили от берега. Гриффин переплыл бы это расстояние, если бы Малаки Линсдэй не предложил лучшего способа.

Поблагодарив друга, Гриффин перебрался по узловатой веревке в спущенный на воду маленький ялик. Там уже сидели трое матросов и удерживали равновесие, не давая лодке перевернуться. Когда Гриффин занял место возле одной из уключин, матросы оттолкнулись от поскрипывающего левого борта «Мерримэйкера» и стали грести в сторону берега. Физические усилия, которые пришлось ему прикладывать, подействовали успокоительно на истерзанного тревогой Гриффина.

Подплыв к причалу, он вскарабкался по знакомой деревянной лесенке, помахал рукой команде уже отчаливающего ялика и пошел вдоль дока в сторону кучки людей, с нетерпением ожидающих новых известий о Большом Пожаре. Гриффин оставил их без внимания и спокойно позаимствовал серую в яблоках кобылу школьного учителя, привязанную перед магазином.

Ему казалось, что лошадь скачет слишком медленно; только спрыгнув с нее перед огромным особняком Джонаса, он заметил, что животное все в мыле.

Он пронесся по подъездной дорожке, широкими шагами пересек крыльцо и пинком открыл обе створки двери. Они с оглушительным треском ударились о внутренние стены.

— Джонас! — заорал Гриффин, остановившись посреди мраморного пола прихожей. Он уже собрался обыскать комнаты наверху, когда появилась миссис Хаммонд — дрожащая, вцепившаяся пальцами в край белоснежного фартука.

— Их здесь нет, доктор Флетчер. И это святая правда.

От гнева и усталости Гриффина слегка качнуло.

— Где они? — рявкнул он.

Подбородки миссис Хаммондс затряслись.

— Они уехали, чтобы обвенчаться. Вы опоздали.

Усилием воли Гриффин сохранил над собой контроль. Они не могут быть в единственной церкви Провиденса — Филда нипочем не заставить совершить обряд. Оставалось только одно место, где их имело смысл искать — дом судьи Шеридана на Мэйн-стрит.

Гриффин повернулся и побежал к дрожащей измученной кобыле, привязанной к коновязи. Как он скакал обратно в город, он не помнил.

Дверь двухэтажного дома судьи Шеридана была открыта по случаю теплого летнего вечера, и монотонные звуки обожаемого миссис Шеридан органа приветствовали Гриффина, когда он соскочил с учительской лошади и перемахнул через деревянный заборчик. Не потрудившись постучать, он ворвался в тесную, всю в оборках и бахроме, уродливую гостиную судьи. Мировой судья оторвал глаза от маленькой черной книжки, скривился и полностью проглотил всю вступительную фразу.

— Гриффин!

Джонас развернулся; глаза его дико сверкали, выделяясь на бледном лице. Стоящая рядом с ним и одетая в нескладное, явно принадлежащее одной из четырех дочерей Шеридана белое платье, Рэйчел тоже обернулась. Ее аметистовые глаза были расширены и она улыбалась сонно и растерянно.

— Ты не умер,— радостно заметила она.

Сердце Гриффина подпрыгнуло. Он протянул руки, и она двинулась к нему,— покорно, словно дитя, все с той же застывшей, надрывающей душу Гриффина улыбкой.

Измученный орган издал последний сиплый звук, и в помещении воцарилась жуткая тишина. Гриффин прижал к себе Рэйчел, осмотрел ее расширенные глаза и горящее лицо и испытал огромное облегчение, поняв, что она не по собственной воле согласилась на этот ритуал. Ей дали какой-то наркотик — вероятно, опий.

Судья Шеридан вновь обрел свой раскатистый, внушительный голос:

— Гриффин, это же официальная церемония...

Теперь, когда Рэйчел была в безопасности, под его защитой, Гриффин взорвался, как вулкан:

— Ах ты напыщенный, тупой старый осел, это балаган! — рявкнул он.— И невесту опоили наркотиком! — Его взгляд зловещий, откровенно угрожающий, обратился на Джонаса: — Верно, дорогой кузен?

Джонас, онемевший от ярости, не мог вымолвить ни слова. Его лицо потемнело, глаза сверкали дьявольским блеском. Гриффин поманил его пальцем, стиснув зубы с такой силой, что заломило шею.

— Разве ты не собираешься заявить свои права на невесту, Джонас? — произнес он тихим, зловещим тоном.— Или у тебя уже наготове булыжник на тот момент, когда я повернусь к тебе спиной?

Джонас издал душераздирающий, утробный звук и бросился вперед. Гриффин, готовый к этому, загородил собой что-то бормочущую Рэйчел, и стал ждать. Но судья Шеридан, грузный мужчина весьма почтенного возраста, с неожиданной силой схватил Джонаса за плечи и удержал его. Хитрые глаза судьи встретились с глазами Гриффина, и старик произнес единственную за все годы своей долгой и весьма неправедной деятельности откровенную фразу:

— Твоя жизнь теперь не стоит и коровьей лепешки, Гриффин. Ты ведь это знаешь?

Улыбка Гриффина напоминала болезненную гримасу.

— Да, сэр, думаю, да,— вежливо ответил он.— А теперь, с вашего позволения, мы покинем ваш праздник.

Джонас выкрикнул какую-то непристойность и принялся яростно, но безрезультатно барахтаться в руках судьи. Миссис Шеридан, которая, казалось, примерзла к стулу у органа, побледнела и издала тихий, жалобный писк. Гриффин поклонился ей, повернулся, поднял Рэйчел на руки и вынес наружу, в наступившие сумерки. Негодующие вопли Джонаса отдавались у него в ушах всю дорогу до палаточного городка.

Он не обращал внимания на откровенно любопытные взгляды, которыми его встречали, пока он шел через палаточный городок к лесу, по-прежнему неся безвольно обмякшую, одурманенную Рэйчел. Понимая, что судья Шеридан не сможет вечно сдерживать Джонаса, Гриффин свернул с тропинки, по которой обычно ходил, на другую, показанную ему недавно сыном Молли. Рэйчел зевнула и положила голову ему на плечо.

Вдали уже показались приветливые огни его дома, когда Гриффин наконец осознал весь мрачный юмор ситуации. Еле сдерживая смех, он прошел через темный двор, поднялся по ступенькам черной лестницы и вошел в кухню.

Молли, с растрепанными каштановыми волосами и раскрасневшимися щеками, стояла возле плиты, помешивая что-то в кастрюльке. Когда женщина обернулась и увидела вместо сына Гриффина с украденной невестой Джонаса на руках, она от изумления разинула рот.

— Господи, спаси нас и сохрани,— прошептала она, после того как пришла в себя.

Гриффин осторожно опустил свою драгоценную ношу в кресло:

— Надеюсь, он так и сделает, Молли. Нам очень скоро понадобится его помощь.

ГЛАВА 31

Филд Холлистер зевнул, в третий раз перевязал узел галстука и отвернулся от зеркала, висящего над комодом в спальне. Фон неподвижно сидела в кресле-качалке, сложив руки на коленях.

— Думаешь, лучше бы это было не воскресенье? — мягко спросил Филд.

Она подняла на него свои широко расставленные глаза.

— А ты нет? — ответила она вопросом на вопрос.

Филд вздохнул.

— По правде говоря, воскресенье никогда не было моим любимым днем. — На губах его заиграла улыбка, он подавил ее, но она засветилась у него в глазах. — Да, я возненавидел воскресенья еще в восьмилетнем возрасте. Со мной произошла печальная история.

Фон не удержалась и захихикала.

— О, преподобный Холлистер, поведайте же мне свою печальную историю.

Он принял величавую позу, в какой видел отца в те дни, которые Гриффин называл «Серные Воскресенья», и возложил руки на воображаемую кафедру.

— Как я пытался сказать, когда меня столь грубо прервали, это случилось в воскресенье, и мне тогда было восемь лет. Мой отец распространялся на тему греха чревоугодия — это, как известно, была одна из его излюбленных тем, наряду с распутством и ношением белья наизнанку, — и случилось так, что в этот момент в церкви присутствовала моя тетушка Гертруда. Она, будучи дамой достаточно дородной, восприняла эту проповедь как личное оскорбление! — Филд слегка наклонился вперед, его глаза сверкали, голос стал громовым. — И догадываетесь ли вы, чем это кончилось, миссис Холлистер?

Фон покачала головой, глаза ее смеялись.

— Хорошо, я расскажу вам! — гремел Филд, в точности следуя отцовской манере. — Она начала ерзать на скамейке рядом со мной — услышьте меня, ибо я говорю чистую правду, — и завязки на ее корсете разошлись. Я, невинное дитя, был потрясен до глубины души!

Фон раскачивалась в кресле взад-вперед, с трудом сдерживая смех.

Филд безжалостно продолжал:

Был ли я потрясен, спросите вы, именно горой ничем не сдерживаемой плоти? — Он угрожающе нахмурился. — Так собираетесь вы меня спрашивать или нет?!

Фон заставила себя кивнуть.

Он усмехнулся и, качнувшись назад на стертых каблуках сапог, стал ждать.

— Ладно! — воскликнула его жена. — Был ли ты потрясен горой плоти?

— Конечно же нет! Я громко засмеялся, понуждаемый к этому обстоятельствами, и мой отец вытащил меня на улицу, прямо посредине своей проповеди о чревоугодии, и до полусмерти избил меня псалтырем! И это, конечно, потрясло меня до глубины души.

Фон смеялась до тех пор, пока по ее лицу не потекли слезы. Она поднялась с кресла и бессильно уронила голову на грудь Филда.

— Я так боюсь, — прошептала Фон.

Филд привлек ее к себе.

— Я тоже, — ответил он.

Через пятнадцать минут он занял свое привычное место на кафедре пресвитерианской церкви Провиденса. Молва о его свадьбе явно уже успела распространиться; лица паствы были каменными от ярости.

На мгновенье Филд закрыл глаза, а когда снова открыл их, то увидел в дверях церкви Гриффина — тот стоял, скрестив на груди руки, и улыбался. Филд проглотил застрявший в горле комок и гордо объявил о своей женитьбе на Фон Найтхорс.

Повисла зловещая тишина, затем жена судьи Шеридана, Кловис, поднялась с места, сжимая руками спинку передней скамьи:

— Уинфилд Холлистер, вам известно, как Господь относится к тем белым мужчинам, которые женятся на индианках!

Филд увидел, как его жена напряглась и высоко вскинула голову. Он откашлялся:

— Просветите меня, миссис Шеридан. *Как* Господь относится к этому?

Возмущенная Кловис густо покраснела.

— Вы — вы *встречались* с этой женщиной много месяцев, и мы знали об этом! Это просто возмутительно, вот и все!

Церковь наполнилась гулом предвкушения скандала, и Филд строго напомнил себе о том, что сегодня воскресенье, а он — проповедник.

Но не успел он ответить, как его взгляд снова приковал к себе Гриффин, который теперь шагал по проходу между скамьями с увесистым джутовым мешком за плечами. У самого подножия кафедры он перевернул мешок, и на пол с грохотом вывалились дюжины две булыжников. Гриффин нагнулся, взял в руку маленький камешек и галантно протянул его миссис Шеридан.

— Эта честь предоставляется вам, Кловис,— любезно проговорил он.— Пожалуйста, бросьте первый камень.

Серьезное лицо Кловис побледнело, и она села.

Гриффин поднял еще один камень и протянул его начальнику полиции:

— А вы, Генри? Мы все знаем, что вы без греха.

Длинные, подкрученные кверху усы Генри задрожали, и он отвел глаза.

Гриффин разгуливал туда-сюда, на его лице застыло издевательское подобие праведного ужаса.

— Нет желающих? Но это хорошие, крепкие камни

из залива Пугет. Коснувшись плоти или кости, они действительно причиняют боль — тут вы, братья и сестры, можете поверить моему слову профессионала!

До этого момента Филд ни разу не видел, чтобы все прихожане как один покраснели. Но теперь увидел, и это было зрелище, которое он запомнил на всю жизнь.

Гриффин, с присущей ему прямотой доведя до сведения прихожан свою точку зрения, оставил на полу мешок и камни, сел рядом с Фон и приготовился слушать Филда. На его лице было написано такое усердное внимание, что Филд чуть не расхохотался.

Проповедь прошла хорошо, паства внимательно слушала его, стараясь искупить свою вину. Прихожане с восторгом распевали привычные псалмы, и пе было ничего удивительного в том, что четыре различных семейства пригласили Холлистеров на воскресный обед.

Филд вежливо отклонил все приглашения, оставшись в церкви, даже когда все остальные, включая Фон, вышли наружу и остановились поболтать во дворе, под шелестящими листвой вязами. Он наклонился, вытащил из оставленного Гриффином грубого мешка булыжник и медленно повернул его в руках. Камень был крупный, грубый и пористый, покрытый сеткой ярко-зеленого мха. Возможно, он попал в мешок с берега любимого пруда Билли Брэйди, скрытого в чаще леса за палаточным городком.

Улыбка прокралась в глаза Филда Холлистера и осталась там за легкой, влажно блеснувшей пеленой. Сколько он помнил Гриффина Флетчера, тот всегда презирал официальную религию, и все же, особенно в таких случаях, как этот, Филду казалось, что никто более преданно не следовал ее основам.

Он опустился на одну из грубо обструганных скамеек близ кафедры, все еще крутя в руках камень. Гриффин был настоящей загадкой — наносил раны, а потом сам исцелял их, любил мир и покой, но всегда первым ввязывался в драку, демонстрировал всем и каждому свою страсть к Рэйчел Маккиннон, но защищал и оберегал ее с нежностью, какой Филд в нем даже не мог подозревать. В противоположность тому, как могло казаться всем, кроме Филда Холлистера, Гриффин был самым нравственным из людей. Закрыв глаза, преподобный молча помолился, чтобы его друг не сгорел в том огне, который разжег своими исцеляющими руками.

— Филд? — Это была Фон, ее рука легко коснулась его плеча.

Он обернулся и поднял на нее глаза. И, к ее чести, она не подала виду, что заметила следы слез на лице мужа.

Воздействие опия, данного ей Джонасом, еще не совсем прекратилось, и в состоянии Рэйчел смешивались сонливость и беспокойство, отчаяние и надежда, раздражение и апатия. Она пыталась вспомнить вчерашний день, но в памяти всплывало только как ее протащили по лужайке и швырнули в экипаж Джонаса.

Она вздохнула, закрыла лежавшую у нее на коленях книгу и стала неподвижно смотреть в глубину массивного камина. Она больше не питала никаких иллюзий, по крайней мере, по поводу Джонаса Уилкса. При всех своих джентльменских манерах он оказался именно таким, каким его считали Молли и Гриффин. Рэйчел содрогнулась, осознав, что, если бы не Гриффин, этим утром она бы проснулась в постели Джонаса, навсегда связанная с ним брачными узами. К счастью, он не воспользовался ее беспомощностью ни в экипаже, ни на борту корабля, на котором они, очевидно, прибыли из Сиэтла.

Не воспользовался?

Разум Рэйчел не помнил ничего, зато помнило тело. По каким-то известным лишь ему причинам, одной из которых была, по-видимому, гордость, Джонас не прикоснулся к ней.

В комнату с подносом в руках вошла Молли. Она принялась расставлять чайник и приятно позвякивающие прозрачные фарфоровые чашки на маленьком столике, стоящем между креслом Рэйчел и тем, в котором обычно сидел Филд.

— До чего же скучный день воскресенье,— вздохнула Молли, опускаясь в кресло.— Хорошо, что ты здесь, Рэйчел.

Рэйчел улыбнулась и протянула руку, чтобы разлить чай.

— Я как раз подумала, что, если бы не Гриффин, сегодня я могла оказаться совсем в другом месте. Молли, неужели он и вправду ворвался в дом судьи и вынес меня оттуда, как вы рассказывали?

Молли опять вздохнула, уютно поджимая под себя маленькие ножки и с задумчивым видом прихлебывая чай.

— Да, Рэйчел. Так он рассказал мне, когда явился, держа тебя на руках осторожно, будто ты могла разбиться. Вот тогда он и рассказал, как Джонас ударил его по затылку камнем и увез тебя.

Рэйчел ощутила внезапную потребность довериться этой доброй женщине, поделиться с ней тем, что, возможно, носит в себе ребенка Гриффина, и спросить ее совета. Но даже тогда, когда это желание только возникло в ее сердце, Рэйчел знала, что не последует ему. Молли была прежде всего предана Гриффину, и она немедленно сообщила бы ему эту новость.

— Что же теперь будет?

Хотя было тепло, Молли поежилась.

— Я, конечно, не претендую на ясновидение или что-то подобное, но всех нас ожидают неприятности, Рэйчел. И очень скоро.

Рэйчел подумала о надежном, прочном доме своей матери, о том, как день за днем ей придется встречать Гриффина Флетчера, и опечалилась.

— Вы думаете, мне следует уехать?

— Было время, когда я считала это наилучшим выходом, Рэйчел,— призналась Молли, откровенно глядя изумрудными глазами на Рэйчел.— Теперь, по-моему, слишком поздно. Гриффин или Джонас — а скорее всего они оба — просто поедут и притащат тебя обратно. Нет, боюсь, все это не кончится, пока один из них не получит тебя, а другой не умрет.

Рэйчел похолодела.

— Умрет? — повторила она в полном потрясении. И тут она вспомнила, что, по утверждению Гриффина, ее отец мертв и что она, хотя эта мысль была ей невыносима, поверила Гриффину. Рэйчел поставила чашку, которая с опасным звоном стукнулась о блюдце.

— Если Гриффин умрет, — с отчаянием прошептала она, — я тоже умру.

Выражение лица Молли, как и тон ее голоса, было совершенно бесстрастно.

— А Джонас? Каково тебе будет, если он умрет, Рэйчел?

Рэйчел задумалась, пытаясь разобраться в своих чувствах.

— Если правда, что он убил моего отца, как говорит Гриффин, я надеюсь, что Джонаса повесят. Но я бы не хотела, чтобы он, или кто-либо еще, умирал из-за меня.

Молли внезапно отвернулась, но ее обычный румянец исчез, сменившись пугающей мертвенной бледностью.

— Будь я сильной, как мужчина, я бы удавила этого негодяя собственными руками! Таких, как он, не вешают за убийства — они совершают их и, злорадствуя, продолжают жить так, словно ничего не случилось!

Наступило долгое, напряженное молчание. Наконец, Рэйчел осмелилась заговорить:

— Молли, вы на самом деле думаете, что были и другие убийства?

Слеза медленно скатилась вниз по белому, окаменевшему лицу Молли.

— Одним из них был мой Патрик — упокой Господь его душу. Больше двух месяцев мы жили в палатке, и вдруг Джонас решил перевести нас в коттедж. Потому что Патрик уж очень хороший работник — так он объяснил. Ни я, ни Патрик не догадывались, какой страшной была плата за жизнь в этом милом кирпичном домике. И Джонас позаботился, чтобы я была одна — если не считать Билли — когда явился получить эту плату.

Теперь плакала и Рэйчел — потому что плакала

Молли, а она слишком хорошо поняла ее. Рэйчел не могла бы произнести ни слова, даже если бы от этого зависела ее жизнь, но протянула руку и мягко погладила дрожащую женщину по плечу.

Молли продолжала свой рассказ с убийственным спокойствием, и у нее был такой вид, словно она блуждает в мире бесконечных кошмаров.

— Я пыталась убежать, но не смогла. Но я повела себя не так, как остальные: когда Пэдди вернулся с горы, я рассказала ему. Он пришел в бешенство и бросился искать Джонаса — и больше уже не вернулся.

— Вы не обратились в полицию? — спросила Рэйчел, которая и сама начала дрожать.

Молли резко, с горечью усмехнулась:

— В полицию? Начальник полиции, Генри, всего лишь хозяин магазина, Рэйчел, — и к тому же друг Джонаса. Я, как дура, пошла к нему и сказала, что мой Патрик лежит где-то убитый.

— И он ничего не сделал?

— Кое-что он сделал, а как же. Потрепал меня по руке и сказал, что все будет в порядке. И тут же отправился прямо к Джонасу.

Рэйчел закрыла глаза и ждала, уже догадываясь, что продолжение будет даже ужаснее, чем то, что она уже услышала.

— Той ночью я укладывала вещи — свои и Билли; я собиралась сесть на первый же пароход, уходящий из Провиденса — неважно куда. И Джонас пришел. С ним было еще двое, и они выбили дверь и вломились в дом, как... как когда-то солдаты в Ирландии. Джонас еще раз изнасиловал меня, но не это было самое худшее, Рэйчел. Они избили моего Билли, когда он пытался защитить меня.

Тошнота подкатила к горлу Рэйчел:

— Вот почему...

— Поэтому он такой... каким стал.

— К-как вы убежали?

— Поднялся страшный шум, и кто-то отыскал и привел Филда Холлистера. Вместе с ним пришел Гриффин, и, как ты можешь себе представить, началось побоище, какого в этом городе еще не видели. Джонас и его люди буквально *уползли* из того коттеджа, Рэйчел, но для меня и Билли, а тем более для Патрика, было уже слишком поздно. Джонаса допросили, но после этого закон вроде как закрыл на все это дело глаза. А мы с Билли стали работать в доме доктора Флетчера, за что очень ему благодарны.

Рэйчел была слишком потрясена, чтобы говорить, а Молли погрузилась в прошлое, вспоминать которое наверняка было почти невыносимо.

Женщины все еще сидели за столом, молчаливые и подавленные, когда, ворча, появился Гриффин и зажег керосиновые лампы на каминной полке.

— Господи,— пробурчал он.— Что на вас нашло? Здесь темно, как в могиле.

Рэйчел очнулась от печальных мыслей и удивилась, увидев, что уже настал вечер. Слезы, которые она не могла выплакать раньше, наконец бурным потоком хлынули из глаз. Ее отец мертв, Патрик, муж Молли,— мертв. Сознавать это было выше сил человеческих.

Гриффин медленно приблизился к Рэйчел, поднял ее на ноги, обнял. Его теплые губы прижались к виску девушки, она ощущала силу его рук, но не чувствовала себя в безопасности. Она вообще сомневалась, вернется ли когда-нибудь к ней это чувство.

Голос Молли прозвучал отрывисто, но сдержанно.

— Это я виновата,— сказала она.— Да простит меня Пресвятая Дева, я рассказала Рэйчел всю правду о Джонасе Уилксе.

Гриффин рассердился — Рэйчел ощутила, как ярость напружинила его тело. Но в словах, которые он произнес, была одна только нежность:

— Молли, будь добра, давай поужинаем.

Когда Молли вышла, Рэйчел подняла глаза на Гриффина:

— Он придет за мной, да? Джонас придет за мной?

Гриффин не отвел глаз.

— Да,— сказал он.— Думаю, придет. Рэйчел, выходи за меня замуж — сегодня же вечером.

Рэйчел испытующе посмотрела ему в лицо и поняла, что Афина лгала. «*Гриффин любит меня,* — подумала Рэйчел, — *и относится ко мне со всей серьезностью*». Она знала также, что не сможет сказать «да», хотя всей душой хотела этого. Если она ответит согласием, Джонас наверняка убьет его. Она отвернулась, чтобы он не увидел боли в ее глазах.

— Я не могу, — проговорила она.

Молчание было ужасным, бесконечным. Гриффин прервал его, бросив отрывисто:

— Почему?

Рэйчел вскинула голову, не позволяя себе ни на секунду забывать о жестокой, трагической правде.

— Я не люблю тебя, — солгала она, молясь про себя, чтобы он поверил ей и не задавал никаких вопросов.

Но глаза Гриффина сверкнули, что-то изменилось в его лице, он резко повернул Рэйчел к себе и крепко сжал ее подбородок.

— Повтори это, русалочка, — потребовал он.

Она не смогла бы, но внезапно перед глазами у нее возникло видение: Гриффин лежит на земле, мертвый. Все, что угодно — стать женой Джонаса Уилкса, даже быть проданной капитаном Фразьером — только не это.

— Я не люблю тебя, — ровным, спокойным голосом отчеканила Рэйчел.

Его лицо исказилось страданием; на мгновение он прикрыл глаза. Рэйчел воспользовалась этим, чтобы унять собственную боль, от которой сжималось сердце и к глазам подступали слезы.

Будто почувствовав что-то, он еще раз взглянул на нее, но тут же отпустил ее плечи и стремительно вышел из кабинета. Стук входной двери дал ей понять, что можно больше не притворяться, и Рэйчел опустилась в кресло, закрыла лицо руками и снова разрыдалась.

Ей хотелось плакать вечно, но была в ее натуре какая-то сила, которая не желала сдаваться, даже когда это казалось единственно разумным выходом. Понимая, что нужно торопиться, Рэйчел Маккиннон проглотила слезы и опять бросилась вон из дома Гриффина Флетчера.

Бредя сквозь лес, потом сквозь палаточный городок, она пыталась смириться с одной печальной истиной — на этот раз Гриффин не придет за ней.

Когда входная дверь отворилась, было уже поздно, но Молли Брэйди услышала звук поворачиваемой ручки и тихий щелчок замка. Она выпрямилась в кресле перед огромным камином и про себя горячо помолилась, чтобы на этот раз обошлось без припадка бешенства.

Гриффин вошел в тускло освещенную комнату. В приглушенном, мерцающем свете его лицо казалось загнанным, изможденным. В нем что-то сломалось: казалось, его душу вытащили из тела и долго истязали. Его темные глаза были пусты.

Молли мысленно отреклась от своей молитвы. Даже неконтролируемая вспышка его гнева была предпочтительнее странного, безжизненного состояния, в котором Гриффин находился сейчас.

— Где Рэйчел? — осмелилась спросить она.

Он подошел к камину, вцепился руками в каминную полку, опустил голову:

— В доме Бекки.

Молли встала. Она не решилась прикоснуться к нему, хотя ей очень хотелось утешить его так же, как она иногда утешала Билли.

— Я все слышала из коридора, Гриффин, — призналась она.

Гриффин слегка поморщился, но ничего не ответил.

Слезы выступили на глазах Молли, слезы слышались в ее голосе, но она не стыдилась этого.

— О, Гриффин, глупый, неужели вы не поняли, что она солгала вам? И неужели не знаете зачем?

Он резко, презрительно хмыкнул:

— О, думаю, я все прекрасно понял.

Все желание утешить его исчезло; вместо этого Молли ощутила неодолимую потребность измолотить эту могучую, непробиваемую спину кулаками.

— Рэйчел старается защитить вас!

Лицо Гриффина, когда он резко обернулся к ней от камина, было столь ужасно, что Молли отшатнулась на несколько шагов.

— Рэйчел просто идет по стопам своей матери! — гневно бросил он, пронесся мимо возмущенной остолбеневшей экономки и вылетел из кабинета.

Каблуки его сапог загремели по лестнице.

ГЛАВА 32

Проснувшись утром в понедельник в постели матери, Рэйчел немного растерялась, но быстро пришла в себя. Сегодня она уволит девушек, бармена — всех, кроме Мэми.

Пока она умывалась и надевала поношенное простое платье, одолженное накануне у Молли, она решила потребовать себе всю прибыль, которую дело принесло в ее отсутствие. Если повезет, возможно, денег хватит, чтобы купить несколько кусков ситца и поплина на платья.

По воскресеньям салун бывал закрыт, но когда Рэйчел спустилась вниз по крутой деревянной лестнице, намереваясь объявить о своем решении, заведение уже начало пробуждаться к жизни.

Сообщить этим грубым, ожесточенным жизнью женщинам, что им придется искать работу в другом месте, оказалось труднее, чем она думала, но Рэйчел сумела сделать это со спокойным достоинством.

Том Роулинз, бармен, расхохотался:

— Дочь Бекки — владелица пансиона! Вот потеха-то!

Рэйчел сохранила спокойствие, но когда отвечала на выпад бармена, голос ее слегка дрожал:

— Я рада, мистер Роулинз, что вы находите это столь забавным. Тем не менее, это здание и все в нем принадлежит мне, и я не собираюсь торговать спиртным и... и...

Одна из женщин — высокая, стройная блондинка

с лицом учительницы — медленно повернула между ладонями кружку с дымящимся кофе и улыбнулась:

— Прежде чем принимать решение, мисс Маккиннон, лучше полистайте бухгалтерские книги. Я не удивлюсь, если вы обнаружите, что являетесь деловыми партнерами с мистером Джонасом Уилксом.

Хотя перспектива иметь хоть что-то общее с этим мерзким типом заставила Рэйчел внутренне содрогнуться, она расправила плечи и приняла из рук Тома Ролинза стопку черных толстых тетрадей, которую тот вытащил из-под стойки.

Устроившись на кухне в относительном уединении (Мэми возилась у плиты), Рэйчел просмотрела гроссбухи, и ей открылась мрачная истина. Хотя партнерство было расторгнуть уже давно, оставались невыплаченными внушительные долги.

Мэми поставила перед своей новой хозяйкой тарелку омлета и чашку горячего ароматного кофе.

— Судя по вашему виду, вы много должны этому человеку.

Рэйчел угрюмо кивнула. Ей следовало быть готовой к этому — Джонас упомянул о деловых отношениях с ее матерью в первый же день знакомства с Рэйчел, — но все равно такая ситуация явилась для нее ужасным ударом.

— Я не очень-то разбираюсь в законах, Мэми, но, думаю, он может отобрать у меня заведение.

Мэми грузно опустилась на стул, не обращая внимания на проституток, которые сновали взад-вперед, накладывая себе на тарелки завтрак, возвращая пустые кружки из-под кофе и роясь на полках в поисках какой-нибудь еды, кроме омлета. После долгого молчания она решилась высказать свое мнение:

— Мистер Уилкс не потерпит, чтобы здесь был пансион, Рэйчел. Второго салуна не сыскать на много миль вокруг. Его люди будут недовольны и станут искать работу в другом месте.

Рэйчел тяжело вздохнула, признавая, что Мэми, вероятно, права.

— Моя мать не очень разумно обращалась с деньгами, да, Мэми?

Мэми улыбнулась, и в ее круглых карих глазах появилось отсутствующее выражение.

— Похоже, не очень. Она хотела расплатиться с мистером Уилксом и, когда могла, возвращала ему деньги. Беда в том, что у какой-нибудь из девушек всегда обязательно болели родители. Да еще Бекки все время отпускала в кредит ненадежным людям — не знаю, сколько этих лесорубов смылись, не оплатив свои счета в баре.

Рэйчел подумала о своем будущем ребенке, и поклялась решить проблему с долгом. Она не могла продолжать содержать публичный дом: она бы и дня не вынесла торговли человеческой плотью. Но, похоже, закрыть заведение Бекки без борьбы ей не удастся.

Неожиданно Мэми мягко сжала теплой темной рукой руку Рэйчел:

— Иди к доктору Флетчеру, детка. У него есть деньги, и он поможет тебе — я уверена.

Кровь прилила к лицу Рэйчел, забилась в висках.

— Я лучше умру.

— Тогда что ты собираешься делать? Ни у кого больше, кроме Джонаса Уилкса, не найдется денег, чтобы одолжить тебе.

Рэйчел медленно, устало поднялась с места. Она измучилась — так безумно измучилась, — но ей надоело постоянно убегать от кого-то.

— Я сейчас же отправлюсь к мистеру Уилксу и попытаюсь с ним договориться.

Темное лицо Мэми даже чуть побелело.

— Нет! Если я позволю тебе встретиться один на один с этим человеком, дух Бекки Маккиннон не даст мне покоя по ночам до конца жизни!

— Я пойду, Мэми, — упрямо сказала Рэйчел. — Ты что, не понимаешь? Я должна пойти!

— Послушай меня, девочка! — воскликнула Мэми, поднимая со стула свое грузное тело и уставив на Рэйчел темный указательный палец. — То, что случилось вчера вечером в доме судьи Шеридана, уже ни для кого не секрет — все только об этом и говорят. И сейчас Джонас Уилкс наверняка в бешенстве из-за этого, а когда он в бешенстве, то способен на самые подлые поступки!

— Если он злится на кого-нибудь, Мэми, он злится на Гриффина. Даже если бы я хотела остаться и выйти за Джонаса, — чего я определенно не хотела — мне бы не дали. Винить меня было бы неразумно.

— Очень немногие поступки Джонаса Уилкса разумны, Рэйчел. Не приближайся к нему!

Прежде чем Рэйчел успела ответить, за кухонной дверью послышался шум. И тут она инстинктивно поняла, что решение уже принято за нее, — Джонас Уилкс избавил ее от необходимости посещать его дом.

Он громко выкрикнул ее имя. Рэйчел задрожала, на мгновение поймала испуганный взгляд Мэми, затем повернулась и направилась в салун, чтобы лицом к лицу встретиться с огнедышащим драконом.

Проститутки разбежались, бросив на столе пилочки для ногтей, дымящиеся сигареты и тарелки с остатками яичницы. Даже Том Роулинз покинул свой пост за длинной полированной стойкой. Но Джонас выглядел пугающе сдержанным. С мрачным удивлением Рэйчел заметила, что он, видимо, одевался в спешке, небрежно. Он был без пиджака и галстука, в расстегнутой у ворота рубашке.

— Что же это ты, по-твоему, делаешь? — сдавленно произнес он с угрожающим блеском в глазах.

Рэйчел остановилась на безопасном расстоянии, ощущая Мэми за своей спиной.

— И что же я, *по-вашему*, делаю, Джонас? — спросила она с напускной беззаботностью.

Джонас стоял перед ней, широко расставив ноги в сапогах и сжав кулаки. Было ясно, что попытки Рэйчел приструнить его заранее обречены на провал.

— Понятия не имею, — бросил он. — Но если ты собираешься продолжать семейный бизнес, у меня для тебя сюрприз — этого не будет.

— Это не сюрприз, мистер Уилкс. Если это окажется мне под силу, еще до конца этой недели салун превратится в пансион.

Лицо Джонаса чуть расслабилось, и, к замешательству Рэйчел, он расхохотался. Рэйчел казалось, он смеялся целую вечность, пока его безудержное веселье не уступило место ошарашенной, недоверчивой улыбке.

— Пансион? Ах да, ты ведь как-то упоминала об этом!

Не зная, что еще делать, Рэйчел кивнула.

Теперь Джонас выглядел даже более устрашающе, чем раньше. Что-то в его остановившейся улыбке, в том, как он вцепился в спинку стула, вызвало у Рэйчел сильнейшие опасения за свою жизнь.

— Где же, скажи пожалуйста, мои люди смогут предаваться своим маленьким утехам, если это заведение превратится в пансион?

Рэйчел вскинула голову:

— Их «утехи» меня не интересуют, Джонас Уилкс. Меня больше волнуют их жены и дети.

Джонас поднял бровь:

— Как благородно. Ты начинаешь рассуждать, как Филд Холлистер, Рэйчел, или еще того хуже — как Гриффин.

Злость придала Рэйчел сил, хотя ей хотелось со всех ног бежать от этого человека и его сдерживаемого бешенства.

— Я знаю, каково жить в палатке, когда тебя кусают вши, дождь капает на лицо и ты даже не можешь помыться в ванне...

Он ухмыльнулся, теперь чуть менее грозно, и многозначительно заметил:

— А ведь ты любишь принимать ванны, правда, Рэйчел? — Джонас помолчал, но, не дав Рэйчел выразить свое возмущение, продолжил: — Отправляйся наверх и собирай вещи, Рэйчел Маккиннон. Мы уезжаем.

Рэйчел покачала головой:

— Нет.

Джонас испустил вздох, и в звуке его, при всей мягкости, Рэйчел почудилось нечто жуткое.

— Ах ты непослушная дерзкая девчонка! Имей в виду, Рэйчел, существуют определенные качества, которых я требую от своей жены, и одно из них — послушание. Пошевеливайся!

— Я не ваша жена, мистер Уилкс, и у меня нет намерения становиться ею!

Джонас снова вздохнул и, закинув голову, принялся внимательно изучать потолок, будто надеясь найти там руководство к дальнейшим действиям. Этот жест лишил Рэйчел бдительности, и когда Джонас с невероятной стремительностью преодолел разделявшее их расстояние и крепко схватил ее за плечи, она оцепенела от ужаса. Рэйчел попыталась крикнуть, но крик застрял у нее в горле. Она просто застыла на месте, глядя в его искаженное лицо.

— Урок первый, — в бешенстве прошипел он.

Затем, опустился на стул и рванул Рэйчел за собой. С нечеловеческой силой он бросил ее себе на колени, будто ребенка, и начал шлепать.

Рэйчел яростно сопротивлялась, к ней вернулся голос, и от ее визгов дрожали стекла. Ни разу за всю жизнь она не чувствовала такой злости и унижения. Но Джонас был достойным противником и легко справлялся с ней. Его ладонь с безжалостной методичностью наносила жестокие, болезненные удары по ее ягодицам.

Откуда-то послышался громкий лязгающий звук, и в тот же момент дверь салуна распахнулась.

Возможно, оттого, что боязнь еще большего унижения была сильней, чем любопытство, Рэйчел повернула голову в сторону двери. Если Гриффин увидит ее в таком виде, она провалится сквозь землю.

Но в дверях стояла Афина Бордо. Ее серебристые волосы сияли на фоне хмурого серого дня, полные губы изогнулись в улыбке; она принялась ловко стягивать с рук перчатки. Взгляд ее синих глаз был прикован к кухонной двери, и в них сверкала усмешка.

— Лучше отпусти леди, Джонас. В противном случае эта негритянка разнесет тебе голову.

Удары прекратились, и Рэйчел оказалась на свободе.

Краска негодования мгновенно сбежала с ее лица, когда она, пошатываясь, поднялась на ноги и увидела в дверях кухни Мэми, которая целилась в голову Джонаса из двустволки. Он так резко вскочил, что Рэйчел, стоявшая рядом с ним, едва удержалась на ногах. Взгляд его был ужасающим, горло конвульсивно дергалось от ярости.

Нисколько не устрашенная, Мэми посмотрела на полированный вороненый ствол ружья, потом в глаза Джонасу:

— Убирайся Уилкс. Если не уйдешь, тебя будут еще долго собирать по кускам по всей округе!

Афина расхохоталась:

— Думаю, она не шутит, Джонас.

Со странным, учитывая обстоятельства, достоинством Джонас опустил закатанные рукава рубашки и застегнул болтающиеся запонки. Потом окинул Рэйчел испепеляющим, собственническим взглядом.

— Ты должна мне кучу денег, — проговорил он низким, леденящим душу голосом. — Так или иначе, ежик, но тебе придется отдать долг.

Рука Рэйчел, слишком часто проявляющая независимость от ее разума, мстительно вскинулась и изо всех сил хлестнула его по лицу. Вероятно, опасаясь Мэми с ее двустволкой, Джонас не предпринял никаких ответных действий, но слова его были страшнее любого удара:

— Ты однажды уже ударила меня, Рэйчел, и это было серьезной ошибкой даже тогда. На этот раз ошибка грозит тебе катастрофой.

— Убирайтесь, — процедила Рэйчел сквозь зубы, кипя от негодования и стиснув кулаки так, что ногти впились в ладони.

Но Джонас только вздохнул, задумчиво оглядел взбешенную Рэйчел с ног до головы и пробормотал:

— У тебя есть двадцать четыре часа, ежик. По истечении этого срока ты либо окажешься у моих дверей, либо будешь горько сожалеть о том, что не одумалась.

Смысл этого ультиматума при всей его завуалированности был абсолютно ясен Рэйчел.

— А если я все-таки «одумаюсь»?

Он спокойно подтвердил ее догадку:

— Тогда некоторые люди, которых оба мы знаем и любим, останутся в живых. У тебя есть один день, чтобы принять решение, Рэйчел.

Очевидно, устав ждать, Мэми выстрелила. Зеркало над стойкой бара разлетелось вдребезги, и, когда дым рассеялся, Джонас уже торопливо шел к двери, таща за собой ошарашенную Афину.

— И не вздумайте больше здесь никогда появляться! — крикнула им вслед Мэми.

Рэйчел опустилась на стул и поморщилась, когда ее исхлестанные ягодицы коснулись твердого деревянного сиденья. Одна за другой стали появляться проститутки с сумочками в руках, бледные и прекрасно сознающие опасность, которая нависла над домом Бекки.

Через час осталась только одна из них — высокая блондинка, та, что ответила, когда Рэйчел объявила о своем решении закрыть бордель. Ее звали Эльза, и она с безмятежным видом сообщила Рэйчел, что могла бы остаться, если никто не возражает. Она скопила несколько долларов, и когда Рэйчел передумает и пойдет к мистеру Уилксу, то, по мнению Эльзы, заведение Бекки в очень скором времени снова начнет приносить солидный доход.

Рэйчел выслушала все это в потрясенном молчании, прихлебывая принесенный Мэми кофе с бренди и думая, что лучше бы она никогда не видела ни Провиденс, ни вообще округ Вашингтон. Глупо с ее стороны было оставаться здесь и дать всему зайти так далеко. Теперь она — в прямом и переносном смысле — побита, оказалась в безвыходном положении. Если она одолжит денег на билет и уедет на пароходе в Сиэтл или еще куда-нибудь, Джонас убьет Гриффина. Если она задержится здесь дольше чем на двадцать четыре часа, цепляясь за свою наивную мечту об открытии пансиона, результат будет точно таким же.

Рэйчел сложила руки на столе и опустила на них голову в немом отчаянии. Гриффин сделал ей предложение, и она была уверена в его любви, но не могла вернуться к нему. Слишком велика вероятность того, что он неожиданно погибнет от какого-нибудь загадочного «несчастного случая» или просто исчезнет навсегда, как уже исчезли ее отец и Патрик Брэйди.

Плечи Рэйчел вздрагивали от судорожных рыданий. Пройдет всего один день, и ей придется предстать перед Джонасом и объявить о своей безоговорочной капитуляции.

Рука Эльзы осторожно коснулась ее плеча:

— Не плачьте, дорогая. Джонас на самом деле не так уж плох — конечно, он немного поколотит вас, и иногда вам придется переспать с ним, — но что это такое по сравнению со всеми его деньгами?

Рэйчел зарыдала еще сильнее.

Сложив руки на коленях, Афина спокойно сидела в экипаже напротив Джонаса. Она ждала, когда наступит подходящее время для разговора. Минут через пять выражение лица Джонаса несколько смягчилось, и Афина поняла, что момент настал.

— Ты раскаиваешься? — спросила она.

У Джонаса вырвался странный сдавленный звук, очень похожий на всхлип.

— Зачем я это сделал? — не глядя на Афину, прошипел он.

— Думаю, ты так отчаянно хочешь ее, что не способен нормально соображать. Джонас, ты не можешь убить Гриффина — я этого не допущу.

Джонас провел растопыренными пальцами по своим взлохмаченным волосам.

— Успокойся, радость моя. У меня нет намерения убивать его.

— Да неужели?! — огрызнулась в ответ Афина. — Если ты еще будешь устраивать такие сцены, как сегодня у Бекки, то у тебя может не оказаться выбора.

Неожиданно Джонас засмеялся:

— Не знаю. Ради того, чтобы отшлепать эту дерзкую маленькую нимфу, почти стоит умереть — она так давно напрашивалась на это. Думаю, даже Гриффин согласился бы со мной.

Афине хотелось плакать, хотя она не совсем понимала, почему.

— Что ты собираешься делать дальше, Джонас?

Он встретился с ней взглядом и усмехнулся:

— Естественно, дам задний ход. Извинюсь по всей форме, — может, даже стану ползать перед ней на коленях.

Афина покачала головой:

— Ты спятил, Джонас Уилкс. Целиком и полностью спятил.

Джонас откинулся на спинку сиденья, блаженно вздохнул и заложил руки за голову.

— Да. И я в достойной компании, миссис Бордо. В чрезвычайно достойной компании.

— Дурак, — выпалила Афина, с ненавистью уставясь на проплывающую мимо сельскую местность и только что начавшийся мелкий, унылый дождь.

Для Рэйчел эта ночь тянулась с поистине адской медлительностью. Она ворочалась в материнской постели, и в ритмичном стуке дождя ей слышалось неуклонное движение ее судьбы к роковой развязке.

Наступил рассвет, но и те звуки, которые сопутствовали его приходу, не принесли ей облегчения. Стоя у окна и глядя на покрытую зыбью воду канала, Рэйчел в глубоком отчаянии слушала хриплые крики чаек, грохот кастрюль и сковородок, доносившийся из кухни внизу, отдаленный визг пилы на лесопилке у подножья горы. Но к этим звукам примешивались и другие, непривычные. Скрип колес фургонов, приглушенная брань, монотонное «тук-тук-тук» молотка.

Рэйчел прошла в пустую комнату, расположенную рядом со спальней матери, и посмотрела в сторону Провиденса и гавани. Но, как оказалось, ей не надо было смотреть так далеко, потому что шум доносился из зарослей черники и папоротника ярдах в пятидесяти от места, где она стояла.

Над землей поднимался каркас внушительного здания, а строительством руководил Джонас Уилкс.

Поддавшись внезапному порыву, Рэйчел дернула раму так сильно, что та поддалась, высунулась наружу и прокричала:

— Что вы делаете?

Джонас засмеялся и галантным жестом сорвал с головы мокрую от дождя шляпу.

— Надеюсь, ты не будешь возражать, если рядом с твоим пансионом будет салун? — весело отозвался он.

Рэйчел поперхнулась:

— С моим пансионом?

Джонас кивнул:

— Он полностью твой, ежик. А что касается небольшого недоразумения вчера, я прошу прощения. По крайней мере, за его бо́льшую часть.

Мужчины, работающие возле повозок и лошадей, продолжали свое дело, делая вид, будто не обращают внимания на их разговор, хотя Рэйчел знала, что они не преминут пересказать его, слово в слово, при первом же удобном случае. Еще до захода солнца весь Провиденс и лесорубы на горе узнают о широком жесте Джонаса.

Однако, что он все-таки задумал?

Щеки Рэйчел вспыхнули.

— За какую же часть вы просите прощения, мистер Уилкс? — осведомилась она.

— За двадцатичетырехчасовой ультиматум, — ответил он. — Это было крайне неразумно с моей стороны.

Неразумно. До чего же неподходящее слово для того, что он требовал от нее!

— А за... за другую часть?

Джонас захохотал:

— Не могу не признать, ежик, что она доставила мне огромное удовольствие, и я не жалею об этом.

Видимо, он считал, что она должна быть ему благодарна, но Рэйчел стала пунцовой, шагнула назад и с такой силой опустила раму, что стекло разбилось и, звеня наподобие множества крохотных колокольчиков, каскадом мелких осколков обрушилось к ее ногам.

ГЛАВА 33

Ухмылка, застывшая на лице Филда Холлистера, явно раздражала Гриффина. Он угрюмо захлопнул саквояж, взъерошил белокурые волосы таращившего на него глаза маленького пациента, и пробормотал:

— Ну ладно, в чем дело?

Филд взглянул на мальчугана, который лежал на подстилке в углу палатки, и улыбнулся еще шире.

— Не обращай внимания на доктора Флетчера, Лукас,— сказал он.— Он проспал занятия в школе, на которых учили, как вести себя у постели больного.

Лукас смутился, но слишком плохо себя чувствовал, чтобы пускаться в длинные объяснения.

— Он дал мне апельсин,— защищая доктора, сказал мальчик, протягивая Филду плод в качестве доказательства.— Вот.

— Я был не прав,— ответил Филд; между тем Гриффин, пройдя мимо него, вышел из палатки и неподвижно застыл под проливным дождем. Приятно было чувствовать, как потоки воды стекают по лицу, прилепляя ко лбу пряди волос и пропитывая рубашку.

Филд поговорил еще немного с мальчиком и присоединился к Гриффину. Священник больше не усмехался, черты его приняли грустное мученическое выражение.

— Инфлюэнца? — понизив голос, спросил он.

Гриффин кивнул.

— Еще были случаи?

Гриффин запрокинул голову, на миг полностью подставив лицо дождю. Его прохладные струи немного ослабили ощущение смертельной усталости, хотя и не прекратили бесконечную, томительную душевную боль.

— Два, — тихо сказал он.

Филд схватил его за руку и потащил в сторону большого шатра в центре поселка, где располагалась столовая.

— До сегодняшнего дня, — прошептал он сквозь зубы, когда они сели за один из деревянных столов и стали пить отвратительный кофе, приготовленный Чангом, — я готов был поклясться, что у тебя достаточно здравого смысла, чтобы не стоять под проливным дождем.

Гриффин попытался изобразить улыбку, но у него получилась лишь гримаса.

— Успокойся, Филд. Врачи не болеют.

Дождь барабанил по туго натянутой парусиновой крыше шатра.

— А ты можешь заболеть, Гриффин, у тебя ужасный вид — когда ты в последний раз спал?

Гриффин отхлебнул кофе, раздраженно выругался и протянул руку к глиняному кувшину со сливками, добрая порция которых окрасила мерзкое пойло в светло-бежевый цвет и немного притупила его горький вкус.

— Я не сплю, Филд. Это пустая трата времени.

— Ты намерен оставаться на ногах, пока не свалишься? — резко спросил Филд, так энергично помешивая кофе, что ложка то и дело ударялась о стенки эмалированной кружки.

Гриффин хмуро взглянул в сердитые голубые глаза друга:

— Последний раз я свалился, друг мой, когда ты и твои сообщники обработали меня хлороформом. Хотя у нас не было возможности обсудить это, должен сказать, что я это не одобряю.

Взгляд Филда оставался прямым и вызывающим.

— Я и не рассчитывал на твое одобрение, — отозвался он. — И меня это совсем не волнует. Ты думаешь, существует опасность эпидемии?

Кофе свернулся комочками на языке Гриффина, и он с трудом сдержал острое желание выплюнуть его на посыпанный опилками пол. Он устало пожал ноющими плечами:

— Возможно. Здесь идеальные условия для распространения любой заразы — удивительно, что тут еще не появился ни тиф, ни холера.

Священник чуть побледнел:

— Надо что-то делать!

Гриффин снова пожал плечами:

— Скажи это Джонасу, друг мой. Эти мокрые палатки и открытые сточные канавы относятся к его компетенции, а не к моей.

Выведенный из себя, Филд с усилием сделал несколько глотков кофе.

— Возможно, но это твои пациенты, Гриффин.

— Надеюсь, ты на самом деле не думаешь, будто я забыл об этом? — спокойно осведомился Гриффин. — Кстати, чего это ты так ухмылялся, когда мы были в палатке у Лукаса?

— Из-за Рэйчел, — ответил Филд, и его глаза снова засветились улыбкой, хотя на этот раз она выглядела немного потускневшей.

Упоминание ее имени кольнуло Гриффина мучительной болью, в его голосе появилась хриплая нотка:

— Что с ней?

— Не могу поверить — неужели ты еще не слышал об этом?

Гриффин окатил друга гневным взглядом.

— *Что с ней?* — прорычал он.

Филд расхохотался:

— Она здорово осадила Джонаса, Гриффин, — с некоторой помощью со стороны Мэми и ее «устричного ружья».

Гриффин был весь внимание:

— Что?!

— Она закрыла «Заведение Бекки», Гриффин. Завтра там открывается «Пансион Маккиннон».

Гриффин нетерпеливо отмахнулся от сообщенных ему новостей:

— Бог с ним, с пансионом — что там насчет Джонаса, Мэми и ружья?

Филд улыбнулся, теперь уже от всей души.

— Если верить рассказу Мэми, Джонас ворвался в салун и, рыча, как лев, потребовал, чтобы Рэйчел собрала вещи и уехала с ним. — Он умолк и поднял вверх обе руки, увидев ярость на лице Гриффина. — Нет, дай мне закончить. Рэйчел не слишком вежливо отказалась, и они поспорили. Гриффин, видно для Джонаса это была последняя капля — он отшлепал ее.

Хотя мысль о том, что Джонас посмел коснуться Рэйчел, пробудила в Гриффине самые кровожадные инстинкты, он поневоле ухмыльнулся картине, возникшей в его воображении.

— А я считал, что он вообще не способен на хорошие поступки.

Сжимая в ладонях пустую кружку из-под кофе, Филд засмеялся:

— Подожди, это еще не все. Мэми вытащила дробовик, который, по ее словам, она хранит на случай, если в наших местах когда-нибудь появятся устрицы, и нацелила его в голову Джонаса. После чего он и счел за лучшее отпустить буквально кипевшую от злости Рэйчел. Но, видимо, Мэми показалось, что он недостаточно быстро очистил помещение, — она сделала предупреждающий выстрел и попала в зеркало, которое для Бекки доставили пароходом из Сан-Франциско.

— Черт, — пробормотал Гриффин, от усталости не в силах засмеяться. Он испытующе посмотрел в лицо Филда, которое слишком хорошо знал, и заметил скрывающееся за ухмылкой серьезное выражение. — Ты что-то не досказываешь?

— У Мэми сложилось впечатление, что Джонас собирался убить кое-кого в том случае, если Рэйчел в течение двадцати четырех часов не появится у него на пороге.

Гриффин так стремительно вскочил на ноги, что скамейка, на которой он сидел, упала на посыпанный опилками пол.

— Проклятый сукин сын, я ему...

Филд решительно замотал головой:

— Сядь, Гриффин. Немедленно.

— Этот...

— Послушай меня! Джонас пошел на попятную и, по-моему, тебе не мешает сделать то же самое. Если ты не полезешь в драку, вполне возможно, что и он угомонится.

Гриффин едва слышал уговоры друга. Он был слишком занят мыслями о том, каким идиотом оказался, поверив словам Рэйчел насчет того, что она не любит его. Дважды ее тело убедительно доказывало ему совершенно обратное. Он вцепился обеими руками в край стола и выругался. Молли оказалась права: Рэйчел пыталась защитить его. И у него возникло подозрение, что Рэйчел готова даже пойти к Джонасу, если требуется это ради спасения его, Гриффина, шкуры.

— Говоришь, Джонас дал задний ход. С чего бы это?

Филд нахмурился:

— Кто знает? С моей точки зрения, он пожалел о том, что показал себя в своем истинном виде.

Внезапно Гриффин сорвался с места и вылетел из шатра, оставив друга, недопитый кофе и перевернутую скамейку. Снаружи лил дождь, словно вознамерившийся очистить землю от таких мерзостей, как палаточный городок. Без пиджака, не заботясь о том, как он выглядит, Гриффин бежал, пока не оказался у запертых дверей дома Бекки. Промокший до костей, запыхавшийся, он поднял кулаки и принялся колотить по дверям. Наконец одна из них отворилась.

На пороге, вскинув подбородок и широко открыв фиалковые глаза, стояла Рэйчел.

— Ты солгала! — торжествующе произнес он. — Ты думала, Джонас убьет меня, если ты выйдешь за меня, и *солгала!*

Ее нижняя губа задрожала.

— Я все еще считаю, что он сделает это, Гриффин Флетчер. И ничто на свете не заставит меня рисковать.

Он осторожно протянул руки и положил их ей на плечи:

— В твоих рассуждениях есть одна ошибка, русалочка. Я могу справиться с Джонасом.

По щеке Рэйчел медленно скатилась слеза, и девушка покачала головой:

— Нет. Джонас не честный человек, не такой, как ты, Гриффин. Он нападет на тебя исподтишка, неожиданно — как тогда в Сиэтле, в саду О'Рили.

— Ну ладно, — сдался Гриффин. — Вполне возможно. Он обычно обделывает дела именно таким образом. Но я знаю одно: я лучше рискну, чем буду жить без тебя.

Рэйчел прижала к его руке мокрое от слез лицо:

— Я люблю тебя, Гриффин. Но не выйду за тебя замуж, пока не буду уверена, что не стану вдовой, как это случилось с Молли Брэйди.

В этот момент Гриффин был готов согласиться на что угодно. Он вздохнул:

— Я должен возвращаться к моим больным. Не могла бы ты оказать мне одну услугу?

Рэйчел неуверенно улыбнулся:

— Какую?

— Перестань волноваться о том, что со мной может сделать Джонас. Все будет хорошо.

Похоже, он не слишком убедил ее, но Гриффина это не беспокоило. Она любила его, и сейчас это было единственное, что имело значение. Он наклонился, поцеловал ее и собрался уходить.

Рэйчел схватила его за руку:

— Гриффин!

— Что? — спросил он, резко повернувшись и успев заметить в ее глазах странное выражение, которое тут же пропало.

На нежно очерченных скулах Рэйчел выступили пунцовые пятна, и она отвела глаза:

— Н-ничего, просто... Не мог бы ты прийти сегодня поужинать со мной? Молли Брэйди и Билли приведи тоже.

Нечто загадочное, изначальное шевельнулось в душе Гриффина. Он понимал только, что это ощущение совершенно не связано со столь обыденным событием, как ужин. Что означала эта странная, дрожащая тень в ее глазах?

— Рэйчел...

Но она уже исчезла, захлопнув за собой дверь салуна.

— В семь часов! — крикнула она, и в ее голосе, донесшемся сквозь дверь, было какое-то истерическое веселье.

Гриффин медленно побрел в сторону палаточного городка, не замечая ни дождя, ни пробирающихся сквозь вязкую грязь фургонов, ни красивой женщины с серебристыми волосами, наблюдающей за ним с веранды дома судьи Шеридана.

Афина предпочла бы остаться у Джонаса, как предыдущей ночью, но не посмела. Если до Гриффина долетят слухи, что она ночевала под крышей этого дома, ей придется навсегда распрощаться со всякой надеждой вновь завоевать его. Она вздохнула и поднесла к губам фарфоровую чашку с золотым ободком из сервиза Кловис, наблюдая за идущим под дождем Гриффином. *«Я люблю тебя»,* — воззвала она ему вслед в немом отчаянии.

Но едва Афина твердо решила, что сейчас бросится бежать за ним, будто уличная девка, как на крыльце возникла Кловис. И, как всегда, она оказалась слишком наблюдательной.

— Честное слово, я не понимаю, что ты нашла в этом грубом, угрюмом молодом человеке, Афина, — пропищала она, и в ее глазах мелькнуло нечто вроде личной ненависти к нему. — Да если бы ты видела, как он расстроил чудесную свадьбу мистера Уилкса и как ужасно он вел себя в церкви...

Интерес Афины рос. Она слышала проклятья Джонаса по поводу прерванной свадебной церемонии, но эпизод в церкви — это было что-то новое.

— Что случилось — я имею в виду, в церкви?

Воспоминание заставило Кловис содрогнуться.

— Естественно, мы все были возмущены тем, что Филд Холлистер выбрал себе в жены эту индианку — ты знаешь, как он разбил надежды моей Руби, — и я лично решила высказать ему все, что думаю. И, представь себе, Гриффин Флетчер явился в церковь — как будто он когда-нибудь ходил туда по собственной воле, — с мешком камней в руках. Сунул мне в руки один из этих булыжников и сказал: «Кловис, бросьте первый камень».

Афина притворилась, будто кашляет, чтобы прикрыть рот рукой.

Кловис, вырастившую четырех дочерей, этот жест не обманул:

— Смейся на здоровье, но хотела бы я знать, есть ли в этом городе более бесстыдный грешник, чем Гриффин Флетчер!

— Грешник? — выговорила, судорожно сглотнув, Афина. — *Гриффин?*

Кловис энергично закивала:

— Он ухаживал за одной из этих женщин из палаточного городка, Афина. А она, ко всему прочему, еще и дочь Бекки Маккиннон!

«Он за ней больше чем ухаживал», — подумала Афина, и в этот момент ей вдруг расхотелось улыбаться. Она почти потеряла терпение:

— Ах, Кловис, не будьте такой занудой! Вы сердитесь потому, что он не женился на одной из ваших дочерей!

Кловис залилась краской и прошипела:

— Афина, то, что ты сказала, — это верх невежливости! Неужели так разговаривают воспитанные дамы во Франции?

Афина напомнила себе, что в Провиденсе нет гостиниц, и смягчила тон, пытаясь умилостивить свою хозяйку.

— Нет, — сказала она. — Воспитанные дамы так нигде не разговаривают. Извините.

Довольная, Кловис похлопала ее по руке:

— Ничего страшного, дорогая. Ничего страшного. А если ты хочешь привлечь внимание Гриффина Флетчера, есть только один способ. Мы устроим вечеринку!

Эта перспектива не обнадежила Афину.

— Гриффин ненавидит вечеринки,— с сожалением произнесла она. *«И вообще, его вряд ли удалось бы вытащить из этих ободранных палаток»,*— добавила она про себя.

Кловис передернула плечами, и в ее глазах снова мелькнуло недовольство.

— Он не побывал ни на одной из моих вечеринок! — признала она. Но тут ее лицо просияло, и она прощебетала: — Тебе надо заболеть!

Полные губы Афины изогнулись в улыбке. Единственное, против чего Гриффин не сможет устоять — это болезнь.

— Я и вправду себя неважно чувствую,— заметила она.

Через полчаса Афина уже лежала в постели в комнате для гостей, куда ее отвела Кловис, и действительно выглядела очень больной.

Ворча, Гриффин вытащил часы из жилетного кармана и недовольно взглянул на них. Уже почти шесть тридцать, а у него даже не было возможности сообщить Молли о том, что Рэйчел пригласила их к ужину. Он расправил плечи. Что ж, он посмотрит, что там случилось у Шериданов, потом пойдет домой и переоденется. Если повезет, еще до семи он сможет быть у Рэйчел.

Дождь, который еще недавно взбадривал его, теперь вызывал лишь раздражение. Гриффин шагал сквозь него, думая, какая из дочерей Шериданов на этот раз объелась до потери сознания. К тому моменту, когда он постучал в парадную дверь дома судьи Шеридана, его настроение испортилось окончательно.

— В чем дело? — резко спросил он, когда Кловис впустила его.

Ее подбородок слегка затрясся, и Гриффин не без

иронии заметил, что она не простила ему ни его последнего визита в их дом во время «свадьбы» Джонаса, ни того спектакля с булыжниками, который он устроил после того, как Филд объявил о своей женитьбе.

— У нашей гостьи,— поджав губы, произнесла она,— какое-то недомогание.

Гриффин потер глаза указательным и большим пальцем левой руки и вздохнул.

— Ведите меня к ней, Кловис. Я не могу быть здесь весь вечер.

Жена судьи посмотрела на него исподлобья и указала в сторону лестницы:

— В комнате для гостей, доктор Флетчер,— где лежала моя Руби, когда Его чести пришлось побеспокоить вас той ночью.

Гриффин вспомнил о «той ночи» и, поднимаясь по ступенькам, с трудом сдержал улыбку. В ту зимнюю снежную ночь поднялась невообразимая суматоха: Кловис и судья вытащили его из постели в несусветный даже для сельского врача час, убежденные, что их тридцатидвухлетняя «девочка» погибает ужасной смертью. На самом деле, как обнаружил Гриффин, Руби в одиночку прикончила два пирога с сушеными яблоками и нуждалась лишь в небольшой нотации и порции слабительного.

Все еще улыбаясь, он постучал в дверь спальни на втором этаже.

— Войдите, доктор,— произнес робкий голос, тревожно знакомый.

Гриффин подчинился и остолбенел на пороге, увидев Афину, искоса глядящую на него из-за края голубого атласного покрывала. Блеск ее огромных синих глаз был явно здоровым, и в комнате абсолютно отсутствовал тот едва уловимый запах, который сопровождает настоящих больных.

— Ты,— бесстрастно произнес он.

Афина захлопала густыми ресницами.

— Я *действительно* больна, Гриффин,— попыталась настаивать она с ноткой капризного раздражения в голосе.

Расслабившись, Гриффин шагнул в комнату, положил медицинскую сумку на комод и скрестил руки на груди.

— Несомненно,— согласился он, не делая попытки подойти к кровати.

Нижняя губка Афины задрожала, в полном противоречии с коварным блеском в глазах.

— Ты не веришь мне! — с упреком сказала она.

Гриффин подумал о троих мальчиках в палаточном городке, которым он может потребоваться в любую минуту, и о Рэйчел, ожидающей его, чтобы провести вместе хотя бы один спокойный, нормальный вечер. Его наполнила холодная, тяжелая злость.

— Конечно, я не верю тебе, Афина. Что тебе на самом деле надо?

Она села на постели, и покрывало с шуршанием соскользнуло вниз, обнажая розовато-белые плечи и ложбинку меж грудей.

— Ладно, мне следовало знать, что я не смогу обмануть тебя. Но ты такой упрямый, Гриффин Флетчер, что я, честное слово, не знала, как мне оказаться с тобой наедине хоть на минуту, если я не притворюсь, будто умираю от какого-то недуга.

Гриффин машинально вытащил часы, проверил время. Пятнадцать минут — Рэйчел ожидает его через пятнадцать минут.

— Не могу понять, что тебе от меня надо, Афина. Если память не изменяет мне, я всегда был последним, о ком ты думала.

Афина закрыла глаза, и на мгновенье выражение ее лица стало естественным. Кровь отлила у нее от щек, губы растянулись, открыв ряд ровных белых зубов.

— О, Гриффин, я была дурой, я знаю. Пожалуйста, прости меня!

Гриффин вздохнул:

— Сейчас речь идет уже не о прощении, Афина. Впрочем, возможно, дело и раньше было не в этом. Я просто ничего к тебе не чувствую.

Синие глаза распахнулись, сверкающие и яростные

в полумраке комнаты. Дождь потоками бежал по стеклам, стучал по крыше.

— Из-за Рэйчел Маккиннон!

Он снова взял в руку сумку, собираясь уходить.

— Афина, ты сделала свой выбор. Ты выбрала Джонаса. И это произошло задолго до того, как я узнал о самом существовании Рэйчел.

Спокойный, ровный тон Гриффина отнюдь не умиротворил Афину.

— Мне *не нужен* был Джонас! — завопила она в дикой ярости. — Мне нужен был ты, мне нужен был муж, а не какой-то идиот-филантроп, который отказался от лесной империи ради того, чтобы нянчится с ордой ничтожных людишек!

Безразличие, которое ощущал Гриффин, удивило даже его самого. В ту ночь, когда, вернувшись из Сан-Франциско и еще на пристани услышав сплетни, ворвался в дом Джонаса и обнаружил Афину, развлекавшуюся в чужой постели, Гриффин так рассвирепел, что способен был на убийство. Теперь воспоминание об этом не вызывало в нем никаких чувств — даже презрения.

Он хрипло расхохотался; он смеялся над Афиной, над Джонасом, над собой.

— Ты мстила мне за отказ от щедрого предложения отца, верно? Ты прыгнула в постель к Джонасу, потому что я не бросил медицину ради того, чтобы валить лес и проматывать прибыли, раскатывая с тобой по всей Европе.

Афина откинула покрывало, готовая забиться в истерике от бешенства.

— Дурак! — завизжала она. — Ты мог стать богатым!

Гриффин обвел взглядом трепещущее, роскошное тело Афины, но ее нагота не возбудила его. Единственное, что он ощутил, — это патологическую скуку.

Он снова рассмеялся.

— Прощай, Афина, — сказал он. Затем повернулся и вышел.

Что-то ударилось о дверной косяк и упало на пол водопадом звенящих осколков. Продолжая смеяться, Гриффин выскочил из дома под дождь.

ГЛАВА 34

Мэри Луиза Клиффорд, одна из обитательниц палаточного городка, промокшая с ног до головы, терпеливо ожидала Гриффина у ворот дома Шеридана.

— Доктор...— неуверенно начала она, теребя руками пропитанную влагой юбку.— Доктор, моя дочка... У нее такая лихорадка, что она не узнает меня.

Гриффин тотчас же забыл про Афину — а заодно и про Рэйчел. Он взял Мэри Луизу под руку и торопливо повел по деревянному тротуару к палаточному городку; по дороге он громко, стараясь перекричать шум дождя, расспрашивал женщину о симптомах болезни.

Когда Гриффин и Мэри Луиза вбежали в палатку, возле лежанки девочки сидела Фон Холлистер и от красноречивого взгляда ее карих глаз они застыли на месте.

— Слишком поздно,— сказала Фон.

У Мэри Луизы вырвался горестный крик, и этот звук придал Гриффину сил, заставил его броситься к неподвижному маленькому тельцу, распластанному на лежанке.

— Сделай что-нибудь,— прошипел он, хотя Фон уже сама кинулась к потрясенной женщине и ободряюще обняла ее.

Гриффин опустился на колени рядом с лежанкой, приложил ухо к груди ребенка. Сердце не билось. Он выругался себе под нос, запрокинул головку девочки и начал вдувать ей воздух через ноздри и рот. Плач за его спиной продолжался. Гриффин надавил основанием ладони на крохотную грудную клетку, мысленно приказывая сердцу забиться вновь. Несколько минут он продолжал делать искусственное дыхание, чередуя вдувание воздуха в легкие девочки с нажатиями на область сердца.

Наградой за его усилия был прерывистый, едва различимый вздох и легкий трепет, пробежавший по маленькому восковому личику.

— Как ее зовут? — спросил он у женщины, которая теперь молча стояла за его спиной.

— Элис, — прошептала Мэри Луиза.

Гриффин снова опустил голову на грудь Элис и услышал дрожащее, неровное биение. В нем проснулась слабая надежда, и он поднял голову.

— Элис! — резко приказал он. — Слушай меня! Здесь стоит твоя мама, и она хочет, чтобы ты вернулась — Элис, *вернись* обратно!

У девочки вырвался тихий короткий вздох, и на ее щечках появился бледный румянец.

— Обратно... — пробормотала она.

— Правильно, — уже спокойнее продолжал Гриффин. — Пожалуйста, вернись обратно.

Веки Элис затрепетали: происходящая в девочке борьба отражалась на ее маленьком бледном лице.

Гриффин положил руку на лоб малышки.

— Хорошо, — сказал он.

На какое-то время дочка Мэри Луизы Клиффорд вернулась домой. Гриффин встал на ноги и поднял глаза к намокшему протекающему потолку палатки. Элис вовсе не была вне опасности, и Гриффин никак не мог заставить себя обернуться к полной радостного облегчения матери ребенка. Выздоровление нельзя гарантировать даже в идеальных условиях — а здесь условия были явно далеки от идеальных.

Мэри Луиза стояла за его спиной, дергая за рукав рубашки и в изумлении глядя на спящего ребенка.

— Доктор? — умоляюще произнесла она.

Гриффин заставил себя взглянуть в лицо женщине.

— Она по-прежнему в критическом состоянии, — сказал он. — А эта палатка...

— Гриффин,— перебила его Фон тихим, сдавленным голосом.— Гриффин, у нас дома ей будет тепло.

Он обернулся так круто, что обе женщины вздрогнули.

— Нет,— резко возразил он, стараясь хотя бы частично взять бурлившие в душе чувства под контроль.— Нет, Фон — инфлюэнца заразна. По возможности, я бы хотел, чтобы она не распространилась за пределы палаточного городка.

Что-то дрогнуло в горле у Фон, и ее карие глаза потемнели от боли.

— Тогда мой коттедж. Тот, в котором я жила, когда...

Не желая терзать ее воспоминаниями, Гриффин быстро отвел взгляд от ее лица и с чрезмерным интересом принялся рассматривать дымящую керосиновую лампу, которая стояла на упаковочном ящике посреди палатки.

— Это хорошая идея. Ты могла бы пойти и развести там огонь, а я привезу Элис на коляске.

Фон поспешила выполнить его распоряжение, а Мэри Луиза безуспешно пыталась найти сухое одеяло, в которое можно было завернуть дочь. В конце концов, Гриффин обнаружил под сиденьем коляски свой пиджак и закутал в него Элис.

У входа в палатку Клиффордов он лицом к лицу столкнулся с бледным, взволнованным Филдом.

— Робертсоны все больны, Гриффин,— прошептал он, глядя на маленький сверток в руках друга.— А Лукасу стало хуже.

Тихо ругнувшись, Гриффин протянул сверток Филду.

— Отвези ее в коттедж Джонаса, Филд,— сказал он и твердо посмотрел в голубые глаза священника.— Фон уже там, все подготавливает.

Мускулы на лице Филда напряглись, но больше он никак не отреагировал на упоминание о месте, которое имел все основания ненавидеть.

— Могу ли я чем-нибудь помочь тебе потом?

Гриффин уже устремился мимо него в сторону палатки Робертсонов.

— Да, — отрывисто бросил он. — У меня дома есть хинин — Молли знает, где он лежит. Принеси мне его весь.

В следующей палатке дела обстояли хуже некуда. Миссис Робертсон уже умерла, четверо ее детей были почти при смерти. Самый маленький из них скончался к тому времени, когда вернулся Филд с требуемым хинином. Не переставая про себя сыпать проклятьями, Гриффин дал остальным детям лекарство, которое, как он знал, часто оказывалось неэффективным. Ему было нечего предложить им, кроме хинина и относительного тепла внутри одного из кирпичных коттеджей Джонаса.

Филд без конца курсировал туда и обратно между центром палаточного городка и маленьким домиком, где его жена прежде служила удовлетворению ненасытных аппетитов Джонаса Уилкса. Не жалуясь на усталость, священник переносил больных детей, на которых указывал ему Гриффин, так бережно и нежно, словно они были его собственными. Будь у Гриффина время, он бы восхитился тем, как самоотверженно его друг отдается делу, которое было почти безнадежным.

Рэйчел стояла у переднего окна салуна, вглядываясь во тьму; от разочарования у нее першило в горле, щипало глаза. Когда Мэми подошла и ласково тронула ее за руку, она даже не нашла в себе сил взглянуть на добрую женщину.

— Ты знаешь, как бывает с докторами, — мягко сказала повариха. — Он наверняка очень занят где-нибудь с больными.

Рэйчел сглотнула, но это не ослабило рези в горле: она не проходила и не давала говорить.

— Пойди и поужинай, пока совсем не отощала, — увещевала Мэми по-матерински заботливо и невыносимо ласково. — У меня все разогрето.

Рэйчел сокрушенно покачала головой, не желая покидать свой пост у окна.

— Я не хочу есть, — с трудом выжала из себя она.

— Глупости, детка. Сейчас же отойди от этого окна и покушай.

Рэйчел уже собиралась снова отклонить это предложение, когда заметила темную фигуру, двигающуюся сквозь дождь по направлению к салуну. Она распахнула двери и увидела на пороге Филда Холлистера, с которого ручьями стекала вода.

— Рэйчел... Гриффин сказал...

Рэйчел протянула руки и втащила Филда в тепло и тишину салуна.

— Посмотрите на себя! — воскликнула она, безо всяких церемоний стягивая с него мокрой пиджак. — Вы умрете от пневмонии, Филд Холлистер!

— Я принесу кофе, — вмешалась Мэми и заторопилась на кухню.

Филд провел по лицу рукавом, тщетно пытаясь стереть дождевую воду. Он явно бежал, потому что дыхание с хрипом вырывалось у него из груди, а щеки пылали. Когда Мэми подала ему чашечку кофе, он поперхнулся первым глотком.

Рэйчел страшно перепугалась:

— Филд, пожалуйста, что случилось?

Внезапно в его голубых глазах мелькнула бледная улыбка.

— Гриффин не сможет прийти к ужину, — объявил он.

— Не надо быть гением, чтобы догадаться, — с добродушным раздражением прокомментировала Мэми. — Уже, наверное, полночь.

Филд отдышался, и теперь от его улыбки не осталось и следа — черты его выражали только усталость и отчаяние и еще какое-то чувство, которое Рэйчел не удалось распознать.

— В палаточном городке инфлюэнца, — наконец объяснил он, осторожно прихлебывая кофе. — Гриффин не может уйти оттуда.

Рэйчел позабыла о своем разочаровании по поводу ужина, который они с Мэми так старательно готовили, и неподвижно уставилась на Филда.

— И насколько это серьезно?

В глазах Филда появилось загнанное выражение.

— Очень серьезно, Рэйчел. Женщина и ребенок умерли, и, по мнению Гриффина, еще многие не дотянут до рассвета.

— Я иду туда! — вскрикнула Рэйчел, лихорадочно ища глазами плащ.

Но Филд отставил в сторону кофе и сильными руками схватил ее за плечи.

— Нет, — сказал он. — Гриффин велел тебе оставаться здесь.

Рэйчел пыталась вырваться.

— Гриффин велел, Гриффин велел! — яростно передразнила она. — Гриффин не Господь Бог, и мне *наплевать*, что он велел!

— Успокойся! — прикрикнул на нее Филд. — Если ты туда пойдешь, то сама можешь подхватить инфлюэнцу! А вот уж в чем Гриффин не нуждается, так это в лишних пациентах!

Вспомнив, что у нее под сердцем, по всей вероятности, растет ребенок, Рэйчел почувствовала, как в горле ее поднимаются и рвутся наружу рыдания.

— Должно же быть хоть что-то, чем я могу помочь.

Филд кивнул, с видимым усилием пытаясь успокоиться:

— Да, ты можешь сделать кое-что. Например, можешь отдать нам все лишние одеяла, какие найдешь, и еще можешь молиться.

Рэйчел с радостью занялась делом, снимая с кроватей и доставая из шкафов одеяла, сворачивая их, вместе с Мэми готовя овощи для огромной кастрюли питательного супа. Но все это время Рэйчел хотелось быть рядом с Гриффином, помогать ему.

— Он не справится один, — расстроенно прошептала она, когда Филд вернулся с фургоном, чтобы забрать одеяла.

Мэми помешивала суп, за которым Филд согласился заехать попозже.

— Доктор Флетчер? Этот человек сделан из гранита,

детка. Я видела, как он, работал несколько суток без перерыва.

Рэйчел это не утешило. Гриффин был вовсе не каменный, хотя часто производил подобное впечатление; он был сделан из плоти и крови, из страсти и упрямства. Она молила Бога, чтобы Гриффин не рухнул под бременем своего призвания.

Но Мэми определенно не желала падать духом:

— Ничто не может продолжаться вечно, Рэйчел. И это тоже пройдет.

Казалось, однако, что эпидемия продлится вечно. Прошло две недели, прежде чем наступил перелом. Все это время Рэйчел пыталась не сойти с ума, взахлеб читая книги, которые ей приносила Молли Брэйди, и занимаясь шитьем одежды, которая была ей так необходима.

Однажды ночью, перед рассветом, она проснулась от боли. Боль была дикая, пронизывающая весь низ живота словно лезвием ножа, и Рэйчел закричала. Она почувствовала что-то теплое и липкое между ног. Рэйчел услышала голоса, и затем ее скрутил еще один жестокий спазм невыносимой, ужасной боли, после которого она надолго провалилась в бездонную пустоту.

Мой ребенок, заныло что-то горестно и безнадежно в сердце Рэйчел, между тем как ее захлестнула еще одна волна сокрушительной боли. Чьи-то сильные руки прижали ее назад к подушке. Мэми? Она не знала.

— Мой ребенок! — громко вскрикнула она.

Голос, ответивший ей, был потрясенным, хриплым и усталым. Голос принадлежал Гриффину.

— Все хорошо, любимая. Все хорошо.

— О Гриффин... Ребенок...

Она ощутила нежное прикосновение его руки к своему лицу и услышала тихую печаль в его голосе:

— Я знаю. Мы поговорим об этом позже.

Последовал укол в правую руку, а через несколько минут — блаженное состояния освобождения от боли. Над ней раздавались незнакомые слова, произносимые голосом Гриффина, и иногда мелодичный ирландский говор Молли Брэйди. Из всех этих слов только одно сохранилось у нее в памяти к тому времени, когда кошмар кончился. Смысл слова был непонятен, и Рэйчел, хотя и находясь в полубессознательном состоянии, постаралась запомнить его.

— Выскабливание,— произнесла она.

— Тихо, успокойся,— отозвалась Молли.

Джонас ненавидел дождь, который заставлял его ощущать себя затворником поневоле, превращал унылое ожидание в нечто еще более невыносимое. С тех пор как он в последний раз видел Рэйчел, прошло две недели, и их напряжение сказывалось.

Голос Афины звучал раздраженно:

— Сядь, Джонас. Погода и без того отвратительная, а ты еще стоишь у окна и нагоняешь тоску.

Он обернулся и гневно взглянул на женщину, которая спокойно сидела за столом и ела печенье с джемом.

— Что-то не так. Я это чувствую.

Афина взяла еще одно печенье миссис Хаммонд и намазала его толстым слоем черничного джема.

— Несомненно, что-то не так. Объявлен карантин. А мы с тобой проигрываем нашу игру.

Джонас уже открыл рот, намереваясь возразить, во всяком случае касательно исхода игры, хотя сознавал правоту Афины. Но не успел он произнести и слова, как послышался настойчивый стук в дверь, за которым последовали пронзительные протесты миссис Хаммонд.

Джонас сжал веки. *«Еще одно драматическое появление Гриффина»*,— подумал он с ужасом. Но когда он открыл глаза, перед ним, раскрасневшаяся и негодующая, стояла Эльза Мэйхью, самая искусная в своем деле шлюха, какую когда-либо заносило в заведение Бекки.

— Если хотите, чтобы я продолжала следить за ними,— взорвалась она,— объясните вашей экономке, что я не вхожу *ни в один* дом через черный ход!

Джонас подавил усмешку:

— Все в порядке, Эльза. Садись.

Пунцовая краска, которой залилось прекрасное высокомерное лицо Афины, когда она услышала это предложение, развеселила его. Поистине забавно это ее нежелание сидеть за одним столом с Эльзой Мэйхью,— учитывая, что на самом деле обе женщины практически ничем не отличаются друг от друга.

— Спасибо,— холодно сказала Эльза, не принимая приглашения.— Я зашла только сказать вам, что сегодня рано утром в доме Бекки что-то произошло. Девчонка проснулась и вопила, как резаная, и Мэми послала меня в палаточный городок за доктором Флетчером.

Ледяной холод сжал сердце Джонаса:

— Что случилось?

Эльза пожала плечами:

— Я слушала, но они закрыли дверь, доктор и женщина, которая убирает у него в доме. Я ничего не видела.

— Так что же ты услышала?

— В основном, как кричала девчонка. И много всяких высокоученых медицинских слов.

— Например?

— Выкаливание, или что-то в этом роде.

Джонас взглянул на Афину и прочел в ее глазах отражение собственной кошмарной догадки.

— Выскабливание? — подсказал он, надеясь, что его внутренняя дрожь не заметна.

— Оно самое,— подтвердила Эльза, довольная.

Джонас нащупал руками спинку кресла и тяжело упал в него.

— О Боже,— прошептал он.

— Мне полагается десять долларов,— сияя, напомнила ему Эльза.

Джонас был слишком потрясен, чтобы как-то ответить, он едва дышал. Он испытал слабое облегчение, когда Афина расплатилась с проституткой и отделалась от нее.

Если его эмоции были парализованы, то реакция Афины напоминала извержение вулкана.

— Выскабливание! — вскричала она.

— Пожалуйста,— пробормотал Джонас, снова обретя способность говорить.— Не объясняй — я знаю, что это значит.

Но Афина то ли не слышала его, то ли не была склонна проявлять милосердие.

— Либо у Рэйчел случился выкидыш,— злобно прошипела она, размышляя вслух,— либо Гриффин Флетчер сделал ей аборт, уничтожив собственного ребенка!

Джонас чувствовал, что его разум мутится, но не мог помешать этому.

— Я убью его! — завопил он.— Клянусь всем святым, он уже мертвец!

Фигура Афины вырисовывалась расплывчатым движущимся пятном.

— Нет! *Нет*, Джонас, я сделаю что угодно, *что угодно*! Но я не стану участвовать в убийстве!

Он бросился на нее, но она была подобна ускользающему миражу; Джонасу не удавалось добраться до нее. Потом женщина подняла что-то обеими руками, и голова Джонаса едва не раскололась от страшного удара. Он начал медленно падать. Казалось, целая вечность прошла до того момента, когда Джонас ощутил под щекой гладкий холодный пол.

Этим хмурым утром Гриффин был даже рад безумной усталости, притупившей его ум и чувства. В комнату вошла Молли, принеся столь необходимую ему сейчас чашку кофе, и прошептала:

— Ну как она?

Он не мог смотреть на измученную девушку, неподвижно лежащую в его постели — если бы он это сделал, ему не помогло бы даже крайнее утомление, образовавшее вокруг него нечто вроде защитной оболочки.

— Она была беременна,— пораженно произнес он, не отвечая на вопрос Молли.— Боже мой, она была *беременна*, и ничего не сказала мне!

Рука Молли осторожно легла ему на плечо:

— Было еще слишком рано. Она, возможно, не знала, Гриффин.

Гриффин покачал головой, не отрывая взгляда от мокрого, унылого пейзажа, открывающегося из окна спальни.

— Она знала. Она сказала: «ребенок».

— Да-а. Гриффин, но вы же не думаете, что это был не ваш ребенок?

— Разумеется, он был моим. Господи, ну почему я не оставил ее в покое?

Молли пожалела его, избавив от нотаций, которые он явно заслуживал.

— Вы ничего не измените, если будете так мучить себя, Гриффин Флетчер. У вас и так достаточно работы из-за эпидемии, и вы — единственный настоящий врач на много миль вокруг.

Гриффин сделал еще один глоток крепкого горячего кофе.

— Вчера вечером Филд телеграфировал Джону О'Рили.

— Ну вот и хорошо. Наконец-то вам удастся хоть немного поспать.

— Нет. Даже когда приедет Джон, времени на это не будет. А Рэйчел...

— Я позабочусь о Рэйчел, — пообещала Молли. — Сейчас ей нужен отдых и чтобы рядом с ней была женщина, которая сможет успокоить ее. Я...

Неожиданно Гриффин грубо прервал ее, пробормотав под нос ругательство: он увидел, как на дороге внизу остановился экипаж. Из него выбралась женщина и с яростным видом зашагала к дому. В этой женщине он узнал Афину. Он закрыл глаза, прижавшись лбом к холодному, мокрому оконному стеклу. Но спасения не было — Афина постучала, без особого труда прошла мимо Билли и поднялась по лестнице, распространяя вокруг себя почти физически ощутимую злобу.

Медленно оборачиваясь, Гриффин уже был готов к ее появлению.

— Уходи, — сказал он.

Но ее взгляд упал на Рэйчел, беспокойно шевелившуюся во сне на широкой кровати.

— Гриффин, ты *чудовище*, — прошипела Афина. — Это тебе даром не пройдет — я погублю тебя.

Гриффин пожал плечами:

— Пожалуйста.

Афина побледнела, ее синие глаза широко открылись в недоумении:

— Ты не... Гриффин, скажи мне, ты не сделал ей аборт...

— *Аборт?* — это слово сорвалось с его губ как выстрел. — Неужели ты думаешь, что я мог убить собственного ребенка?

Афина вскинула голову, и Гриффин увидел на ее лице нечто вроде злорадного облегчения.

— Нет, — спокойно ответила она. — Я не думаю. Но, полагаю, судью Шеридана можно убедить, что это так. А это значит, что до захода солнца ты окажешься за решеткой, Гриффин.

Безразличие, которому Гриффин так радовался, покинуло его: пальцы напряглись от страстного желания сомкнуться на шее Афины и сломать ее.

— Ты не посмеешь, — в бешенстве прошептал он.

Афина неожиданно засмеялась:

— Почему же? Ты уничтожил меня — теперь я уничтожу тебя. С радостью.

Дрожа, Молли встала между ними.

— Прекратите, — прошипела она. — Вы оба. Я могу засвидетельствовать, что аборта не было — я присутствовала при этом.

— Никто не поверит тебе, Молли, — сладким голосом пропела Афина. — Все в Провиденсе считают тебя ирландской грелкой в постели Гриффина. И, следовательно, ты не можешь быть беспристрастным свидетелем, верно?

Слова, произнесенные Гриффином, были из тех, которые невозможно ни взять назад, ни отрицать:

— Сделай это, Афина. Пусть меня арестуют. Но запомни: даже если на это уйдет весь остаток моей жизни, я найду тебя. А когда найду — убью.

— Ты ни за что этого не сделаешь, — беспечно отозвалась Афина. Затем извлекла из сумочки жемчуг и браслет, которые Гриффин подарил Рэйчел, и швырнула ему в лицо. — Вот. Это останется у нее на память о тебе!

И в следующий миг, взмахнув юбками из белого шитья и обдав Гриффина презрением, Афина удалилась.

ГЛАВА 35

Джонас открыл глаза — и понял, что лежит в собственной постели. В помещении было темно, и сначала он не мог сообразить, наступила ли уже ночь. Миссис Хаммонд вполне могла просто наглухо задернуть занавески на окнах.

Тупая пульсирующая боль внутри черепа напомнила ему обо всем. Афина, Гриффин. Все существо Джонаса наполнилось обжигающим бешенством, которое вызвало небывалый прилив энергии. Джонас откинул покрывало и сел — но тут же понял, как тяжело ему дается каждое движение. Он застонал, к горлу подступила тошнота. Боль в макушке заметно усилилась — интересно, чем эта дрянь ударила его? Медленно, осторожно он нащупал брюки, рубашку, сапоги. Пока он с трудом одевался, комната кружилась перед его глазами.

Попытка подняться с постели вызвала еще один сокрушительный приступ боли и новую волну тошноты, но злоба, переполнявшая Джонаса, придала ему сил. Он проковылял к окну, отдернул занавески и увидел, что потерял если не весь день, то, по крайней мере, бо́льшую его часть. Дождь почти стих, превратившись в туманную морось, и на землю уже спускались сумерки.

Джонас снова подумал об Афине, о Гриффине. И испытал такую лютую ненависть, что пришлось схватиться обеими руками за раму, — иначе он бы не удержался на ногах. Он вспомнил о Рэйчел, и горло его обжег сдавленный, горестный крик, эхом отдавшийся в пустой комнате.

Рэйчел. Они все лгали, говоря о ней, не могли не лгать. Не было ни ребенка, ни выкидыша, ни аборта. Джонас закрыл глаза, увидел ее, поднимающуюся из церковного пруда в день пикника в промокшей, ставшей прозрачной шелковой блузке, с запутавшимися в волосах листьями. Он тогда видел ее так ясно, словно она была нагая: ее полные груди и розовые кружки сосков, даже маленькое родимое пятно в виде ромба. А потом была та ночь в Сиэтле, ночь, когда она заболела и он бережно раздевал ее, потрясенный ее красотой...

Он глубоко вздохнул, открыл глаза. Он не может, не должен потерять ее, и неважно, какой ценой она ему достанется.

На комоде стояла бутылка, и Джонас добрался до нее, налил двойную порцию и в один прием проглотил обжигающую жидкость. Это немного взбодрило его; он влил в себя еще такое же количество.

Дверь спальни скрипнула петлями, и на пороге возникла внушительная фигура миссис Хаммонд.

— Джонас, эта женщина ждет вас внизу. Я пыталась не впускать ее...

— Какая женщина? — перебил Джонас, снова наполняя стакан.

— Миссис Бордо, — ответила экономка. — Она носится с какой-то безумной идеей насчет того, что вы с ней должны добиться ареста Гриффина Флетчера.

Арест. Запрокинув голову, Джонас обдумал это, потом нервно вздохнул:

— Она случайно не сообщила, за что?

— За то, что он сделал аборт этой девице Маккиннон, — печально ответила миссис Хаммонд.

Джонас сжался. Если это случится, ложь будет подтверждена и увековечена — каждый поверит, что Рэйчел была беременна.

— Нет, — прохрипел он. — Проклятье, нет! Пусть эта... Пусть она поднимется сюда.

— Думаю, она не захочет подниматься, Джонас. Она жутко нервничает. И неудивительно — по мне, если кого и надо арестовать, так это ее. Когда я нашла вас на полу...

Джонас перебил ее:

— Скажи ей, что я сейчас спущусь.

Афина и вправду нервничала. Она металась по гостиной, будто какой-то экзотический дикий зверь, и была очень бледна. Джонас заметил, что она начеку и старается держаться на безопасном расстоянии от него.

— Я не дам тебе засадить Гриффина в тюрьму,— прямо заявил он.

Чернильно-синие глаза Афины сверкнули, и она остановилась как вкопанная.

— Почему? Ты устранишь его со своего пути, раз и навсегда...

— Я сказал, нет.

Теперь Афина совершенно рассвирепела и, залившись краской, накинулась на него:

— Джонас, эта девица лежит сейчас у него дома — в его *постели*,— приходя в себя после нелегального аборта!

Джонас закрыл глаза. Он чувствовал, как алкоголь смешивается с яростью в его крови, притупляя непрерывную головную боль.

— Нет,— хрипло прошептал он.— Нет.

— Я не могу поверить, что ты позволить Гриффину избежать наказания за это!

Внезапно язык Джонаса вышел из-под контроля разума: он лепетал что-то о Гриффине, об отце Рэйчел,— Эзре Маккинноне. Джонас впал в странное состояние, утратив способность понимать собственные слова — казалось, они доносились до него сквозь закрытую дверь.

Но глаза Афины расширились, и она начала пятиться от него, выставив перед собой руки, тряся головой, вновь и вновь бормоча его имя.

Медленно, спокойно Джонас направился к ней.

Джон О'Рили прибыл на пароходе «Стэйтхуд» около полудня и привез с собой весь хинин, какой сумел достать во все еще погруженном в хаос Сиэтле. Вместе с Гриффином Флетчером они боролись с не сдававшей позиции эпидемией, изредка переговариваясь и избегая смотреть друг другу в глаза. Гриффин полагал, что Джону, как и ему самому, не хочется видеть отраженную в глазах другого врача безнадежность ситуации.

В тот вечер наступило временное затишье, и они направились в пустую столовую палаточного городка, где не было видно никого, кроме Чанга, и налили себе по кружке несвежего, горького кофе. Даже когда они сели друг напротив друга, в полумраке сырого шатра, Джон по-прежнему старался не смотреть Гриффину прямо в лицо.

— В чем дело? — после долгого, невыносимого молчания спросил Гриффин.

Наконец Джон О'Рили поднял на него усталые голубые глаза:

— Гриффин, сегодня утром умер Дуглас Фразьер.

— О Боже... — Гриффин опустил голову, притворяясь, будто весьма заинтересовался содержимым своей кружки.

Голос Джона прозвучал грубовато-ласково:

— Гриффин, это был не человек, а чудовище. Он торговал женщинами и еще Бог знает чем.

Гриффин сглотнул слюну:

— Он все же был человеком, Джон. И вот теперь он умер.

Казалось, после этих слов говорить было не о чем. В оцепенении Гриффин допил омерзительный кофе просто потому, что это давало ему возможность двигаться, хоть что-то делать.

Подсознательно он весь день ждал появления начальника полиции Провиденса и мало удивился, когда Генри перехватил его у самого выхода из столовой. Рядом находился и судья Шеридан, и оба они были вооружены. Серебристые никелированные дула пистолетов блестели в свете факелов из сосновой смолы, горевших по обе стороны входа в шатер.

Гриффин остановился, и то, что они явились за врачом, нелегально сделавшим аборт, с таким количеством оружия, мрачно позабавило его. *«Значит, я настолько опасен»*, — подумал он.

Усы Генри трепетали, в точности как и в то воскресенье в церкви, когда Гриффин предложил ему бросить булыжник в Филда Холлистера.

— Давайте только без шума, док, — дрожащим голосом проговорил представитель власти.

Гриффин позволил себе бросить красноречивый взгляд на пистолет в его руке:

— Я понял.

Джон О'Рили, который поначалу онемел, очевидно, поражен этой демонстрацией силы закона в Провиденсе, наконец снова обрел голос. Он, однако, адресовал свои слова не Генри, а судье:

— Эдвард, из-за чего все это?

Генри и судья обменялись оторопелыми взглядами, потом последний пробормотал:

— Мы не хотели, чтобы эта новость дошла до вас таким образом, Джон. Однако теперь мы ничего не можем поделать — правосудие должно свершиться.

Гриффину слово «правосудие» показалось крайне забавным и он расхохотался.

— Это не правосудие, господин судья, и вам отлично это известно, — сказал он. — Афина сочинила эту историю, чтобы отомстить за свою уязвленную гордость.

Лицо Шеридана осталось холодным, но его глаза сверкнули негодованием.

— Афина Бордо мертва, — отрезал он. — И никто не знает об этом лучше, чем вы, Флетчер.

Джон охнул и схватился за сердце:

— Нет...

Гриффин, находившийся в состоянии оцепенения, не смог даже шелохнуться, чтобы помочь другу.

— О чем вы, черт возьми, говорите? — рявкнул он, не отводя глаз от лица Шеридана.

— По утверждению гробовщика, это случилось часа два назад, — осмелев, вставил Генри. — Ты убил ее, Гриффин, и в моем городе убийство тебе не сойдет с рук!

Гриффин уже был в состоянии пошевелиться; он в тревоге отвернулся от Шеридана и начальника полиции и взглянул на Джона. Выражение глаз друга пронзило его, точно кусок раскаленного железа.

— Ты сказал, что убьешь ее,— сломленно прошептал старик.— В тот день, в моем кабинете, ты сказал, что убьешь ее собственными руками...

— Ее задушили,— подтвердил Генри, преисполнившись важностью собственной роли.— Трахея передавлена.

— Заткнись! — бросил судья Шеридан, видя путающее, безумное горе Джона О'Рили.— Мы говорим о дочери доктора О'Рили!

Однако Джон отвернулся и спотыкаясь побрел обратно в столовую. Гриффин двинулся было за ним, но судья Шеридан остановил его, схватив за руку. Он вырвался, обеспокоенный лишь тем, как посинели губы Джона, и его мертвенной бледностью.

— Черт побери, дайте мне посмотреть, что с ним!

Генри поднял пистолет, и его дуло уперлось в живот Гриффина. Холод металла чувствовался даже сквозь ткань рубашки.

— Вы уже достаточно натворили, доктор. После того, что вы сделали с этой бедной женщиной, я имею право застрелить вас, если вы двинетесь с места.

Гриффин чертыхнулся.

— Я не убивал ее, вы, тупоголовый невежда,— я весь день был здесь!

— Это сделали вы,— неумолимо настаивал Генри.— Возле ее тела мы нашли кое-что, принадлежащее вам. Кроме того, каждому известно, как она хотела вернуть вас и как вы никого не желали знать, кроме этого отродья Бекки Маккиннон...

Гриффин, проглотив поднимающуюся к горлу ярость, прикрыл глаза.

— Я не убивал ее,— повторил он.

Судья Шеридан достал из кармана маленький предмет и протянул его Гриффину:

— Это, помимо всех прочих доказательств, приводит нас к обратному заключению.

Прохладный металл карманных часов остудил горячую ладонь Гриффина и подтвердил то, что он подозревал все это время.

— Они принадлежат Джонасу, — сказал он, протягивая часы обратно.

Генри ухмыльнулся:

— Вы думаете, мы поверим...

Гриффин достал свои часы из жилетного кармана и, взяв их за цепочку двумя пальцами, покачал в воздухе.

— Мои часы, джентльмены, — произнес он и выдавил из себя улыбку. — Посмотрите внимательно — они точно такие же, как у Джонаса. И на это есть особая причина.

Усы Генри снова задергались — вверх, вниз, в стороны.

— Какая причина?

— Какая причина? — насмешливо повторил Гриффин. — Почему же вы не расскажете ему, господин судья? Вы должны помнить.

Последний раз Гриффин видел подобную неуверенность на лице судьи Шеридана только перед его выборами.

— Матери Джонаса и доктора Флетчера были двойняшками. Обе эти замечательные, благородные леди всегда надеялись, что их сыновья будут ладить друг с другом, поэтому они купили им одинаковые часы и однажды устроили большой праздник, чтобы вместе отпраздновать их дни рождения.

— Ну и что? — скептически спросил Генри, которому уже наскучил этот пространный экскурс в прошлое.

— Так что, возможно, доктор Флетчер говорит правду. Его часы находятся при нем; они весьма необычны — вторые точно такие же есть только у Джонаса.

Генри был глубоко разочарован.

— По-моему, в них нет ничего необычного! — негодующе запротестовал он.

Гриффин открыл крышку часов и нажал расположенную внутри маленькую кнопочку. Раздались звуки странной, трепетной мелодии.

— Моя тетка — мать Джонаса — сочинила эту мелодию, — сказал он.

Генри вздохнул:

— Что ж, возможно, но не забывайте только что сказанного доктором О'Рили: похоже, он слышал, как вы угрожали убить миссис Бордо.

Судья согласно кивнул:

— Мистер Уилкс был ее другом — у него не было причин желать ее смерти.

— Вы говорили это? Вы говорили, что убьете ее собственными руками? — не унимался Генри, по-прежнему прижимая дуло пистолета к солнечному сплетению Гриффина.

— Да, — чуть слышно подтвердил Гриффин.

— Тогда вы под арестом, — бесстрастно объявил судья.

— Разрешите мне взглянуть на Джона — прошу вас.

Шеридан коротко кивнул:

— Но не делайте ничего безрассудного, Гриффин. Генри будет иметь полное право стрелять.

Гриффин оставил своих стражей и вошел в шатер. Джон сидел на одной из длинных скамеек, неподвижно глядя на скатерть. Обойдя вокруг стола, Гриффин посмотрел в лицо друга, с облегчением отметив, что цвет его лица улучшился, дыхание стало более ровным.

— Я не убивал вашу дочь, Джон, — сказал он.

На щеках Джона О'Рили блестели слезы.

— Господи, как бы я хотел верить тебе, Гриффин. Как бы я хотел тебе верить!

Генри и судья не собирались больше ждать ни минуты.

— Вытяни руки, Гриффин, — потребовал судья; голос его теперь звучал немного мягче.

— Может, лучше связать ему и ноги? — проворчал Генри.

Судья Шеридан испытующе взглянул на Гриффина.

— Не надо, — грустно сказал он. Потом обратился к Джону: — Мои глубочайшие соболезнования насчет вашей дочери. Хотите, чтобы я известил вашу жену?

Джон медленно покачал головой; его глаза казались пустыми, незрячими.

— Я сам сообщу Джоанне, — сказал он.

* * *

Рэйчел села в широкой постели, пытаясь рассмотреть бледное, повернутое в сторону лицо Молли Брэйди.

— Что произошло? — тревожным шепотом спросила девушка.

— Это Афина Бордо, — ответила Молли, наклонившись к своей пациентке и ставя ей на колени поднос с горячей пищей. — Поешь.

Но Рэйчел утратила всякий интерес к аппетитному ужину, которого ждала с таким нетерпением всего несколько минут назад.

— Что — Афина Бордо? — настойчиво повторила она, потрясенная жестким, отрешенным выражением зеленых глаз Молли.

— Она мертва, — прошептала Молли. — И доктора Флетчера арестовали по обвинению в ее убийстве.

Рэйчел отбросила одеяло и сползла с кровати. Поднос со всем своим содержимом свалился на пол.

— Нет!

Ворча, Молли опустилась на колени и стала собирать осколки посуды, куски бисквита с маслом, свиной рубец.

— Посмотри, что ты наделала, Рэйчел Маккиннон. Весь твой замечательный ужин и лучший фарфор...

Голос Рэйчел стал высоким и тонким от предельного негодования:

— Как вы можете беспокоиться о фарфоре, когда Гриффин в такой беде!

Молли подняла голову, по ее лицу текли слезы.

— О, Рэйчел, — рыдала она. — Он говорил, что убьет ее! Я своими собственными ушами, в этой самой комнате, слышала, как он поклялся в этом!

Колени Рэйчел дрожали и подгибались, но она не собиралась забираться обратно в постель и покорно смиряться с тем, что никак не могло быть правдой.

— Где моя одежда... я пойду к нему...

Молли бросила осколки, которые собирала, и вскочила на ноги:

— Ты никуда не пойдешь, мисс Рэйчел Маккиннон! Мой Билли пошел за Филдом Холлистером — доктору сейчас нужен он, а не ты!

Рэйчел увернулась от Молли и на мгновенье прислонилась к стене, чтобы отдышаться.

— Я сама найду это дурацкое платье! — закричала она.

Но Молли, в отличие от Рэйчел, не была ни больной, ни слабой. Стараясь не наступить на разбросанные по полу куски фарфора, она обхватила свою подопечную и отправила ее обратно в постель.

— И какую помощь ты окажешь этому человеку, если умрешь от потери крови? — резко поинтересовалась домоправительница Гриффина, упершись руками в худенькие бока и уставившись на Рэйчел блестящими от слез и решимости глазами.

Теперь заплакала и Рэйчел:

— Он не мог... о, Молли, он просто *не мог...*

В глазах Молли появилось отстраненное выражение, они приобрели неистово-изумрудный оттенок.

— Она погубила его, это ясно как день.

Не успела Рэйчел вымолвить ничего в ответ, как снизу, из передней донесся шум, за которым последовали быстрые, легкие шаги по ступенькам. В комнату, с отчаянием в карих глазах, ворвалась Фон Холлистер и бросилась прямо к постели. Она присела на краешек и безо всяких церемоний обняла дрожащую Рэйчел.

— Филд с ним, — ласково сказала она. — Филд там.

Рэйчел подавила очередной приступ слез:

— По-моему, Молли верит, что Гриффин виновен.

Фон подняла темные глаза на Молли, но в этом взгляде не было ни обвинения, ни злости.

— Значит, Молли ошибается, — проговорила она.

Молли отвернулась и отошла к темному незанавешенному окну спальни Гриффина.

— Дай Бог, чтобы я ошибалась, — тихо, безнадежно произнесла она. — Дай Бог.

Она подняла поднос и его рассыпанное по полу содержимое и вышла из комнаты.

— Джонас, — произнесла Рэйчел, прижавшись лбом к узкому, но сильному плечу Фон Холлистер. — Это Джонас убил ее.

— Возможно, — согласилась Фон, но в ее голосе Рэйчел услышала не больше надежды, чем в голосе Молли. — Однако ничто на свете не заставит его признаться в этом. Ничто.

— Но Гриффина могут повесить!

— Мы что-нибудь придумаем, — пообещала Фон, осторожно заставляя Рэйчел снова откинуться на подушки. — Но если ты хочешь помочь, то должна быть сильной. А сейчас поспи, утром мы сообразим, что делать дальше.

Рэйчел не могла спать, но ради подруги притворилась, будто спит. И когда она осталась одна, неподвижно лежа в темноте, в ее голове начал созревать план. Он был совершенно безумным, он был порожден отчаянием, но у него имелось одно важное достоинство — это была единственная возможность спасти Гриффина, которая пришла ей в голову.

Гриффин Флетчер стоял, сжимая прутья решетки, и чертя носком правого сапога какой-то узор на посыпанном опилками полу. Дверь, ведущая из одиночной камеры в мануфактурную лавку Генри, распахнулась, и перед решеткой появился Филд, мрачный, напуганный и до крайности измученный на вид.

— Ты ведь был в палаточном городке, когда это случилось? — рявкнул он безо всяких предисловий. — Ты ведь был там?

— Конечно, я был там, — огрызнулся в ответ Гриффин. Потом он хрипло добавил: — Я не убивал ее, Филд.

Впервые на памяти Гриффина Филд длинно выбранился.

— Я знаю — только беда в том, что Генри и судья и куча прочего народа в этом городе не будут иметь ничего против, если тебя повесят! Проклятье, Гриффин, ну почему ты не можешь сделать и шагу, не нажив себе при этом врагов?

— Привычка,— отозвался Гриффин, пожав плечами и криво усмехнувшись.

Не успел Филд ответить, как дверь снова отворилась. На этот раз посетителем оказался Джонас.

Было в глазах кузена, в его застывших чертах нечто такое, от чего Гриффина охватил страх — не за себя, а за Рэйчел. И он нарочно заговорил спокойно, даже беззаботно:

— Не объясняй ничего, Джонас, дай мне самому догадаться. Ты пришел, чтобы вытащить меня отсюда.

Джонас засмеялся, и в его смехе прозвучала нотка истерики. Страх Гриффина усилился — и одновременно возросла решимость ни в коем случае не выдавать своих чувств.

— Я ни за что не стал бы мешать свершению правосудия,— сказал Джонас. Но тут его взгляд упал на рисунок, который чертил Гриффин на опилках, покрывавших пол, и ангелоподобное лицо Джонаса исказила жуткая судорога.

— Пятно,— потерянно прошептал он.— *Родимое пятно*.

Он повернулся и выскочил из помещения, отведенного для редких в Провиденсе правонарушителей, оставив дверь за собой распахнутой.

— Что за...— начал Филд, провожая Джонаса взглядом.

Но Гриффин понял. Он опустил глаза на рисунок на полу, и у него вырвался стон. Рисунок имел форму ромба.

Гриффин невольно подтвердил то, о чем знать Джонсу было совершенно невыносимо.

ГЛАВА 36

Широко раскрыв карие глаза, Фон наблюдала за тем, как Рэйчел натягивает на себя простенькое ситцевое платье.

— Похоже, ты сошла с ума, Рэйчел Маккиннон,— заявила она без обиняков.— Джонас никогда не поддастся на такую уловку!

Рэйчел поборола приступ слабости и заставила себя быть сильной.

— Ты можешь предложить что-нибудь получше?— возразила она, всовывая ноги в уже успевшие потрескаться лайковые туфли, которые купила в Сиэтле.

Прекрасная индианка понурила голову.

— Нет,— призналась она. Но когда вновь подняла глаза на Рэйчел, они были полны недоброго предчувствия.— Думаю, ты на самом деле не понимаешь Джонаса Уилкса, Рэйчел. Но я-то его знаю. Уверяю тебя, этот человек даже в самых нормальных обстоятельствах ведет себя подло. Совершенно очевидно, учитывая то, как он разделался с Афиной, что он уже перешел границу, за которой рассудок уступает место безумию.

Рэйчел отвернулась и, остановившись перед зеркалом Гриффина, принялась яростными, решительными взмахами расчесывать волосы.

— Мне все равно, насколько он опасен, Фон. Я не буду сидеть сложа руки и смотреть, как Гриффина повесят за то, что сделал Джонас!

— Он *сумасшедший*, Рэйчел.

Рэйчел мрачно кивнула.

— Я на это и рассчитываю,— сказала она.

Фон тяжело вздохнула, но ее колебания не имели значения. Было ясно, что она готова помочь Рэйчел.

Судья Эдвард Шеридан снова и снова прокручивал в уме дело об убийстве Афины Бордо. Видит Бог, после того, что эта женщина натворила два года назад, приходилось только удивляться, почему ее не убили намного раньше.

Шеридан поудобнее устроился в кресле за письменным столом, закурил трубку и задумчиво вдохнул пахнущий вишней дым. Он видел Гриффина Флетчера в тот вечер, видел холодное, убийственное бешенство в его глазах, в напряженном развороте мощных плеч. Тогда, стоя возле бара в заведении Бекки Маккиннон, Гриффин влил в себя такое количество виски, какое ни один человек не мог бы выпить, оставшись при этом на ногах.

Гриффин не рассказывал, как нашел свою невесту в постели Джонаса Уилкса, но он ведь вообще не склонен говорить много, если только его к этому не вынуждают. Нет, он просто стоял там, стараясь исчерпать все запасы виски в баре, и демоны, которые терзали его тогда, делали свое дело в молчании. Это был наверняка настоящий ад, подумал Шеридан,— знать то, что знал Гриффин, понимая, что это, скорее всего, известно всему городу.

В кабинет судьи вошла Кловис; при всем отвращении, которое она демонстрировала к совершенному накануне преступлению, ее лицо горело жадным любопытством. Она плеснула в кружку бренди, затем налила туда же дымящийся кофе.

— Луиза Флетчер перевернулась бы в могиле, узнай она, что произошло,— сказала она с каким-то боязливым восторгом.— Когда будет суд, Эдвард?

Судья подвинул к себе чашку с кофе и принялся ожесточенно размешивать сахар.

— Мне кажется, ты бы хотела увидеть молодого Флетчера повешенным самое позднее сегодня на закате, не правда ли, дорогая?— резко бросил он.

— Он убил бедную Афину!

— Бедную Афину! — с грубой усмешкой передразнил судья. Затем, после задумчивого молчания, добавил: — Знаешь, Кловис, этот молодой человек дерзок, невоспитан и вообще несносен, и он меня раздражает не меньше, чем тебя. Но я думаю, что он не убивал эту женщину.

Сама вероятность невиновности Гриффина Флетчера произвела на миссис Шеридан ужасающее воздействие. Она опустилась в кресло, побледнела, и ее глаза вдруг ярко блеснули.

— Разумеется, это был он, Эдвард! После того скандала два года назад...

— Вот именно, — выдохнул судья. — Это случилось два года назад. Почему же он так долго ждал? Почему не убил Уилкса и эту женщину тогда же и там же? Знаешь, многие мужчины поступили бы именно так. Это беспокоит меня, Кловис — это и еще кое-что. Например, часы и тот факт, что тело было найдено в лесу между палаточным городком и домом Флетчера. Все выглядит слишком просто. Гриффин Флетчер — неглупый человек, Кловис, и он влюблен в эту девушку, Маккиннон. Если он собирался убивать Афину, зачем ему было оставлять такое множество улик?

— Эдвард, ну в самом деле! Ты защищаешь этого неудачника только потому, что ты был без ума от Луизы!

Луиза. Это имя все еще отдавалось болью где-то в самом темном, отдаленном уголке сердца судьи.

— Майк и Луиза Флетчер были моими друзьями, Кловис, и будь я проклят, если засужу их сына только из-за того, что он раздражает меня — или потому, что он действует на нервы тебе.

Голос Кловис стал капризным и пронзительным:

— Он виновен, как сам грех, Эдвард Шеридан!

Судья снова закурил трубку.

— Возможно. А, возможно, и нет. Но если он не убивал эту женщину, его не повесят, Кловис, и тебе, как и большей части Провиденса, придется смириться с этим.— Он вздохнул.— А теперь оставь меня одного. Мне надо подумать.

Судья Эдвард Шеридан все еще продолжал думать, когда в семь часов вечера Кловис ворвалась к нему в кабинет и объявила, что миссис Хаммонд, экономка и домоправительница Джонаса Уилкса, ожидает в гостиной и жаждет поговорить с ним.

Увидев платье, Фон ахнула.

— Где ты это взяла?

Рэйчел держала изящное белое платье в руках, и ей казалось, будто она чувствует ужас Афины, затаившийся в каждой складке ткани.

— Мэми каким-то образом получила его у гробовщика. Я уже послала записку Джонасу — так что все готово!

— Если нас не убьет Джонас,— прошептала миссис Холлистер,— это сделают Гриффин и Филд. Господи, Рэйчел, ты такая же сумасшедшая, как сам мистер Уилкс!

Весь день Рэйчел провела за изготовлением куклы из простынь и перьев, выпотрошенных из нескольких подушек. Теперь она спокойно натягивала на грубое подобие манекена платье Афины.

— Билли проверил,— сказала она так, словно Фон перед этим даже не раскрывала рта.— Вокруг конюшни Джонаса нет никого из его людей — думаю, большинство из них лежат с инфлюэнцей. Билли поставит это куда надо, а потом, когда как следует стемнеет...

Взгляд Фон скользнул к окну. Дождь прекратился, но небо по-прежнему покрывали тучи, и ночь из-за этого должна была наступить раньше. Она встала, оправила ситцевые юбки.

— Я сделаю то, о чем ты меня просишь,— объявила она.— Но сначала мне нужно сделать еще кое-что!

— Никому не рассказывай! — напряженным шепотом предупредила Рэйчел.

Не дав никаких определенных обещаний, Фон Холлистер вышла из спальни.

* * *

Джонас неподвижно стоял у окна на втором этаже, глядя на улицу, на уныло-серый после дождя пейзаж, сжимая в руке записку. «Неужели Рэйчел считает меня таким идиотом?» — подумал он в холодной ярости. Неужели она в самом деле полагает, будто он с восторгом бросится в любую расставленную ею ловушку?

Он бессильно прижался лбом к прохладному влажному стеклу и закрыл глаза. У него больше не оставалось иллюзий: он знал, что Рэйчел предала его с Гриффином, знал, что после этого она не имеет права жить. В своих мыслях он видел Гриффина Флетчера, который ногой рисовал ромб на полу камеры, притворяясь, будто не знает, что делает. На самом деле Гриффин издевался над ним, доказывая, что первый обладал Рэйчел.

Из горла Джонаса вырвался резкий гортанный крик. Он так сильно любил ее, любил, не слушаясь голоса разума, любил против собственной воли! А она отдалась Гриффину!

И Джонас ждал, понимая, что никогда не сможет смириться с этим.

Охваченный отчаянием, Гриффин шагал взад-вперед по посыпанному опилками полу. Во время этих передвижений он позволил бессмысленным молитвам, рвавшимся из его сердца, обрести словесную форму. Но все равно он был в отчаянии. Вряд ли Бог Филда станет прислушиваться к нему. Ведь это была всего лишь вторая или третья молитва, которую Гриффин произносил сознательно — да и вообще его лишь с большой натяжкой можно назвать верующим.

Гриффин вспомнил, как впервые по собственной воле обратился к небесам — это случилось в Сиэтле, сразу после начала пожара, когда он разыскивал Рэйчел. *Умоляю* — это было все, с чем он смог тогда обратиться к небесам, да и его теперешняя молитва была сформулирована не лучше. Однако то обращение длиной всего в одно слово не осталось без ответа. Он нашел Рэйчел.

Гриффин Флетчер всеми силами ухватился за эту надежду. Бог и теперь услышит его — ради Рэйчел.

Звук открывающейся двери заставил его вздрогнуть и замереть. Вошел Филд, на лице которого было написано одновременно и беспокойство и облегчение, за ним — судья Шеридан.

Гриффин боялся надеяться, боялся произнести хоть одно слово. Но судья Шеридан держал в руке ключи. С невыносимой медлительностью он открыл дверь в камеру.

— Ты свободен, Гриффин, — объявил он. — Элиза Хаммонд видела, как Джонас убивал эту женщину. Генри пошел арестовывать его.

Гриффин разрывался между несколькими чувствами — облегчением, нетерпением, яростью. А вид Филда вызвал у него какую-то подспудную, интуитивную тревогу.

— Филд, в чем дело? — тихо спросил он, выбираясь из ненавистной камеры и натягивая пиджак.

— Записка, — сказал Филд. — Я нашел записку на кухонном столе, когда зашел повидаться с Фон. Гриффин, она и Рэйчел уже на пути к Джонасу, если еще не пришли туда.

Гриффин опрометью бросился вперед, едва удержавшись, чтобы не выругаться.

— Так какого черта ты здесь делаешь? — рявкнул он, когда он, Филд и судья Шеридан сели на лошадей, ожидавших их возле магазина.

Филд ничего не ответил.

В конюшне Джонаса было темно: Рэйчел не рискнула зажечь ни одного фонаря. Всеми силами стараясь подавить страх, она прижалась спиной к горе тюков колючего прессованного сена.

Кукла была на месте, Фон наверняка стояла на своем посту возле задней двери конюшни, все произойдет так, как они запланировали. По-другому просто не должно быть.

Невидимые в густой темноте, в стойлах беспокойно ржали лошади. Но коляска была запряжена и готова к отъезду, а это значило, что Джонас поверил ее записке, поверил, что она готова убежать с ним. Рэйчел закрыла глаза, прислушиваясь к частому, громкому биению своего сердца.

Вдруг у главного входа в конюшню блеснул свет фонаря, и вокруг, в радиусе несколько ярдов, заплясали призрачные тени.

— Рэйчел?

Она нервно сглотнула:

— Я здесь, Джонас.

Он приблизился, держа фонарь в понятой руке, и даже в его мерцающем свете она заметила, как пугающе странно искажены черты лица Джонаса.

— В твоем сердце произошла перемена,— произнес он как-то неестественно, нараспев.

Рэйчел вскинула подбородок.

— Да. Гриффин — убийца, я ошиблась в нем.

Джонас придвинулся ближе, и хотя держался прямо, казалось, что он выгибает спину, будто дикий зверь перед прыжком. Рэйчел едва подавила готовый вырваться крик, когда он стремительно выбросил вперед руку, схватился за вырез ее ситцевого платья и разорвал его.

Он лениво, будто нехотя, обвел пальцем родимое пятно возле левого соска; глаза его обжигали золотистым огнем обнаженную грудь Рэйчел. Она сжала веки, борясь с инстинктивным желанием прикрыть свою наготу.

— Ты лжешь, Рэйчел,— вполне дружелюбным тоном заметил Джонас. Топазовые глаза медленно поднялись к ее лицу.— Я был бы самым любящим из мужей — вот в чем ирония. Но ты выбрала Гриффина.

Рэйчел стояла неподвижно, онемев от ужаса. *«Ну же, Фон,*— беззвучно умоляла она.— *Пожалуйста, начинай!»*

Однако безумие, похоже, позволяло Джонасу видеть ее мысли так же ясно, как и ее оголенную грудь.

— Фон не поможет тебе, Рэйчел. В данный момент она лежит связанная у меня на кухне. У меня не было времени убить ее, но я это, конечно, сделаю.

Рэйчел медленно подняла руки, и, защищаясь от взгляда Джонаса, обхватила ими плечи. Она рискнула и проиграла. Хуже того, Гриффин и Фон тоже проиграли.

— А в чем был виноват мой отец? — прошептала она. — И муж Молли Брэйди?

Джонас выгнул бровь:

— Они стояли у меня на пути.

Рэйчел едва не стало дурно; она прикрыла глаза, потом снова открыла.

В глубине конюшни что-то скрипнуло, и Джонас круто развернулся, чуть не уронив опасно раскачивающийся в его руке фонарь.

— Кто там еще? — заорал он.

Вопль Джонаса испугал запряженных в коляску лошадей: они бешено рванулись с места и потащили коляску к полуоткрытым дверям конюшни. В дверях коляска застряла; раздался оглушительный треск, и лошади, охваченные паникой, пронзительно заржали. Внутри коляски дергалась из стороны в сторону страшная в своем движении, лишенная конечностей кукла, похожая на жуткое привидение из ночного кошмара.

Сердце едва не выпрыгнуло из груди Рэйчел, которую захлестнул самый неподдельный ужас. На мгновение она сама поверила, что Афина вернулась, чтобы отомстить за себя.

Какое-то время Джонас беззвучно шевелил губами, уставившись на материальное воплощение своей вины, затем издал дикий крик и швырнул в коляску фонарь. Послышалось шипение, за которым последовал рев пламени, охватившего сначала солому на полу конюшни, а потом и коляску. Впряженные лошади визжали и рвались с удвоенной силой, животные в стойлах били копытами по перегородкам, вставали на дыбы, ржали, заглушая все усиливавшийся рев пламени.

Рэйчел неподвижно смотрела перед собой, затаив дыхание. Джонас будто примерз к месту, глядя невидящими глазами на горящую коляску.

«Мы сгорим заживо», — подумала Рэйчел. И все же не могла пошевелиться.

Снаружи послышались голоса — громкие распоряжения и ругань. Затем двери распахнулись, и пылающую коляску вытащили из конюшни. Внутрь, пробиваясь сквозь адское пламя, которое преграждало им путь, ворвались Гриффин и Филд.

Гриффин почти донес Рэйчел до двери и вытолкнул наружу, в спасительную прохладу ночи, потом метнулся обратно. Сжавшись в комок, она прислонилась к огромному стволу земляничного дерева. Филд вывел из огня спотыкающегося, обезумевшего Джонаса и вернулся помогать Гриффину.

Смертельным ужасом и болью было наполнено пронзительное ржание лошадей в конюшне. Только трех из них удалось вывести наружу, когда Гриффину и Филду пришлось спасаться самим.

Деревянная крыша превратилась в море оранжево-желтого пламени, огонь плясал в окнах. Внезапно Джонас, выкрикнув имя Рэйчел, рванулся мимо Гриффина и Филда и исчез в пылающих дверях конюшни. В тот же миг со стороны главного дома показался дородный мужчина, поддерживающий под локоть потрясенную, едва переставляющую ноги Фон.

Из огненного ада, пошатываясь, выбрался Джонас. Его волосы и одежда были охвачены пламенем. Он все еще продолжал выкрикивать имя Рэйчел, когда Гриффин и Филд остановили его и повалили на землю, пытаясь сбить огонь.

Головни из пожара выстреливали в ночное небо, некоторые из них опускались даже на крышу величественного особняка Джонаса.

Рэйчел, словно окаменев, не двигалась с места, пока Гриффин не поднял глаз от распластанного на земле обгорелого тела Джонаса и не сделал ей знак подойти.

Она с трудом преодолела это короткое расстояние и опустилась на колени рядом с Джонасом. Филд бросился к своей жене.

— О Джонас,— прошептала, глядя на него, Рэйчел. Он был чудовищно обожжен, но, казалось, не замечал боли.

— Рэйчел,— только и сказал он.— Прости меня.

И после этого умер.

Гриффин стянул с себя пиджак и осторожно накрыл им неподвижное, изуродованное лицо кузена.

— Боже,— вздохнул он.— О Боже мой.

Рэйчел не удивилась, заметив в его глазах слезы. Она встала, приблизилась к нему, отпустила — впервые за все это время — разорванный ворот своего платья и обняла Гриффина.

— Все кончено,— шепнула она.— Теперь все кончено.

В звуке ревущего пламени сдавленный всхлип Гриффина был почти не слышен:

— Он думал, что ты там...

— Да,— отозвалась она, потому что больше сказать было нечего.

Появился Филд; лицо его, как и у Гриффина, покрывал слой копоти. Он протянул Рэйчел свой пиджак и осторожно поднял оцепеневшего друга на ноги.

Подошла Молли и увела Рэйчел.

— Вы все время были в конюшне,— догадалась Рэйчел, увидев оборванные, запачканные сажей юбки Молли и ее растрепанные волосы.— Это вы открыли заднюю дверь, специально чтобы она скрипнула...

— Да,— ответила Молли.— А еще я посадила чучело Афины в коляску. Я слышала, как вы с Фон придумали это, проследила за вами и постаралась сделать все, что смогла.

Отойдя на порядочное расстояние от горящей конюшни, она вдруг остановилась, и ее зеленые глаза впились в лицо Рэйчел.

— Нипочем не хотела бы я оказаться на вашем месте, мисс Рэйчел Маккиннон, когда доктор обо всем узнает. Чучело в белом платье! — Молли замолчала и покачала головой в яростном изумлении.

Рэйчел опустила глаза; действительно, этой ночью все пошло не по плану. Кукле полагалось упасть со стропил конюшни, и в тот же момент Фон должна была замогильным голосом выкрикнуть имя Джонаса. И Джонасу в результате следовало признаться в убийстве, а не погибнуть.

— Он признался, что убил моего отца, Молли. И Патрика.

Молли очень рассердилась:

— И только чудом он не убил тебя — а заодно и молодую жену Филда Холлистера.

Рэйчел оглянулась, ища глазами Гриффина, — ей просто необходимо было увидеть его. Он стоял, опершись о дерево, совсем неподалеку, и плечи его вздрагивали под измятой, перепачканной рубашкой. Рядом, словно олицетворение молчаливого сочувствия, стоял Филд.

Последующий месяц был не из веселых.

Сначала состоялись похороны Афины, потом Джонаса. То и дело отвозили на кладбище жертв по-прежнему свирепствующей эпидемии.

На то, чтобы поговорить, а уж тем более строить планы на будущее, просто не хватало времени. Врачебная практика не оставляла Гриффину ни одной свободной секунды, и Рэйчел упрямо следовала за ним из палатки в палатку, не слушая его строгих приказов отправляться домой и по мере сил помогая пациентам и Гриффина, и Джона О'Рили.

Наконец болезнь стала отступать.

Утро двадцатого июля выдалось ясное и солнечное, и Рэйчел почувствовала, что это будет особый день.

На кухонном столе стояли две банки груш с корицей, рядом лежал маленький сверток, на котором значилось имя Рэйчел. Она вскрыла пакет и улыбнулась при виде его содержимого: несомненно, это, как и рубиново-красные груши, прислала ей Джоанна.

Гриффин, закатав рукава до локтей, возился на заднем дворе, деловито копая яму.

— Что это ты делаешь? — осведомилась Рэйчел, стоя на ступеньках лестницы.

Он усмехнулся и размашистым жестом опустил в яму саженец дерева.

— Сажаю свадебный подарок, который мне доставили от Джоанны О'Рили. Интересно, почему это она прислала мне саженец груши?

Рэйчел подняла бровь.

— Интересно, почему это ты получаешь свадебные подарки? — полюбопытствовала она в ответ. — Похоже, я чего-то не знаю, Гриффин Флетчер?

Гриффин засмеялся.

— Русалочка, есть много вещей, которых ты не знаешь — например, что делать с горой, поросшей лесом, которая досталась тебе в наследство от моего кузена.

Рэйчел вздернула подбородок.

— Я научусь, — сказала она. — И палаточный городок надо перестроить — заменить палатки коттеджами.

Гриффин отвел от Рэйчел нежный, чуть насмешливый взгляд и принялся засыпать корни деревца землей.

— Моя будущая жена, лесная баронесса и неистовая реформаторша.

Рэйчел подошла и остановилась, глядя ему в лицо.

— И когда же наступит это будущее, Гриффин?

— Тебя устроит, если через пять минут? Именно столько требуется, чтобы добраться до церкви Филда.

Рэйчел обвила руками его шею и, не отпуская, рассмеялась, подняв глаза к небесам.

Часом позже, когда они уже возвращались в коляске Гриффина из церкви, новоиспеченный супруг широко ухмыльнулся:

— Ну что же, миссис Флетчер, теперь мы можем испробовать кое-что новое — заняться любовью в настоящей постели.

Рэйчел улыбнулась и во второй раз открыла маленький пакет, присланный Джоанной О'Рили. Достав оттуда две пригоршни крошечных бумажных обрывков, она пустила их по ветру; бумажки разлетелись и закружились, словно хлопья снега.

Рэйчел Флетчер молитвенно сложила руки и обернулась на усыпанную клочками бумаги дорогу. Дьяволу придется немало потрудиться, собирая их; кроме того, по пути из церкви они с Гриффином уже сделали вполне достаточно поворотов.

ЛИНДА ЛАЕЛ МИЛЛЕР

ЖЕНЩИНЫ ФЛЕТЧЕРА

Роман

Редактор *И. Щорс*
Младший редактор *Ю. Ермилова*
Художественный редактор *А. Моисеев*
Технический редактор *Г. Каляпина*
Корректоры *Т. Ширма, Ф. Сурова*

Лицензия ЛР № 070099 от 03.09.96.
Сдано в набор 24.06.98. Подписано в печать 20.07.98.
Формат $84 \times 108^1/_{32}$. Бумага газетная. Гарнитура Бодони.
Печать офсетная. Усл. печ. л. 22,68. Уч.-изд. л. 22,07. Тираж 11 000 экз.
Изд. № 98-157-Р. Заказ № 3552. С 933.

Издательство «ОЛМА-ПРЕСС»
129075 Москва, Звездный бульвар, 23

Отпечатано с готовых диапозитивов
в полиграфической фирме «Красный пролетарий»
103473 Москва, Краснопролетарская, 16

хорошая №.